¡Ya verás! GOLD

Nivel 3

¡Ya verás! GOLD

Nivel 3

John R. Gutiérrez

The Pennsylvania State University

Harry L. Rosser

Boston College

HH Heinle & Heinle Publishers

An International Thomson Publishing Company

ITP Boston, MA • 02116 • U.S.A.

Visit us on the Internet **http://yaveras.heinle.com**

The publication of *¡Ya verás! Gold, Nivel 3*, was directed by the members of the Heinle & Heinle School Publishing Team.

Team Leader: Vincent Duggan
Publisher: Denise St. Jean
Production Services Coordinator: Mary McKeon
Market Development Director: Pamela Warren

Also participating in the publication of this program were:
Assistant Editor: Sonja Regelman
Manufacturing Coordinator: Wendy Kilborn
Development, Design and Composition: Hispanex Inc.
Cover Art: Mark Schroder
Cover: Rotunda Design

Manufactured in the United States of America

ISBN 0-8384-0899-0 (student text)

10 9 8 7 6 5 4 3 2

To the Student

As you continue your study of Spanish, you will not only discover how much you can already do with the language, you will also build on what you have learned. By now, you know how to talk about yourself, your family, and your friends and how to describe people, places, and things. You can get around cities and towns, use public transportation such as the subway, ask for and understand directions, and get a hotel room and other types of lodging. You are able to order food and beverages in restaurants and cafés and to make purchases in a variety of stores. You have learned to use appropriate language in a variety of social interactions and on diverse topics, including leisure-time and vacation activities, health, and keeping fit. You are aware of the diversity of the Spanish-speaking world, including parts of the United States.

In *¡Ya verás! Gold, Nivel 3*, you will continue your exploration of Spanish-speaking countries and areas of the United States, and you will expand your cultural knowledge about themes you have already studied, such as food, clothing, using the telephone, and transportation. You will also learn about the art, music, and literature of various parts of the Spanish-speaking world. Finally, by being exposed to a great variety of texts (articles from magazines and newspapers, poems, legends, short stories, and even excerpts from some of the literary masterpieces of the Spanish language), you will hone your Spanish language reading skills. Continue to keep in mind that the most important task ahead of you is not to accumulate a large quantity of knowledge about Spanish grammar and vocabulary, but rather to use what you do know as effectively and creatively as you can.

As you know from your previous study of Spanish, communicating in a foreign language means understanding what others say and transmitting your own messages in ways that avoid misunderstandings. You also know that making errors is part of language learning. Continue to view mistakes as positive steps toward effective communication. Remember, they don't hold you back; they advance you in your efforts!

¡Ya verás! Gold has been written with your needs in mind. It places you in situations that you might really encounter in a Spanish-speaking environment. Whether you are working with vocabulary or grammar, it leads you from controlled exercises (that show you just how a word or structure is used) to bridging activities (that allow you to introduce your own personal context into what you are saying or writing) to open-ended activities and tasks (in which you are asked to handle a situation much as you might in actual experience). These situations are intended to give you the freedom to be creative and express yourself without fear or anxiety. They are the real test of what you can do with the Spanish you have learned.

Learning a language takes practice, but it's an enriching experience that can bring you a lot of pleasure and satisfaction. We hope your experience with *¡Ya verás! Gold, Nivel 3*, is both rewarding and enjoyable!

Acknowledgments

Creating a secondary program is a long and complicated process which involves the dedication and hard work of a number of people. First of all, we express our heartfelt thanks to the Secondary School Publishing Team at Heinle & Heinle for its diligent work on *¡Ya verás! Gold* and to Hispanex of Boston, MA for the many contributions its staff made to the program. We thank Kenneth Holman who created the textbooks' initial interior design and the designers at Hispanex who refined and created it.

Our thanks also go to Charles Heinle for his special interest and support and to Jeannette Bragger and Donald Rice, authors of *On y va!* We thank Jessie Carduner, Charles Grove, and Paul D. Toth for their contributions to the interdisciplinary sections in the student textbook. We also express our appreciation to the people who worked on the fine set of supporting materials available with the *¡Ya verás! Gold,* Nivel 3, program: Greg Harris, Workbook; Chris McIntyre and Jill Welch, Teacher's Edition; Joe Wieczorek, Laboratory Program; Kristen Warner, Testing Program; Susan Malik, Middle School Activities and Teacher's Guide; Sharon Brown, Practice Software; and Frank Domínguez, Ana Martínez-Lage, and Jeff Morgenstein, the *Mundos hispanos 1* multimedia program.

Finally, a very special word of acknowledgment goes to our children:
— To Mía and Stevan who are always on their daddy's mind and whose cultural heritage is ever present throughout *¡Ya verás! Gold.*
— To Susan, Elizabeth, and Rebecca Rosser, whose enthusiasm and increasing interest in Spanish inspired their father to take part in this endeavor.

John R. Gutiérrez and Harry L. Rosser

The publisher and authors wish to thank the following teachers who pilot-tested the *¡Ya verás!*, Second Edition, program. Their use of the program in their classes provided us with invaluable suggestions and contributed important insights to the creation of *¡Ya verás! Gold.*

Nola Baysore
Muncy JHS
Muncy, PA

Barbara Connell
Cape Elizabeth Middle
  School
Cape Elizabeth, ME

Frank Droney
Susan Digiandomenico
Wellesley Middle School
Wellesley, MA

Michael Dock
Shikellamy HS
Sunbury, PA

Jane Flood Clare
Somers HS
Lincolndale, NY

Nancy McMahon
Somers Middle School
Lincolndale, NY

Rebecca Gurnish
Ellet HS
Akron, OH

Peter Haggerty
Wellesley HS
Wellesley, MA

José M. Díaz
Hunter College HS
New York, NY

Claude Hawkins
Flora Mazzucco
Jerie Milici
Elena Fienga
Bohdan Kodiak
Greenwich HS
Greenwich, CT

Wally Lishkoff
Tomás Travieso
Carver Middle School
Miami, FL

Manuel M. Manderine
Canton McKinley HS
Canton, OH

Grace Angel Marion
South JHS
Lawrence, KS

Jean Barrett
St. Ignatius HS
Cleveland, OH

Gary Osman
McFarland HS
McFarland, WI

Deborah Decker
Honeoye Falls-Lima HS
Honeoye Falls, NY

Carrie Piepho
Arden JHS
Sacramento, CA

Rhonda Barley
Marshall JHS
Marshall, VA

Germana Shirmer
W. Springfield HS
Springfield, VA

John Boehner
Gibson City HS
Gibson City, IL

Margaret J. Hutchison
John H. Linton JHS
Penn Hills, PA

Edward G. Stafford
St. Andrew's-Sewanee
  School
St. Andrew's, TN

Irene Prendergast
Wayzata East JHS
Plymouth, MN

Tony DeLuca
Cranston West HS
Cranston, RI

Joe Wild-Crea
Wayzata Senior High
  School
Plymouth, MN

Katy Armagost
Manhattan HS
Manhattan, KS

William Lanza
Osbourn Park HS
Manassas, VA

Linda Kelley
Hopkinton HS
Contoocook, NH

John LeCuyer
Belleville HS West
Belleville, IL

Sue Bell
South Boston HS
Boston, MA

Wayne Murri
Mountain Crest HS
Hyrum, UT

Barbara Flynn
Summerfield Waldorf
  School
Santa Rosa, CA

The publisher and authors wish to thank the following people who reviewed the manuscript for the *¡Ya verás!*, Second Edition, program. Their comments were invaluable to its development and of great assistance in the creation of *¡Ya verás! Gold*.

High School Reviewers

Georgio Arias, Juan De León, Luís Martínez (McAllen ISD, McAllen, TX); Katy Armagost (Mt. Vernon High School, Mt. Vernon, WA); Yolanda Bejar, Graciela Delgado, Bárbara V. Méndez, Mary Alice Mora (El Paso ISD, El Paso, TX); Linda Bigler (Thomas Jefferson High School, Alexandria, VA); John Boehner (Gibson City High School, Gibson City, IL); Kathleen Carroll (Edinburgh ISD, Edinburgh, TX); Louanne Grimes (Richardson ISD, Richardson, TX); Greg Harris (Clay High School, South Bend, IN); Diane Henderson (Houston ISD, Houston, TX); Maydell Jenks (Katy ISD, Katy, TX); Bartley Kirst (Ironwood High School, Glendale, AZ); Mala Levine (St. Margaret's Episcopal School, San Juan Capistrano, CA); Manuel Manderine (Canton McKinley Sr. High School, Canton, OH); Laura Martin (Cleveland State University, Cleveland, OH); Luis Millán (Edina High School, Minneapolis, MN); David Moffett, Karen Petmeckey, Pat Rossett, Nereida Zimic (Austin ISD, Austin, TX); Jeff Morgenstein (Hudson High School, Hudson, FL); Rosana Pérez, Jody Spoor (Northside ISD, San Antonio, TX); Susan Polansky (Carnegie Mellon University, Pittsburgh, PA); Alva Salinas (San Antonio ISD, San Antonio, TX); Patsy Shafchuk (Hudson High School, Hudson, FL); Terry A. Shafer (Worthington Kilbourne High School, West Worthington, OH); Courtenay Suárez (Montwood High School, Socorro ISD, El Paso, TX); Alvino Téllez, Jr. (Edgewood ISD, San Antonio, TX); Kristen Warner (Piper High School, Sunrise, FL); Nancy Wrobel (Champlin Park High School, Champlin, MN)

Middle School Reviewers

Larry Ling (Hunter College High School, New York, NY); Susan Malik (West Springfield High School, Springfield, VA); Yvette Parks (Norwood Junior High School, Norwood, MA)

Contenido

◆

CAPÍTULO A

Vamos a repasar • • • • • • • • • • • • • • 1

UNIDAD 1   *La ropa y la comida*   28

CAPÍTULO 1

Vamos de compras • • • • • • • • • • • • 30

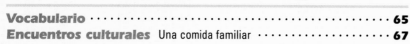

¡Bienvenidos al mundo hispánico!

Sabías que más de 360 millones de personas en el mundo hablan español? El español es el tercer idioma más hablado en el planeta, después del chino y el inglés. De sus modestos orígenes en la provincia de Castilla, en España, el español ha llegado a ser el idioma principal de veinte países. Después del inglés, es el idioma más usado en los Estados Unidos, hablado por más de veintidós millones de personas.

La geografía ha tenido una gran influencia en el español, como ocurre con la mayoría de los idiomas. El español que hablan los chilenos al pie de los Andes nevados ha tenido una evolución diferente del español que hablan los vaqueros argentinos en las pampas, amplias planicies cubiertas de pasto. Incluso en un país tan pequeño como la República Dominicana hay diferencias en el idioma: el español de Santo Domingo, la capital, varía del español hablado en zonas rurales.

En muchos lugares de América Latina, las culturas y los idiomas de los pueblos indígenas que vivían allí antes de la llegada de los españoles también han tenido una gran influencia en el español. Por ejemplo, podemos mencionar la cultura maya en Guatemala y en la Península de Yucatán, en México, y la cultura guaraní en Paraguay. De la misma manera que los Estados Unidos son el resultado de la combinación de muchas culturas, el mundo hispanohablante es un dinámico mosaico lingüístico y cultural. **¡Bienvenidos al mundo hispánico!** Están por comenzar un viaje fascinante.

Actividades:

A. ¿Dónde está...?
Utilizando los mapas en las páginas xv-xvii, responde a las preguntas siguientes en una hoja de papel. ¿Qué país se encuentra al norte de Ecuador? ¿Qué país se encuentra al sur de Costa Rica? ¿Qué país se encuentra al noreste de España? ¿Qué país se encuentra al oeste de Argentina y Bolivia? ¿Qué país se encuentra al este de la República Dominicana?

B. Adivina dónde...
Utiliza los mapas en las páginas xvi-xviii para encontrar los nombres de los sitios descritos a continuación. Cuando los encuentres, escríbelos en una hoja de papel.

1. Islas al este de España.

2. Un lugar en África donde se habla español.

3. Dos ciudades en Colombia que están cerca de la costa.

4. Un río en España que atraviesa Córdoba, Sevilla y Cádiz.

5. El nombre del país donde se encuentra Chichén Itzá.

6. El nombre del mar al que da Honduras.

7. El nombre del país donde los barcos pueden pasar del Océano Pacífico al Mar Caribe y viceversa.

8. El país que está más al norte de América del Sur.

GUATEMALA — HONDURAS

MAR CARIBE

EL
SALVADOR

NICARAGUA

COSTA
RICA

PANAMÁ

Barranquilla
Cartagena

Manizales

Cali

COLOMBIA

ECUADOR

Quito ★
ECUADOR

Iquitos

PERÚ

Lima

Ayacucho

*Lago de
Maracaibo*

Caracas

Río Orinoco

VENEZUELA

★ **Bogotá**

GUAYANA

SURINAM

GUAYANA
FRANCESA

*OCÉANO
ATLÁNTICO*

Río Amazonas

ANDES

Machu Picchu
Cuzco

*Lago
Titicaca*

BOLIVIA

★ **La Paz**

Sucre
Potosí

B R A S I L

Río Paraná

*OCÉANO
PACÍFICO*

Salta

CHILE

PARAGUAY

Asunción

Iguazú

Río Uruguay

URUGUAY

Santiago ★

**Buenos
Aires**

★ **Montevideo**

A R G E N T I N A

AMÉRICA
DEL SUR

*ISLAS
MALVINAS (Br.)*

Estrecho de Magallanes

*TIERRA
DEL FUEGO*

0	1000 km.

0	600 millas

NIGERIA

ÁFRICA

CAMERÚN

Malabo

**GUINEA
ECUATORIAL**

ECUADOR

GABÓN

ÁFRICA

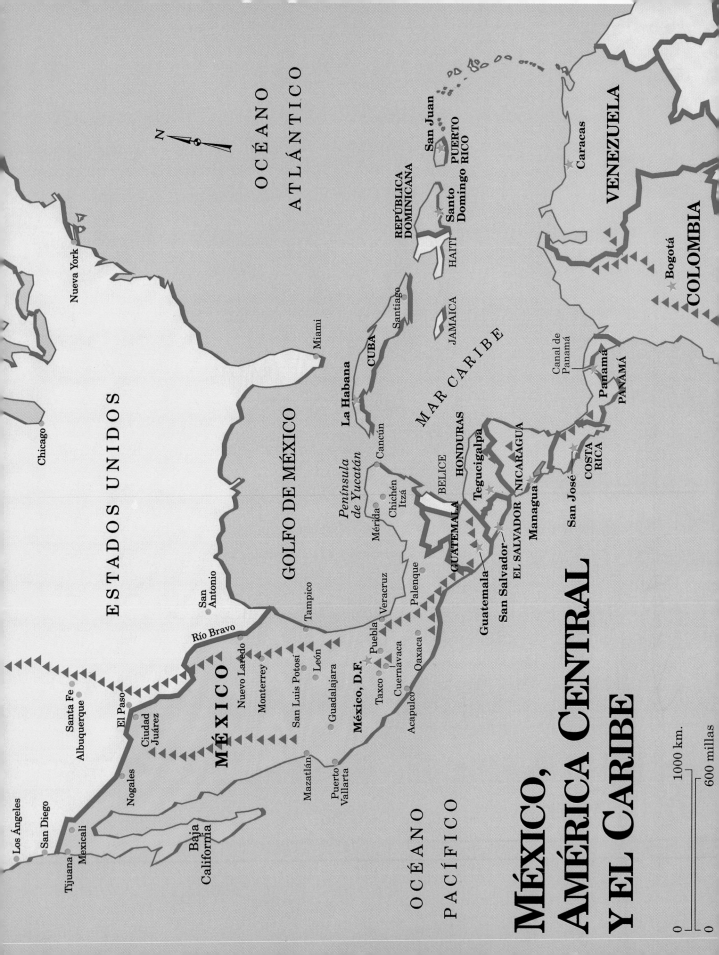

MÉXICO, AMÉRICA CENTRAL Y EL CARIBE

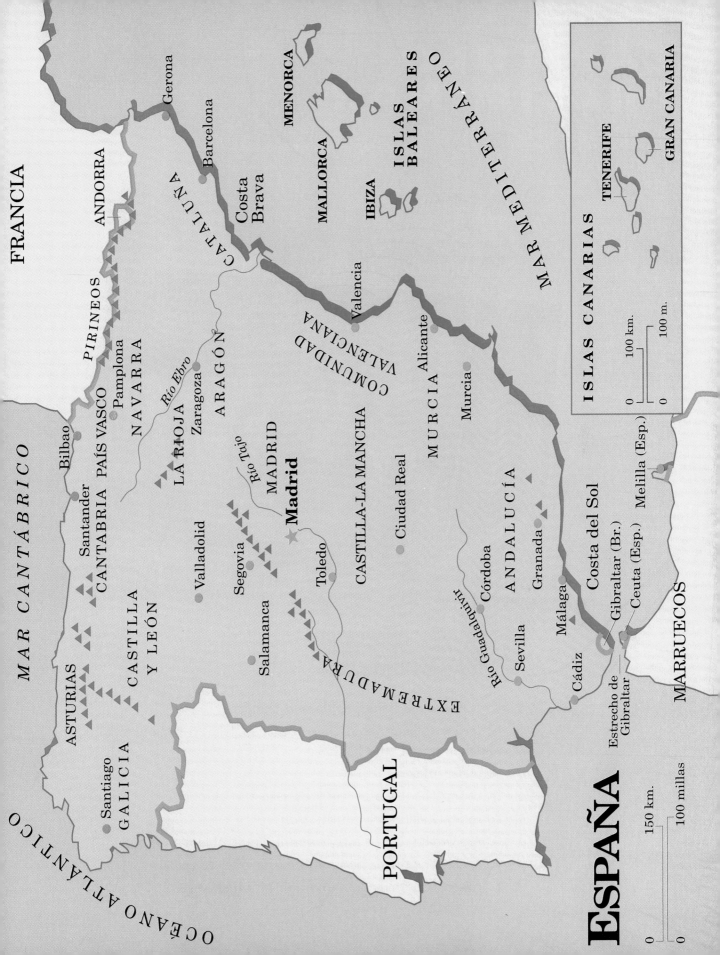

ESPAÑA

FRANCIA

OCÉANO ATLÁNTICO

MAR CANTÁBRICO

PIRINEOS

ANDORRA

Gerona

Barcelona

CATALUÑA

Costa Brava

MENORCA

MALLORCA

ISLAS BALEARES

IBIZA

MAR MEDITERRÁNEO

Bilbao

Santander

PAÍS VASCO

CANTABRIA

Pamplona

NAVARRA

Río Ebro

Zaragoza

LA RIOJA

ARAGÓN

ASTURIAS

CASTILLA Y LEÓN

Valladolid

Segovia

Río Tajo

MADRID

★ **Madrid**

Toledo

Salamanca

EXTREMADURA

CASTILLA-LA MANCHA

COMUNIDAD VALENCIANA

Valencia

Alicante

MURCIA

Murcia

Ciudad Real

Santiago

GALICIA

PORTUGAL

Río Guadalquivir

Córdoba

ANDALUCÍA

Granada

Sevilla

Cádiz

Málaga

Costa del Sol

Gibraltar (Br.)

Estrecho de Gibraltar

Ceuta (Esp.)

Melilla (Esp.)

MARRUECOS

ISLAS CANARIAS

TENERIFE

GRAN CANARIA

100 km.

100 m.

0

0

150 km.

100 millas

0

0

CAPÍTULO PRELIMINAR

Vamos a repasar

Estos amigos se reencuentran el primer día de clases.

Objectives

- to review describing people and things
- to review talking about daily routines, leisure-time activities, the weather, travel, and health
- to review making plans
- to review the uses of the preterite and the imperfect tenses
- to review asking for information
- to review the use of direct and indirect object pronouns
- to review the formation and use of reflexive verbs
- to review the formation and use of adjectives

¿Qué hiciste durante las vacaciones?

Margarita y Esteban cuentan lo que hicieron durante las vacaciones.

Me llamo Margarita Lezcano y vivo en Madrid. Mi familia tiene una casa pequeña en Nerja, un pueblo en la Costa del Sol. Cada año pasamos el mes de agosto en nuestra casa, donde tenemos una bella vista del mar. Como de costumbre, el verano pasado fuimos de vacaciones. Salimos el 2 de agosto. Hicimos el viaje en coche en diez horas. Tuvimos buena suerte porque hizo buen tiempo el día que viajamos.

Los primeros días tuvimos mucho trabajo que hacer para arreglar la casa. Mi hermano y yo les ayudamos a nuestros padres. Limpiamos los cuartos, hicimos las camas y compramos comida —huevos, patatas, pan y fruta.

Después nos divertimos mucho. Mi hermano y yo nos encontramos con nuestros amigos, fuimos al cine, hicimos excursiones a la playa y comimos muchas cosas deliciosas. También fuimos a varias fiestas.

A fines de agosto cerramos la casa y volvimos a Madrid. Ahora estoy lista para volver a la escuela.

Me llamo Esteban Beltrán y vivo en Burgos con mi familia. El verano pasado hicimos un viaje por Andalucía. Mi abuela vive en Sevilla y también tengo primos en Córdoba. Hacía mal tiempo cuando salimos de Burgos. Hicimos el largo viaje a Granada en un solo día. Estábamos muy cansados cuando llegamos al Parador de San Francisco. Dormimos bien esa noche.

El día siguiente comenzamos a explorar Granada. Visitamos la Alhambra, una fortaleza que construyeron los árabes en el siglo XIV. Visité el Alcázar con mis padres. Después nadé en la piscina del hotel.

De Granada viajamos a Córdoba, donde visitamos la Mezquita, ahora una catedral famosa en el centro de la ciudad.

Pasamos unos días con mis primos. Vimos un concurso de baile flamenco, visitamos el Museo Arqueológico y comimos en un restaurante elegante.

Después de dos semanas de viaje, regresamos a Burgos. Estaba muy contento de volver a casa y ver a mis amigos otra vez.

Comprensión

A. ¿Los Lezcano o los Beltrán? Decide si las oraciones que siguen se refieren a la familia Lezcano o a la familia Beltrán, según la información de las dos descripciones. Halla la frase de la lectura que justifica tu decisión en cada caso. Escribe tu respuesta. Sigue el modelo.

MODELO Comieron muchas cosas deliciosas.
los Lezcano, porque la primera lectura dice en el tercer párrafo: "…hicimos excursiones a la playa y comimos muchas cosas deliciosas."

1. Visitaron Granada.
2. Tienen una casa pequeña en la Costa del Sol.
3. Tienen dos hijos.
4. Hicieron un viaje por Andalucía.
5. Salieron de viaje a principios de agosto.
6. Visitaron a su abuela y a sus primos.
7. Son del norte de España.
8. El día que salieron de Madrid hacía buen tiempo.
9. Visitaron varios lugares de interés histórico.
10. Pasaron la mayor parte de sus vacaciones en un solo lugar.

REPASO

The preterite and the imperfect

1. The preterite and the imperfect are past tenses.

2. As a general rule, the preterite moves a story's action forward in past time.

   Visitamos el Museo de Arte Moderno, **vimos** muchos cuadros famosos y después **fuimos** a un restaurante elegante donde **comimos** pescado.

3. As a general rule, the imperfect tends to be more descriptive and static.

   Hacía buen tiempo, el sol **brillaba** y nosotros **jugábamos** en la playa mientras nuestros padres descansaban en el hotel.

Imperfect	Preterite
Habitual actions Durante las vacaciones siempre **íbamos** a Puerto Rico.	**Single occurrences** El verano pasado **fuimos** a Puerto Rico.
Indefinite period of time Cuando era niño, **tenía** un perro. Generalmente **hacía** buen tiempo.	**Definite period of time** En 1989, **pasé** dos meses in Venezuela. El sábado **hizo** buen tiempo.
Actions repeated an unspecified number of times A menudo **jugábamos** al tenis en el parque.	**Actions repeated a specified number of times** El domingo por la tarde **jugamos** al tenis dos veces.
Descriptions of people, things, physical conditions, and mental states Su tío **era** un hombre inteligente. El Jardín **estaba** lleno de flores. **Estábamos** muy enfermos. Carlos **tenía** miedo de subir al avión.	

Aquí practicamos

B. Mis vacaciones Usa los siguientes verbos y expresiones para hablar de tus vacaciones más recientes. Usa el pretérito para indicar qué hiciste. Si no fuiste de vacaciones en realidad, inventa los detalles *(details)*. Sigue el modelo.

> **MODELO** el verano pasado / ir
> *El verano pasado nosotros fuimos a Boston.*

1. el primer día / desayuna
2. primero / visitar
3. después / ver
4. esa noche / ir
5. el día siguiente / comprar
6. más tarde / comer
7. después de unos días / salir
8. por fin / regresar

C. ¿Qué hacías? ¿Dónde estabas? Contesta las preguntas, usando la información que hay entre paréntesis. Sigue el modelo.

> **MODELO** ¿Qué hacías tú cuando comenzó a llover?
> (trabajar en el jardín)
> *Yo trabajaba en el jardín cuando comenzó a llover.*

1. ¿Qué hacías tú cuando Juan entró? (mirar la televisión)
2. ¿Dónde estabas tú cuando Mario tuvo el accidente? (estar en la playa)
3. ¿Qué hacías tú cuando ella llamó por teléfono? (poner la mesa)
4. ¿Qué hacía él cuando vio a su profesor? (jugar al fútbol)
5. ¿Dónde estaban ellas cuando tú te caíste? (estar en la cocina)
6. ¿Qué hacían ustedes cuando llegó Isabel? (comer)
7. ¿Dónde estabas tú cuando tu mamá te llamó? (caminar por el parque)
8. ¿Qué hacían ellos cuando recibieron la noticia? (lavar el coche)

D. Cuando yo era niño(a)... Descríbele tu niñez *(childhood)* a un(a) compañero(a). 1) ¿Dónde vivías? 2) ¿Qué tiempo hacía en esa región? 3) ¿A qué escuela asistías? 4) ¿Qué hacías durante las vacaciones? 5) ¿Qué te gustaba hacer durante los fines de semana? Usa el imperfecto en tu descripción.

E. El verano pasado Diles a tus compañeros lo que hiciste el verano pasado. Cuéntales de tus actividades, de lo que hacías los fines de semana, de un viaje que hiciste, etc. Usa las descripciones de Margarita y de Esteban como modelos. Presta atención a los usos del pretérito y del imperfecto.

REPASO

Information questions

¿**Cuándo** regresaste de tus vacaciones, Esteban?

¿**Por qué** visitaste Granada?

¿**Qué** viste en esa ciudad?

¿**Dónde** vive tu abuela?

¿**Adónde** fueron después de Córdoba?

¿**Cuántos** días pasaron en Sevilla?

¿**Quién** visitó el Museo Arqueológico?

¿**Con quiénes** fuiste al concurso de baile flamenco?

¿**Cómo** hicieron el viaje por Andalucía?

¿**Cuál** fue tu lugar favorito?

To ask for information, use the question words **cuándo** *(when)*, **por qué** *(why)*, **qué** *(what, which)*, **dónde / adónde** *(where)*, **cuánto / cuánta / cuántos / cuántas** *(how much, how many)*, **quién / quiénes** *(who)*, **con quién / con quiénes** *(with whom)*, **cómo** *(how)*, or **cuál / cuáles** *(what, which)*.

Aquí practicamos

F. ¡Qué curioso! Un(a) compañero(a) te dirá algo sobre sus vacaciones. Responde a lo que dice tu compañero(a) con tres preguntas para obtener más información. Tu compañero(a) debe inventar los detalles para responder a tus preguntas. Sigue el modelo.

> **MODELO**   Este verano estuve en Perú.
>
> **Tú:** *¿Cuándo saliste para Perú?*
> **Compañero(a):** *El 2 de julio.*
> **Tú:** *¿Qué ciudades visitaste?*
> **Compañero(a):** *Lima y Cuzco.*
> **Tú:** *¿Con quiénes estuviste en Perú?*
> **Compañero(a):** *Con mis padres.*

1. Este verano fuimos de campamento.

2. El año pasado mi familia y yo estuvimos en Bolivia.

3. Anoche mis amigos y yo comimos en un restaurante.

4. El fin de semana pasado me quedé en casa.

5. Nuestro profesor pasó el verano en Venezuela.

6. Mis padres acaban de comprar un coche.

7. El sábado pasado fui al centro.

G. Una entrevista Entrevista a uno(a) de tus compañeros sobre sus vacaciones. Hazle por lo menos seis preguntas. Después cuéntale a la clase lo que tu compañero(a) hizo durante el verano.

REPASO

Aquí practicamos

H. En pocas palabras Imagina que viajaste en tren con tu familia. Habla de los detalles del viaje, reemplazando los complementos directos con los pronombres correspondientes. Sigue el modelo.

> **MODELO**   Marta hizo los arreglos para el viaje.
> *Marta los hizo.*

1. Mi hermano llevó las maletas al coche.
2. Mi padre compró los pasajes.
3. El taxi llevó a mi familia a la estación de trenes.
4. Leí una revista mientras esperábamos.
5. Vimos una cafetería nueva en la estación.
6. Quería beber un refresco.
7. Mi hermana vio a unos amigos suyos.
8. El conductor anunció la hora de la salida.

I. Es decir... Indica lo que **buscaste, pediste** o **viste** en un viaje al centro de tu ciudad. Usa el pretérito y el pronombre que corresponde a cada complemento directo. Sigue el modelo.

> **MODELO**   un restaurante mexicano
> *Lo busqué.* o: *Lo vi.*

1. a un mesero joven
2. unas mesas pequeñas
3. el menú
4. tacos de pollo
5. a unos amigos
6. una ensalada
7. la cuenta
8. el teléfono

J. **No quiero hacerlo** Dile a un(a) compañero(a) que no quieres hacer lo que te sugiere. Usa el pronombre que corresponde a cada complemento directo. Sigue el modelo.

> **MODELO** ver la película
> *No quiero verla.* o: *No la quiero ver.*

1. perder el partido
2. hacer las maletas
3. ver el museo
4. comprar ese disco compacto
5. saber su opinión
6. hacer la tarea
7. mirar los mapas
8. llevar calcetines
9. llevar a mi hermano a la escuela

Contexto

▶ En el Hotel Regina

El Sr. y la Sra. Álvarez deciden quedarse en el Hotel Regina.

Clienta: Buenos días, señor.
Empleado: Buenos días, señora. ¿En qué puedo servirle?
Clienta: Quisiera reservar dos habitaciones por tres noches. Una habitación para dos personas y una habitación individual.
Empleado: Cómo no. ¿Bajo qué nombre, por favor?
Clienta: Bajo el nombre de Álvarez.
Empleado: Muy bien. Dos habitaciones por tres noches. ¿Con baño o sin baño?
Clienta: Con baño, por favor.
Empleado: Bien. Una habitación para dos personas a 6.600 pesetas por persona y una habitación para una persona a 9.500 pesetas. ¿Le parece bien?
Clienta: Sí, perfecto. ¿Está incluido el desayuno?
Empleado: No, señora. Usted tiene que pagar un suplemento de 750 pesetas por el precio del desayuno.
Clienta: De acuerdo.

🏨 **Regina** sin rest, San Vicente 97, ✉ 41002, 🏃 490 75 75, Fax 490 75 62 – 🛗 📺 TV ☎ 🚗.
AE ① E VISA ⚓.   FR **d**
🍽 750 – **68 hab** 11000/15000, 4 suites.

¡Te toca a ti!

K. En el hotel You and your family are in Madrid checking into the Hotel Carlos V. Because you are the only one in the family who speaks Spanish, you make the arrangements at the desk. Ask for the number of rooms necessary for your family, decide if you want a bathroom in each room, find out the price, and ask if breakfast is included. Your classmate will play the desk clerk and use the following guidebook entry to give you the correct information.

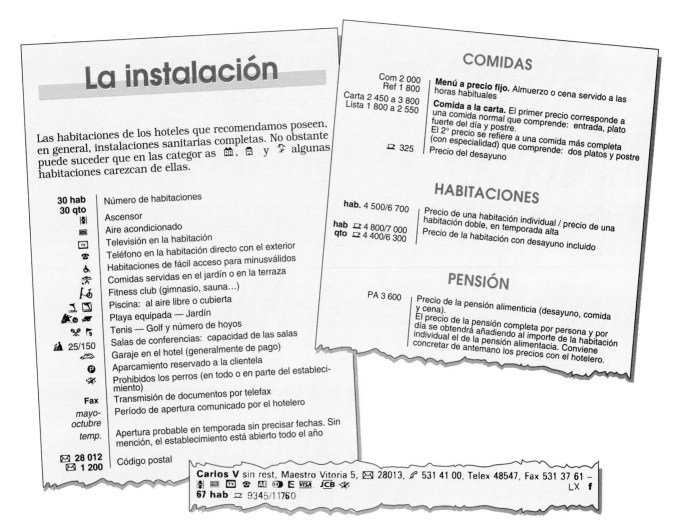

La instalación

Las habitaciones de los hoteles que recomendamos poseen, en general, instalaciones sanitarias completas. No obstante puede suceder que en las categor as 🏨, 🏚 y ☂ algunas habitaciones carezcan de ellas.

30 hab **30 qto**	Número de habitaciones
	Ascensor
	Aire acondicionado
TV	Televisión en la habitación
☎	Teléfono en la habitación directo con el exterior
🦽	Habitaciones de fácil acceso para minusválidos
	Comidas servidas en el jardín o en la terraza
	Fitness club (gimnasio, sauna…)
	Piscina: al aire libre o cubierta
	Playa equipada — Jardín
	Tenis — Golf y número de hoyos
25/150	Salas de conferencias: capacidad de las salas
	Garaje en el hotel (generalmente de pago)
P	Aparcamiento reservado a la clientela
	Prohibidos los perros (en todo o en parte del establecimiento)
Fax	Transmisión de documentos por telefax
mayo-octubre	Período de apertura comunicado por el hotelero
temp.	Apertura probable en temporada sin precisar fechas. Sin mención, el establecimiento está abierto todo el año
✉ 28 012 ✉ 1 200	Código postal

COMIDAS

Com 2 000
Ref 1 800
Carta 2 450 a 3 800
Lista 1 800 a 2 550

Menú a precio fijo. Almuerzo o cena servido a las horas habituales

Comida a la carta. El primer precio corresponde a una comida normal que comprende: entrada, plato fuerte del día y postre.
El 2° precio se refiere a una comida más completa (con especialidad) que comprende: dos platos y postre

🍽 325 Precio del desayuno

HABITACIONES

hab. 4 500/6 700 Precio de una habitación individual / precio de una habitación doble, en temporada alta

hab 🍽 4 800/7 000
qto 🍽 4 400/6 300 Precio de la habitación con desayuno incluido

PENSIÓN

PA 3 600 Precio de la pensión alimenticia (desayuno, comida y cena).
El precio de la pensión completa por persona y por día se obtendrá añadiendo al importe de la habitación individual el de la pensión alimentacia. Conviene concretar de antemano los precios con el hotelero.

Carlos V sin rest, Maestro Vitoria 5, ✉ 28013, ☎ 531 41 00, Telex 48547, Fax 531 37 61 –
🛗 📺 TV ☎ 𝔸𝔼 ① E *VISA* *JCB* ✗   LX **f**
67 hab 🍽 9345/11760

Contexto

▶ Excepto Galicia, soleado

Si piensas hacer un viaje, es buena idea consultar la sección meteorológica del periódico. Mira el mapa y lee el pronóstico del tiempo del periódico antes de hacer el ejercicio que sigue.

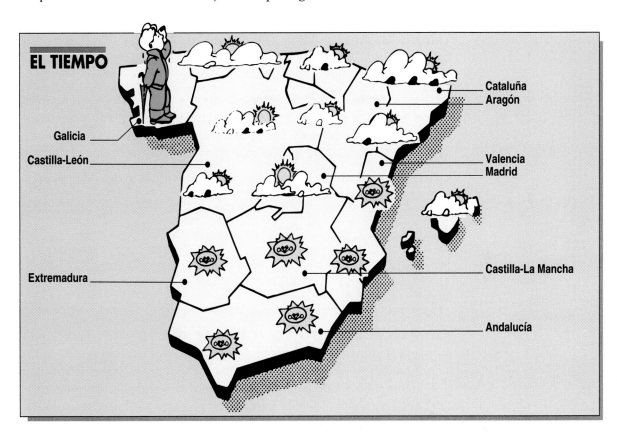

Más lentamente de lo esperado va **a mejorar** la situación atmosférica en la mayoría de las regiones españolas, con predominio de los cielos parcialmente **nubosos** o despejados. Únicamente **habrá** tiempo nublado y algo inestable en Galicia y algunos intervalos nubosos frecuentes en las costas norteñas.

Andalucía. Máxima, de 22° a 26°; mínima, de 11° a 19°. **Ambiente** templado, con cielos despejados. Áreas de **marejada.**

Aragón. Máxima, de 16° a 21°; mínima, de 10° a 15°. Predominio de los cielos parcialmente nubosos, con **niebla matinal** en el valle del Ebro.

Castilla-La Mancha. Máxima, de 19° a 24°; mínima, de 10° a 13°. Ambiente templado, con cielos despejados y algunas neblinas matinales.

a mejorar *to improve* **habrá** *there will be* **nubosos** *cloudy* **Ambiente** *Atmosphere* **marejada** *ocean swell* **niebla** *fog* **matinal** *in the morning*

Castilla-León. Máxima, de 17° a 21°; mínima, de 10° a 13°. **Refrescamiento,** con intervalos nubosos más frecuentes en las áreas montañosas, con algunas precipitaciones débiles ocasionales.

Cataluña. Máxima, de 17° a 24°; mínima, de 10° a 16°. Cielos parcialmente nubosos en el norte. Marejada.

Extremadura. Máxima, de 23° a 25°; mínima, de 14° a 18°. Neblinas matinales, con predominio de los cielos poco nubosos o despejados y ambiente templado durante el día.

Galicia. Máxima, de 19° a 21°; mínima, de 11° a 14°. Predominio de los cielos nubosos, con frecuentes bancos de niebla matinales, ambiente templado y tiempo algo inestable con lluvias ocasionales. Marejada.

Madrid. Máxima, de 22° a 25°; mínima, de 11° a 14°. Predominio de los cielos poco nubosos o despejados, con ambiente templado y agradable durante el día. Neblinas y fresco nocturno y matinal.

Valencia. Máxima, de 23° a 25°; mínima, de 15° a 17°. Tiempo **seco** y cielos poco nubosos o despejados, con ambiente muy templado durante el día y nieblas matinales. Marejada.

Refrescamiento *A cooling off*   **seco** *dry*

¡Te toca a ti!

L. ¿Qué tiempo va a hacer mañana? Trabajando con un(a) compañero(a), imagínense que están viajando por España. Estudien el mapa meteorológico de España y la información que lo acompaña. Cada persona 1) escogerá tres regiones distintas que le interesa visitar, 2) hablará del tiempo que va a hacer en cada lugar, y 3) le preguntará a su compañero(a) qué ropa conviene llevar tomando en cuenta las condiciones que describió en cada una de las tres regiones. Usen las expresiones **Va a hacer...** y **Va a estar...** (**Va a hacer sol; Va a hacer frío; Va a estar nuboso**) en sus descripciones y **La temperatura está a _____ grados** para hablar de la temperatura.

Contexto

▶ ## Vamos a hacer planes

Dos amigos hacen planes para el sábado por la noche.

Rita: ¿Qué vas a hacer el sábado por la noche?
Manuel: No sé. ¿Qué quieres hacer tú?
Rita: Podemos ir al cine.
Manuel: Si tú quieres... Pero yo... pues yo prefiero organizar una fiesta.
Rita: De acuerdo. ¡Buena idea! ¿Dónde vamos a tener la fiesta?
Manuel: Pues, en mi casa. ¿Qué te parece? Yo invito a algunos amigos y tú compras algo para beber y comer.
Rita: De acuerdo. ¿A qué hora va a comenzar?
Manuel: A las ocho.
Rita: ¿Tú tienes muchos discos compactos y cintas? Todos podemos bailar.
Manuel: ¡Claro que sí! Bueno, adiós. Hasta el sábado.

¡Te toca a ti!

M. Una fiesta para la clase de español Con la ayuda de dos compañeros(as), organiza una fiesta para la clase. Decidan 1) dónde van a tenerla, 2) qué refrescos y comida van a servir, 3) el día, 4) qué quieren hacer y 5) la hora.

N. El fin de semana pasado In groups of four or more, discuss the way each of you spent last weekend. Look for similarities and differences. Discuss your leisure-time activities, your responsibilities, where and with whom you had your meals, and what the weather was like during your different activities. Use verbs in the preterite and the imperfect as appropriate. Find 1) three elements all of you had in common, 2) one thing that only one of you did, 3) the most interesting activity anyone did, 4) the most interesting responsibility anyone had, 5) the most prevalent weather condition when you were all having fun, 6) one food you all ate, and 7) one food that only one of you ate.

O. Un lugar que yo conozco Tell the members of your group about a city, state, or country you have visited and know well. Tell when you last went to this place, what mode(s) of transportation you used to get there, what the place was like, what you did there and how you traveled, whom you visited and/or met, how the weather was, etc. Be sure to use the preterite and the imperfect appropriately when you talk about the past.

Find 1) two elements that all of your trips have in common, 2) a unique element that only one of you experienced, 3) the location visited that is the farthest away, and 4) the trip that had the most "extreme" weather conditions.

LECTURA CULTURAL

Andalucía y los andaluces

Las ocho provincias andaluzas forman la región más extensa de España. Los primeros habitantes de la región, entre los años 750 y los 500 antes de Cristo, fueron de la antigua civilización de los tartesios. Tuvieron contacto comercial con otros grupos como los fenicios y griegos hasta que los cartagineses los dominaron. Más tarde llegaron los romanos. Bajo su gobierno, aumentó la producción de trigo, vinos y metales en la región.

Los árabes invadieron el sur de España en el año 711 después de Cristo y nombraron el territorio "Al Andalus". Llegó a ser un brillante centro del Islam durante muchos siglos. Todavía es evidente la influencia árabe en la arquitectura, la artesanía, la comida y los nombres de Andalucía.

Cuando pensamos en el folklore andaluz, pensamos inmediatamente en el arte flamenco, una expresión cultural rica y variada en su música, canciones y bailes. El plato andaluz más conocido es el gazpacho, del que existen innumerables variedades. Otro plato típico es el pescado frito.

Comprensión

P. **Lo que yo sé de Andalucía** Usa el mapa de la página 9, la información que dan Margarita y Esteban en las páginas 1 y 2 y la lectura sobre Andalucía para hablar un poco en español de lo que ya sabes sobre los siguientes temas.

1. la posición geográfica de Andalucía
2. los primeros grupos que vivieron en la península
3. algunas atracciones turísticas
4. la influencia árabe
5. el folklore andaluz
6. la comida

Los jardines del Generalife se construyeron en Granada en el siglo XIII.

¿Qué haces tú de costumbre?

*Norma y Alejandro cuentan lo que hacen en su **vida diaria** (daily life).*

Me llamo Norma Bravos Oñate y vivo en Viña del Mar, Chile. Nací en Santiago, la capital de nuestro país, pero ahora mi familia y yo vivimos en Viña del Mar. Todos los días tengo la misma rutina: me levanto a las 6:30, me baño y me visto. Para el desayuno tomo jugo de naranja y como pan tostado y mermelada. Generalmente, salgo a la escuela a las 7:30. Después de mis clases trabajo en la farmacia de mi papá. Soy una dependienta. Me gusta el trabajo porque es interesante y variado.

Todos los días llegan clientes que necesitan de todo. Algunos traen recetas del médico y mi padre tiene que atenderlos. También llegan otros con catarro o la gripe. Generalmente, yo les vendo aspirinas, gotas para los ojos o la nariz, pastillas para la garganta o antihistamínicos.

Raramente estoy enferma, pero hoy no fui a la escuela porque tengo un poco de fiebre. Mi papá dice que no es muy grave, pero me siento verdaderamente mal. Tengo dolor de cabeza, estornudo sin parar y tengo escalofríos. Parece que tengo la gripe. Estoy un poco enojada porque voy a perder mi clase de ejercicios aeróbicos. Va a ser un día verdaderamente desagradable.

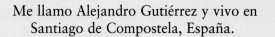

Me llamo Alejandro Gutiérrez y vivo en Santiago de Compostela, España. Normalmente, en un día típico estoy muy ocupado. Por la mañana me despierto a eso de las 6:30, pero en general no me levanto hasta las 7:00. Me ducho, me afeito y me visto. Por lo general, como pan tostado y tomo un café con leche. Después, me lavo los dientes y salgo para tomar el autobús un poco antes de las 8:00. Mi escuela no está lejos de mi casa, pero prefiero ir en autobús porque puedo charlar con mis amigos.

En la escuela tengo un horario bastante ocupado. Tengo cursos de alemán, inglés, historia, química, geografía y álgebra.

Después de la escuela generalmente voy a la casa de unos amigos o a la piscina. Mis amigos y yo a veces jugamos al básquetbol o vamos a jugar al fútbol. Si hace buen tiempo, me gusta ir a correr o jugar al tenis. Creo que es muy importante hacer ejercicio y estar en buena forma.

Vuelvo a mi casa a eso de las 6:30. Todos cenamos juntos entre las 7:30 y las 8:00. Hago mi tarea y si tengo tiempo miro la tele o escucho mis discos compactos. Por fin, me acuesto a eso de las 11:00.

Comprensión

A. Una conversación

Alejandro y Norma hablaron de su rutina diaria en las páginas 14 y 15 y ahora quieren saber cómo es un día típico para ti. Trabaja con dos compañeros(as). Por turnos, hagan el papel de Alejandro y el de Norma, o contesten las preguntas. Sigan el modelo.

> **MODELO**   **Alejandro:** Generalmente me despierto a las 6:30. ¿A qué hora te despiertas tú?
> **Tú:** *Yo me despierto a eso de las 7:00.*

1. **Alejandro:** Yo vivo en Santiago de Compostela. ¿Dónde vives tú?

2. **Norma:** Yo nací *(I was born)* en Santiago de Chile. ¿Dónde naciste tú?

3. **Alejandro:** Antes de ir a la escuela, yo me ducho, me afeito, me visto y como algo. ¿Qué haces tú antes de ir a la escuela?

4. **Alejandro:** Yo tomo el autobús para ir a la escuela. ¿Cómo vas tú a la escuela?

5. **Alejandro:** Para el desayuno yo como pan tostado y tomo un café con leche. ¿Qué comes y tomas tú?

6. **Norma:** Por la tarde yo trabajo en la farmacia de mi padre. ¿Trabajas tú? ¿Qué haces por la tarde?

7. **Norma:** Raramente estoy enferma. ¿Cuánto tiempo hace que estuviste enfermo(a)? ¿Qué tenías?

8. **Alejandro:** Me gustan mucho los deportes. ¿Te gustan los deportes? ¿Qué deportes practicas?

9. **Norma:** Tres veces por semana yo voy a una clase de ejercicios aeróbicos. ¿Haces ejercicios aeróbicos también?

10. **Alejandro:** Yo juego al básquetbol o nado durante mi tiempo libre. ¿Qué te gusta hacer durante el fin de semana cuando tienes tiempo libre?

REPASO

Reflexive verbs

Él **se afeita.** (present tense)

Él **va a levantarse** a las 7:00. (immediate future)

Él **se acostó** tarde anoche. (preterite)

Nosotros siempre **nos saludábamos** todas las mañanas. (imperfect)

Levántate ahora mismo. (imperative)

No te levantes. (negative imperative)

1. Verbs may be used reflexively to express an action that reflects back on the subject.

Yo **me lavo.**   *I wash (myself).*

Ella **se levanta.**   *She gets up.*

REPASO (continued)

2. Verbs may also be used reflexively to express an action in which two or more subjects interact.

Nosotras **nos reunimos** por la tarde.   *We get together in the afternoon.*

Ellos **se miran.**   *They look at each other.*

3. In both cases, the subject (noun or pronoun) is accompanied by the corresponding reflexive pronoun (**me, te, se, nos, os, se**).

4. When the verb is conjugated, the reflexive pronoun precedes it.

Yo **me levanto** temprano todos los sábados.

5. When the verb is an infinitive, the reflexive pronoun usually is attached to the end.

Mañana debo **levantarme** a las 5:30.

6. In a command, the reflexive pronoun is attached to the verb if the command is affirmative.

¡Levántate ahora mismo!

7. The reflexive pronoun precedes the verb if the command is negative.

¡No **te levantes!**

8. These are some commonly used reflexive verbs.

acostarse	lavarse	ponerse
afeitarse	levantarse	quedarse
bañarse	llamarse	quitarse
dormirse	maquillarse	reunirse
ducharse	mirarse	sentarse
encargarse	moverse	servirse
encontrarse con	peinarse	vestirse

Aquí practicamos

B. Un día típico Di a qué hora haces lo siguiente. Usa el presente de los verbos indicados. Sigue el modelo.

MODELO   despertarse
Me despierto a las 6:00.

1. despertarse
2. levantarse
3. ducharse
4. peinarse

5. lavarse los dientes
6. afeitarse o maquillarse
7. acostarse
8. dormirse

C. ¿Y tú? Usa los verbos de la Actividad B para hacerle preguntas a un(a) compañero(a) sobre su rutina diaria. Tu compañero(a) va a contestar tus preguntas. Sigue el modelo.

> **MODELO** despertarse
>
> > **Tú:** *¿A qué hora te despiertas por la mañana?*
> > **Compañero(a):** *Me despierto a las 7:15.*

D. Comparaciones Compara lo que hiciste el fin de semana pasado con lo que haces un fin de semana típico. Usa los verbos indicados para decir primero lo que haces de costumbre, y después lo que hiciste el fin de semana pasado. Sigue el modelo.

> **MODELO** despertarse
> *De costumbre me despierto a las 6:30. Pero el fin de semana pasado, me desperté a las 9:00.*

1. despertarse	5. ponerse
2. levantarse	6. encontrarse con
3. desayunarse	7. acostarse
4. ducharse	8. dormirse

E. Un día de vacaciones Explícale a un(a) compañero(a) en qué se diferencia un día típico de un día de vacaciones. Usa por lo menos tres verbos reflexivos.

REPASO

The formation and use of adjectives

1. An adjective must agree in gender and number with the noun it modifies.

2. Many adjectives end in **-o** if they are masculine and in **-a** if they are feminine. If the masculine form of an adjective ends in **-e**, the feminine form also ends in **-e**. To make both these types of adjectives plural, you simply add **-s**.

Juan es **alto**.	**María** es **alta**.
Los **jugadores** de básquetbol son **altos**.	Las **norteamericanas** son **altas**.
El **libro** es **interesante**.	La **lección** es **interesante**.
Esos **libros** son **interesantes**.	Esas **novelas** son **interesantes**.

3. Adjectives ending in **-ista** have the same ending for both the masculine and feminine forms. To make these adjectives plural, you simply add **-s**.

   José es **pesimista** pero **Marta** es **optimista**. Sus **hijos** son **optimistas**.

4. If an adjective ends in **-l, -s,** or **-z,** it keeps that ending in both the masculine and feminine forms. To make these adjectives plural, add **-es**. Notice that for adjectives ending in **-z,** the **z** changes to **c** before adding **-es**.

REPASO (continued)

El **examen** es **difícil.**	Las **preguntas** son **difíciles.**
El **libro** es **gris.**	Las **faldas** son **grises.**
El **niño** es **feliz.**	Las **niñas** son **felices.**

5. There is an exception to the previous rule: when an adjective of nationality ends in **-s** in the masculine form, the feminine form ends in **-sa.**

El **profesor** es **francés.**	La **profesora** es **francesa.**

6. In Spanish, adjectives are usually placed after the noun. When two adjectives modify the same noun, they are placed after the noun and connected with the word **y.**

una escuela **grande y bonita**

unos muchachos **inteligentes y responsables**

Aquí practicamos

F. ¡Más información, por favor! Usa los adjetivos que están entre paréntesis en las siguientes oraciones. Usa las formas correctas de los adjetivos.

1. Nosotros tenemos un perro. (pequeño)
2. Me gusta mucho la música. (moderno)
3. Yo compré unos libros. (viejo)
4. Es una joven. (inglés)
5. Es un hotel. (elegante)
6. No me gustan las novelas. (triste)
7. Prefiero a los actores. (inteligente)
8. Es un amigo. (ideal)
9. Son unos jóvenes. (extraño)
10. Es una iglesia. (viejo)

G. ¿Cómo es...? Usa la siguiente lista de parientes *(relatives)* y adjetivos para describir a tu familia. Sigue el modelo.

MODELO   *Yo tengo tres primos.*
Mi primo Jack es alto y simpático.

abuela	padrastro	aburrido	malo
abuelo	padre	alegre	optimista
hermana	prima	bonito	pequeño
hermanastra	primo	bueno	pesimista
hermanastro	sobrina	divertido	romántico
hermano	sobrino	extraño	serio
madrastra	tía	feo	sincero
madre	tío	grande	tradicional
		inteligente	triste
		interesante	viejo
		joven	

H. Mi vecino(a)

Mira con cuidado al compañero(a) que está a tu lado. Presta atención a sus características físicas: ojos, pelo, nariz, boca, cara. Cierra los ojos y trata de describir a tu compañero(a). Asegúrate de modificar los adjetivos según corresponda. Después, abre los ojos y verifica tu descripción. Sigue el modelo.

> **MODELO**
>
> *Mike es alto y delgado. Tiene los ojos verdes y el pelo rojo. Tiene la boca pequeña y la cara ovalada.*

Ojos	Pelo	Nariz	Boca	Cara
azul	rubio	grande	grande	redondo
verde	negro	pequeño	pequeño	cuadrado
gris	rojo			ovalado
café	café			triangular

¿Puedes describir a este señor uruguayo?

I. Nuestros vecinos

Conversa con tus compañeros(as) sobre una familia que vive cerca de tu casa o apartamento. Primero menciona a los miembros de la familia. Entonces describe las características físicas de cada persona. Finalmente, describe la personalidad de cada miembro de la familia.

J. Mi mejor amigo(a)

Describe a tu mejor amigo(a). Menciona su edad, sus características físicas y cómo es su personalidad. Habla también de la familia de tu amigo(a) y de lo que le gusta hacer. Tus compañeros(as) pueden hacerte preguntas. Incluye en la descripción 1) su nombre, 2) su edad, 3) el lugar donde vive, 4) las personas que hay en su familia, 5) una descripción física y 6) una descripción de su personalidad.

REPASO

Indirect object pronouns

Él **me** escribió una carta.

Ella **te** compró un disco compacto.

Mi mamá **me** dio un jarabe para la tos.

¿**Le** dio una receta el médico **a Juan**?

Indirect Object Pronouns

me	to (for) me	nos	to (for) us
te	to (for) you	os	to (for) you
le	to (for) him, her, you	les	to (for) them, you

1. Indirect object pronouns are used to indicate what person or thing receives the direct object.

2. Indirect object pronouns are used with certain verbs like **gustar** and **doler.** Only the third person singular and plural forms of these verbs are used, depending on whether what hurts or what you like is singular (**gusta, duele**) or plural (**gustan, duelen**).

   Me gusta el español, pero **no me gustan** las matemáticas.

   Hoy **me duele** la cabeza. Voy a tomar una aspirina.

   Cuando corro mucho **me duelen** las piernas.

3. Sometimes the expressions **a mí, a ti, a él (ella), a nosotros, a ustedes, a ellos (ellas)** may be used in addition to the indirect object pronoun for clarity or emphasis.

   Me dio el libro **a mí**.

   ¿**Te** contó la historia **a ti**?

Aquí practicamos

K. El médico le dio la medicina a... Indica a quién le dio el médico cada cosa. Sigue el modelo.

> **MODELO** el jarabe / Mario
> *El médico le dio el jarabe a Mario.*

1. la medicina / Laura
2. el jarabe / mis hermanos
3. el antibiótico / nosotros
4. la receta / mi mamá
5. las gotas para los ojos / mí
6. las aspirinas / mis primos
7. el antihistamínico / Ud.
8. las pastillas / mi padre

L. ¿Qué te duele? Pregúntales a varios compañeros(as) de clase si les duele alguna parte del cuerpo. Sigue el modelo.

> **MODELO** la muñeca / la espalda
> **Tú:** *¿Te duele la muñeca?*
> **Compañero(a):** *No, no me duele la muñeca.*
> *Me duele la espalda.*

1. el tobillo / los pies
2. los ojos / la cabeza
3. la espalda / las piernas
4. las orejas / el brazo
5. la rodilla / la garganta
6. las piernas / el hombro

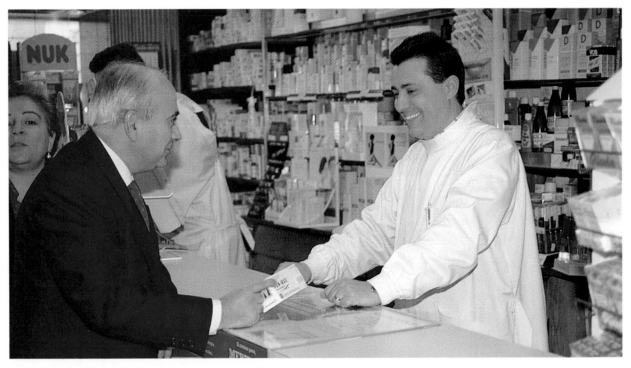

¿Tiene algo para la tos y el dolor de garganta?

M. ¿Qué te da tu mamá o tu papá cuando...?

Pregúntales a varios compañeros(as) de clase lo que les da su mamá o su papá cuando están enfermos o tienen otros problemas de salud. Escoge tres de los problemas de salud de la lista de sugerencias y entrevista a tres compañeros diferentes sobre cada problema.

una alergia   un dolor de estómago
un catarro   un dolor de...
un dolor de cabeza   la gripe

Prepara una lista de los resultados. Entonces, decide 1) cuál es el remedio más popular y 2) cuál es el más interesante.

Contexto

▶ En la farmacia

El señor Martínez no se siente bien. Va a comprar unas medicinas en la farmacia.

Farmacéutica:	Buenos días, señor. ¿En qué puedo servirle?
Cliente:	Creo que tengo gripe. Toso sin parar, tengo dolor de garganta y también tengo un poco de fiebre.
Farmacéutica:	Pues, parece que es un resfriado.
Cliente:	¿Tiene Ud. algo para la tos?
Farmacéutica:	Claro que sí. Le voy a dar un jarabe para la tos y unas pastillas para el dolor de garganta.
Cliente:	Muchas gracias. ¿Puede darme unas aspirinas también?
Farmacéutica:	Aquí tiene, señor. Descanse y beba agua y jugo de naranja.

¡Te toca a ti!

N. Estoy enfermo(a) No te sientes bien y necesitas medicinas. Ve a la farmacia y explícale al (a la) farmacéutico(a) tus síntomas. Tu compañero(a) de clase va a hacer el papel del (de la) farmacéutico(a) y va a sugerirte medicinas que debes comprar (aspirinas, gotas, pastillas, antihistamínicos, jarabe, etc.).

Contexto

▶ Un pequeño accidente

Felipe tiene un pequeño accidente, y su mamá se preocupa un poco.

Mamá:	¡Ay, ay, ay, Felipe! ¿Qué te pasó?
Felipe:	No es nada, mamá. Me corté el dedo, es todo.
Mamá:	¡Tienes que tener más cuidado! Tú tienes accidentes constantemente.
Felipe:	Sí, sí, sí, yo sé. Pero los accidentes nunca son serios.
Mamá:	De acuerdo, pero siempre me asusto *(I get frightened)* cuando tienes un accidente. La semana pasada te torciste el tobillo cuando jugabas al fútbol. El mes pasado te lastimaste la rodilla en tu clase de gimnasia. Y hace tres meses te rompiste el brazo cuando andabas en tu bicicleta. ¡No me parece muy normal!
Felipe:	Sí, sí, sí, yo sé. ¡Pero por lo menos nunca estoy enfermo!

¡Te toca a ti!

O. Mis accidentes Habla con tus compañeros(as) de clase sobre algún accidente que tú o un(a) amigo(a) haya sufrido. Incluye los detalles: ¿qué pasó y qué te lastimaste? 1) Encuentra dos cosas que tienes en común con un(a) compañero(a) de clase en cuanto a sus accidentes y entonces 2) elige el accidente más curioso.

Contexto

▶ Comemos bien

En la clase, la profesora habla sobre la nutrición.

Profesora:	Hoy vamos a hablar de las comidas que son buenas y malas para la salud. ¿Quién comienza?
Ángela:	Yo. Como muchos vegetales. Los vegetales son buenos para la salud.
Profesora:	Tienes razón, Ángela. ¿Y tú, Marcos?
Marcos:	Mi mamá dice que la sal no es buena para la salud. Ella no usa la sal cuando prepara nuestras comidas.
Profesora:	Tu mamá tiene razón.
Alberto:	Sí, y no es bueno comer mucha carne roja, y debemos comer menos dulces…
Profesora:	Es verdad, Alberto. Es mejor comer pescado o pollo. Y si queremos mantener la salud, no debemos comer muchos postres. Creo que Uds. saben muy bien la importancia de la comida apropiada.

P. Lo que como de costumbre y lo que comí ayer Habla con uno(a) de tus compañeros(as) de clase sobre las comidas que comes de costumbre y lo que comiste ayer. Tu compañero(a) te dirá si las comidas que comiste son buenas o malas para la salud y, si son malas, te recomendará algo mejor. Sigue el modelo.

> **MODELO**
>
> **Tú:** *Generalmente yo como algo dulce todos los días. Ayer, comí chocolate.*
>
> **Compañero(a):** *El azúcar no es bueno para la salud. Es mejor comer fruta.*

Q. Mi vida diaria Habla con tus compañeros(as) de tu rutina diaria. Habla de las cosas que comes, tus actividades preferidas y la gente con quien hablas. Tus compañeros(as) van a hacerte preguntas para saber más detalles.

R. Durante las vacaciones... Ahora explícales a tus compañeros cómo cambia tu rutina durante las vacaciones. También menciona lo que comes cuando estás de vacaciones.

Contexto

▶ ## El verano pasado

Dos amigos hablan sobre sus vacaciones.

Guillermo: ¿Qué tal tu viaje a Costa Rica?

Ana: ¡Estupendo! Fui a visitar a mis primos y me llevaron a muchos lugares interesantes.

Guillermo: ¿Ah sí? ¿Qué hicieron?

Ana: Pues, acampamos en un parque nacional por tres días y allí montamos en bicicletas, nadamos en el mar, corrimos en la playa y caminamos hasta la cima de un volcán. ¿Y adónde fuiste tú?

Guillermo: Yo fui a San Francisco por dos semanas. Visité a un amigo que me enseñó a hacer windsurfing. ¡Es divertidísimo! Y fuimos a varias discotecas y a varias tiendas.

Ana: ¡Qué bien!

¡Te toca a ti!

S. Un viaje interesante Habla con uno(a) de tus compañeros(as) de clase sobre un viaje que hizo cada uno(a) durante las vacaciones del verano pasado. Háganse preguntas para saber detalles sobre las actividades que hicieron.

Contexto

▶ ## Un deporte popular

A estos amigos les gustan los deportes.

Marcos:	¿Quién ganó el partido de básquetbol anoche?
Javier:	Pues, nuestro equipo ganó otra vez.
Marcos:	¡Muy bien! ¿Jugaste mucho tú?
Javier:	Sí, jugué casi todo el partido y anoté 20 puntos, fíjate.
Marcos:	¡Oye, qué bien! ¡Felicidades!
Javier:	¿Por qué no fuiste tú al partido?
Marcos:	Ah, porque Raúl y yo conseguimos boletos para ver un partido de fútbol americano: los *Jets* de Nueva York contra los *Dolphins* de Miami.
Javier:	¡No me digas! Vi en el periódico que ganaron los *Jets*.
Marcos:	Sí, ganaron en el último minuto del partido.
Javier:	¡Qué suerte!

¡Te toca a ti!

T. Yo prefiero... Habla con un(a) compañero(a) de clase sobre un partido de básquetbol o de fútbol americano. Háganse preguntas para saber los detalles: cuándo fue, dónde fue, quiénes jugaron, quién ganó, etc. También mencionen cuál de los dos deportes prefieren y por qué.

LECTURA CULTURAL

Las mariposas monarcas de México

La migración anual de millones y millones de mariposas monarcas es uno de los fenómenos más impresionantes de la naturaleza. Durante el invierno estas mariposas vuelan por dos meses y por más de 2.500 millas desde muchas partes de los Estados Unidos y Canadá a una región montañosa en el sur de México. Es una migración que, según los científicos, es única en el mundo de los insectos. Los científicos todavía no han podido explicar el misterio de cómo las mariposas saben adónde tienen que ir ni cómo llegan allí, ya que ninguna de las mariposas que van cada año ha seguido esa ruta anteriormente.

Se cree que desde hace siglos las mariposas monarcas hacen esta migración a México porque en el arte de los indígenas precolombinos encontramos representaciones de mariposas monarcas. Por ejemplo, el dios de la primavera, Xipe Totec, se representa con una mariposa monarca en los labios. Pero es curioso que el área adonde migran, que mide

30 por 50 millas, no fue descubierta por los científicos sino hasta mediados de la década de 1970. Kenneth Brugger, un norteamericano que vivía en México, y Fred Urquhart, un biólogo canadiense, fueron los dos científicos que encontraron ese lugar con la ayuda de la gente que vivía cerca de allí.

Como una lluvia de flores, cada año millones de mariposas migran a México.

Comprensión

U. Las mariposas que migran a México Answer the following questions about the reading. You may answer in English.

1. What is the reading about?
2. When do these insects fly to Mexico?
3. What is still a mystery for scientists?
4. How do we know that the migration has been going on for centuries?
5. Who is Xipe Totec? Why is he significant for scientists?
6. How big is the area to which the butterflies migrate?
7. When was the area to which the butterflies migrate discovered?
8. What are the nationalities of the two scientists who discovered the area?

UNIDAD 1

La ropa y la comida

Objectives

In this unit you will learn:

- to name and describe articles of clothing and kinds of shoes
- to make purchases in clothing and shoe stores
- to ask for and give information about clothing and shoes
- to read a menu and order a meal in a restaurant
- to understand cultural aspects of the foods of the Spanish-speaking world

¿Qué ves?

- ¿Te gusta la comida mexicana? ¿Cuáles son tus platos preferidos?
- ¿Sabes lo que es una paella? ¿Qué ingredientes tiene?
- ¿Sigues la moda? ¿Qué tipo de ropa prefieres?

Vamos de compras

CAPÍTULO 1

Primera etapa: Ropa para mujeres
Segunda etapa: Ropa para hombres

La comida de España

CAPÍTULO 2

Primera etapa: El menú
Segunda etapa: La guía del ocio

La comida de la América Latina

CAPÍTULO 3

Primera etapa: Un menú mexicano
Segunda etapa: La comida tex-mex

CAPÍTULO 1

Vamos de compras

—¿Te gusta esta tienda?
—No, no es mi tipo de ropa.

Objectives

- describing women's and men's clothing
- purchasing clothing
- commenting on clothing

Preparación

- ¿Te gusta comprar ropa nueva?
- ¿Qué artículos de ropa sabes nombrar en español?

Ropa para mujeres

*Aquí puedes ver varias **prendas de vestir** (clothing items) para mujeres. ¿Sabes cómo se dicen en español?*

los pantalones cortos

el chaleco

los vaqueros

el sombrero

la camiseta

el abrigo

el traje de baño

el cinturón

las botas

la blusa

las sandalias

el chal

el vestido

la falda

los pantalones

los zapatos de tacón

las medias

los zapatos

¡Te toca a ti!

A. ¿Qué ropa tienen ellas? Identifica la ropa para mujeres. Sigue el modelo.

MODELO *María tiene unos pantalones cortos y una camiseta.*

1. Sara tiene…

2. Lisa tiene…

3. Ana María tiene…

4. Silvia tiene…

5. Diana tiene…

B. Yo tengo… Yo prefiero… Muchachas: Miren los dibujos de la Actividad A y digan qué prendas de vestir tienen y qué prendas no tienen. Muchachos: Miren los dibujos y digan qué ropa prefieren y qué ropa no les gusta. Sigan el modelo apropiado.

MODELO Muchacha: *Yo tengo una falda pero no tengo un sombrero.*
Muchacho: *Para las muchachas, yo prefiero los pantalones; no me gustan las faldas.*

C. Descripciones Describe la ropa que tienen Sara, Lisa, Ana María, Silvia y Diana en los dibujos de la Actividad A. Incluye los colores. Sigue el modelo.

> **MODELO** *María tiene unos pantalones cortos azules y una camiseta blanca.*

ESTRUCTURA

Direct and indirect object pronouns

—¿Cuándo **te** compró tu mamá el vestido?   *When did your mom buy the dress for you?*
—Ella **me lo** compró ayer.   *She bought it for me yesterday.*

—¿**Te** compró tu papá las camisetas?   *Did your dad buy the tee shirts for you?*
—Sí, él **me las** compró.   *Yes, he bought them for me.*

1. When the direct object is clearly indicated through context, you can replace it with a direct object pronoun to make the sentence shorter and clearer.

—¿Comprarás **el vestido**?   *Will you buy the dress?*
—Sí, **lo** compraré.   *Yes, I will buy it.*

Direct Object Pronouns

Singular		Plural	
lo	*you, him, it* (m.)	**los**	*you, them* (m.)
la	*you, her, it* (f.)	**las**	*you, them* (f.)

2. When the indirect object is clearly indicated through context, you can replace it with an indirect object pronoun to make the sentence shorter and clearer.

Compré un vestido **para mi hermana.**   *I bought a dress for my sister.*
Le compré el vestido.   *I bought her the dress.*

Indirect Object Pronouns

Singular		Plural	
me	*to (for) me*	**nos**	*to (for) us*
te	*to (for) me*	**os**	*to (for) you*

3. When an indirect object pronoun and a direct object pronoun are used together, both are placed before the conjugated verb. The indirect object pronoun always precedes the direct object pronouns.

Aquí practicamos

D. Ropa nueva
Sustituye las palabras en cursiva con un pronombre. Luego, sustituye las palabras en cursiva con las palabras que están entre paréntesis. Entonces sustituye cada nuevo complemento directo con un pronombre. Sigue el modelo.

> **MODELO** Mi papá me compró *el vestido*. (los guantes)
> *Mi papá me lo compró. Mi papá me los compró.*

1. Yo me compré *el vestido*. (los guantes / un pañuelo / las medias / un sombrero / la falda)
2. Tu hermano te compró *el traje de baño*. (un chaleco / los pantalones / unas botas / la camiseta / el suéter)
3. Mis padres nos compraron *unas blusas*. (los vaqueros / las sandalias / un cinturón / unos pantalones cortos / los pañuelos)

E. Van de compras
Sustituye el complemento directo de cada frase con un pronombre de complemento directo.

1. La dependienta me mostró *(showed)* una blusa azul.
2. Él nos compró un pañuelo rojo.
3. Mi mamá me trajo unas botas de Texas.
4. Mi papá me compró el suéter ayer.
5. Ellos nos compraron el cinturón en Guatemala.
6. Ellas nos trajeron el sombrero de Panamá.
7. El dependiente te mostró los vaqueros.
8. Mi novio me compró la falda.
9. Mi hermana me trajo el abrigo de Argentina.
10. Mi hermana me compró unas medias en Nueva York.

F. ¿Quién te compró...?
Responde a las siguientes preguntas empleando pronombres de complemento indirecto y directo. Sigue el modelo.

> **MODELO** ¿Quién te compró el sombrero? (mi novio[a])
> *Mi novio(a) me lo compró.*

1. ¿Quién te compró el cinturón? (mi papá)
2. ¿Quién te mostró los pantalones? (la dependienta)
3. ¿Quién te trajo el abrigo? (mi hermano)
4. ¿Quién te compró las sandalias? (mi mamá)
5. ¿Quién te mostró la falda? (el dependiente)

6. ¿Quién te trajo el pañuelo? (mi tío)

7. ¿Quién te compró las botas? (mi hermana)

8. ¿Quién te mostró los pantalones cortos? (mi amiga)

9. ¿Quién te trajo el vestido? (mi papá)

10. ¿Quién te compró la blusa? (mi novio[a])

NOTA GRAMATICAL

Position of object pronouns with infinitives and present participles

Papá va a comprár**melo**.	*Dad is going to buy it for me.*
Juan está comprándo**melo**.	*Juan is buying it for me.*
Papá **me lo** va a comprar.	*Dad is going to buy it for me.*
Juan **me lo** está comprando.	*Juan is buying it for me.*

1. Double object pronouns may be attached to the end of an infinitive (**comprar**) or present participle (**comprando**), or they may go before the conjugated form of the verb that is being used with the infinitive or present participle.

2. When you attach the two pronouns, an accent mark is added to the vowel before the **-ndo** of the present participle or to the vowel before the **-r** of the infinitive.

Aquí practicamos

G. De compras Sustituye el pronombre en cursiva con el pronombre de complemento directo que corresponde a cada sustantivo que está entre paréntesis. Sigue el modelo.

> **MODELO**   Mi papá quiere comprárme*la*. (un vestido)
> *Mi papá quiere comprármelo.*

1. Mi papá quiere comprárme*la*. (un vestido / las botas / los vaqueros / las medias / una camiseta)

2. Voy a mostrárte*la*. (el suéter / las sandalias / los zapatos / el pañuelo / el sombrero)

3. Mi mamá piensa traérnos*la*. (los zapatos de tacón / los trajes de baño / las camisetas / las faldas / los abrigos)

4. La dependienta está mostrándote*la*. (unas botas / el sombrero / los zapatos de tacón / el pañuelo / un suéter)

5. El dependiente está vendiéndome*lo*. (las medias / un traje de baño / una falda / los vaqueros / las sandalias)

H. ¿Quién va a comprar...? Responde a las siguientes preguntas. Emplea pronombres de complemento indirecto y directo. Sigue el modelo.

> **MODELO**   ¿Quién va a comprarte el sombrero? (mi novio[a])
> *Mi novio(a) va a comprármelo.* o:
> *Mi novio(a) me lo va a comprar.*

1. ¿Quién va a comprarte el pañuelo? (mi hermana)
2. ¿Quién está mostrándote el abrigo? (la dependienta)
3. ¿Quién va a traerte las botas? (mi tío)
4. ¿Quién está comprándote el suéter? (mi papá)
5. ¿Quién va a mostrarte los pantalones? (el dependiente)
6. ¿Quién está mostrándote la blusa? (mi amiga)

Aquí escuchamos

¿De qué talla? *Linda y Diana van de compras a una tienda de ropa para mujeres.*

Antes de escuchar Repasa las expresiones de la sección **En otras palabras** que sigué. Responde a las siguientes preguntas.

1. ¿Qué crees que podrían comprar Linda y Diana?
2. ¿Qué comentarios piensas que podrían hacer las muchachas sobre la ropa?

 A escuchar Escucha dos veces la conversación entre Linda y Diana. Fíjate bien en lo que opina cada muchacha.

Después de escuchar Responde a las siguientes preguntas.

1. ¿Quién se prueba la blusa?
2. ¿Por qué no compra la primera blusa?
3. ¿Por qué no compra la segunda blusa?

EN OTRAS PALABRAS

Expresiones para hablar de la ropa

¿Puede **mostrarme** ese vestido?

Voy a **probarme** el vestido.

—¿Cómo **me queda** este vestido?
—**Te queda** muy bien.
—**Te queda** chico.

—¿Cómo **me quedan** estos pantalones?
—**Te quedan** grandes.
—**Te quedan** mal.

Can you show me that dress?

I am going to try on the dress.

How does this dress look on me?
It looks very good on you.
It is too small for you.

How do these pants look on me?
They are too big for you.
They look bad on you.

¡Te toca a ti!

I. **¿Cómo me queda?** Imagina que vas de compras con un(a) compañero(a). Tú te pruebas varias prendas de ropa y tu compañero(a) te dice qué le parece.

—**¿Qué te parece?**

—**Te queda muy bien.**

¿Qué llevo? An exchange student from Caracas, Venezuela, has arrived in your town. She doesn't know what clothes to wear for various occasions.

1. Tell her what kinds of clothes girls in your school wear to an informal party, to a dance, to a school football game, to a movie, and to a restaurant with a date.

2. Suggest the three most important items that she should add to her wardrobe if she doesn't have them.

3. Answer all of her questions.

 Una carta The exchange student's sister will be coming to your town to visit her from Caracas in a week. She plans to stay for three months. Help the exchange student write a letter telling her sister what to bring.

1. Describe the climate for the next three months in your region.

2. Mention four events that she will want to attend while in town.

3. Tell her what clothes she should bring.

SEGUNDA ETAPA

- ¿Te gusta comprar ropa nueva?
- ¿Qué ropa llevan los hombres? Haz una lista de la ropa que ya sabes nombrar en español.

Ropa para hombres

¿Sabes los nombres de estas prendas de vestir para hombres?

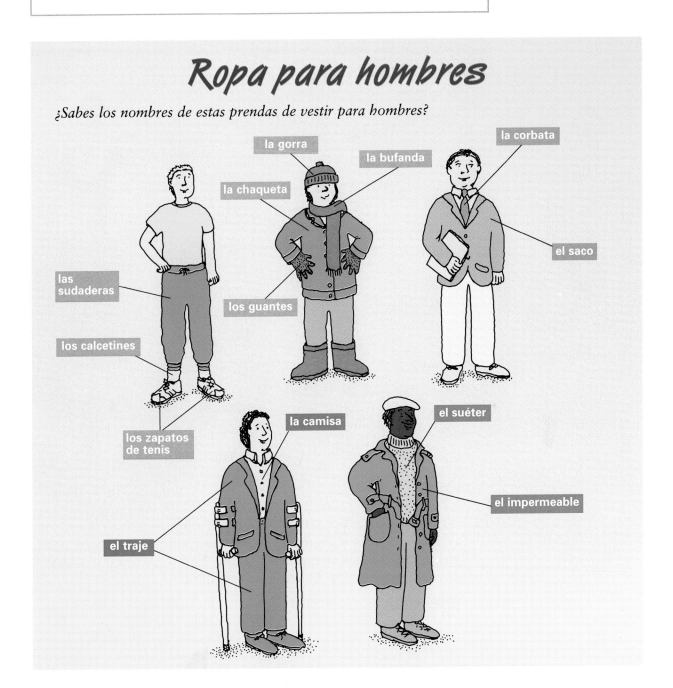

la gorra

la bufanda

la corbata

la chaqueta

el saco

las sudaderas

los guantes

los calcetines

los zapatos de tenis

la camisa

el suéter

el impermeable

el traje

EN OTRAS PALABRAS

Expresiones para hablar de materiales y diseños

de algodón	*cotton*	de mezclilla	*denim*
de cuero	*leather*	de poliéster	*polyester*
de lana	*wool*	a rayas	*striped*
a lunares	*polka-dotted*	de seda	*silk*

¡Te toca a ti!

A. ¿Qué llevan ellos? Identifica la ropa para hombres. Sigue el modelo.

MODELO *José lleva unos pantalones cortos y una camiseta.*

1. Juan lleva…

2. Leonardo lleva…

3. Alberto lleva…

4. Silvio lleva…

5. Diego lleva…

B. Yo tengo… Yo prefiero… Muchachos: Miren los dibujos de la Actividad A y digan qué prendas de vestir tienen y cuáles no tienen. Muchachas: Miren los dibujos y digan qué ropa prefieren y qué ropa no les gusta. Sigan el modelo apropiado.

MODELO

Muchacho: *Yo tengo un impermeable pero no tengo un traje.*

Muchacha: *Para los muchachos, yo prefiero las camisetas; no me gustan las camisas.*

C. Descripciones   Describe la ropa que llevan Juan, Leonardo, Alberto, Silvio y Diego en los dibujos de la Actividad A. Esta vez, di de qué tela está hecha cada prenda de vestir. Si no estás seguro(a) de la tela, inventa una respuesta. Sigue el modelo.

> **MODELO**   *José lleva unos pantalones cortos de poliéster y una camiseta de algodón.*

Repaso ♻

D. Para mi cumpleaños...   Un(a) amigo(a) está haciéndote preguntas sobre los regalos que recibiste o vas a recibir para tu cumpleaños. Responde a las preguntas empleando pronombres de complemento indirecto y directo.

1. ¿Quién te compró el chaleco?
2. ¿Quién te dio la bufanda?
3. ¿Quién te trajo las sandalias?
4. ¿Quién va a comprarte los zapatos?
5. ¿Quién piensa traerte las botas?
6. ¿Quién quiere comprarte el abrigo?

E. Mujeres a la moda   Describe la ropa que llevan estas mujeres.

ESTRUCTURA

Using indirect object pronouns le and les with direct object pronouns

—¿Quién **le** compró la camisa **a Jorge**?   *Who bought the shirt for Jorge?*
—Su novia **se la** compró.   *His girlfriend bought it for him.*

—¿Quién **les** trajo el libro   *Who brought the book*
   a tus hermanitos?   *for your little brothers?*
—Mi papá **se lo** trajo.   *My dad brought it for them.*

1. The indirect object pronouns for the third person singular and plural are **le** and **les**.

2. These pronouns become **se** when used together with the direct object pronouns **lo, la, los,** and **las**.

le	+	lo la los las	=	se	+	lo la los las
les	+					

Aquí practicamos

F. Unos regalos Sustituye las palabras en cursiva con un pronombre. Luego, sustituye las palabras en cursiva con las palabras que están entre paréntesis. Entonces sustituye el complemento directo con un pronombre. Recuerda cambiar **le** y **les** a **se** cuando estos pronombres se usan con **lo, la, los** y **las**. Sigue el modelo.

> **MODELO**   Mi papá le compró *el traje* a mi hermano. (los calcetines)
> *Mi papá se lo compró. Mi papá se los compró.*

1. Mi papá le compró *el traje* a mi hermano. (los calcetines / las camisas / el saco / la corbata)

2. Tu hermano les compró *los trajes de baño* a tus hermanitos. (los suéteres / las gorras / los guantes / las sudaderas)

3. Mis padres les compraron *unas camisas* a mis hermanos. (unas chaquetas / unos impermeables / unos zapatos de tenis / unos sacos)

G. ¿Qué compraron? Sustituye el complemento directo y el complemento indirecto con los pronombres apropiados. Sigue el modelo.

> **MODELO**   La dependienta le mostró una blusa a Cecilia.
> *La dependienta se la mostró.*

1. La dependienta le mostró una camisa azul a José.

2. Él les compró una corbata de seda.

3. Mi mamá le trajo unas botas a mi hermano.

4. Mi papá les compró los guantes a mis hermanos ayer.

5. Ellos les compraron el cinturón a mis hermanos.

6. Ellas le trajeron el sombrero de Panamá a Enrique.

7. El dependiente le mostró los vaqueros a mi hermana.

8. Mi novia le compró la corbata a su papá.

9. Mi hermana le trajo el abrigo a mi papá.

10. Mi mamá les compró unas medias a mis hermanas en Nueva York.

H. ¿Quién lo hizo? Responde a las siguientes preguntas empleando pronombres de complemento indirecto y directo. Sigue el modelo.

> **MODELO**   ¿Quién le compró el sombrero a Alberto? (mi tío)
> *Mi tío se lo compró.*

1. ¿Quién le compró el cinturón a Julián? (mi papá)

2. ¿Quién les mostró los pantalones a tus amigos? (la dependienta)

3. ¿Quién le trajo el abrigo a tu papá? (mi hermano)

4. ¿Quién les compró las sandalias a tus hermanas? (mi mamá)

5. ¿Quién les mostró las corbatas a tus amigos? (el dependiente)

6. ¿Quién le trajo la bufanda a María? (mi tío)

7. ¿Quién le compró las botas a Rogelio? (mi hermana)

8. ¿Quién les mostró los pantalones cortos a tus hermanas? (mi amiga)

9. ¿Quién le trajo el vestido a Diana? (mi papá)

10. ¿Quién les compró las blusas a ellas? (mi novio[a])

NOTA GRAMATICAL

Position of object pronouns in commands

—¿Te compro el vestido?	*Should I buy you the dress?*
—Sí, **cómpramelo.**	*Yes, buy it for me.*
—No, **no me lo compres.**	*No, don't buy it for me.*
—¿Le compro el sombrero a Marcos?	*Should I buy Marcos the hat?*
—Sí, **cómpraselo.**	*Yes, buy it for him.*
—No, **no se lo compres.**	*No, don't buy it for him.*

1. When a pronoun is used with an affirmative command, it is attached to the end of the command. If the command is negative, the pronoun must be placed before the command form.

2. The same rule is applied when two pronouns are used together. Remember, the indirect object pronoun always comes before the direct object pronoun.

3. For regular verbs, when you attach both pronouns to the end of an affirmative command, you then put an accent mark on the fourth to the last syllable.

Aquí practicamos

I. **¿Te lo compro?** Responde a las siguientes preguntas empleando mandatos afirmativos informales. Sigue los modelos.

> **MODELO** ¿Te compro este vestido? ¿Les muestro los guantes?
> *Sí, cómpramelo.* *Sí, muéstranoslos.*

1. ¿Te muestro las corbatas?
2. ¿Te compro estos guantes?
3. ¿Te traigo el impermeable?
4. ¿Te muestro los zapatos de tenis?
5. ¿Te compro el suéter?
6. ¿Te traigo las sudaderas?
7. ¿Les compro esas camisas?
8. ¿Les muestro esos vestidos?
9. ¿Les traigo aquellos zapatos?
10. ¿Les compro aquella gorra?

Ahora repite el ejercicio empleando mandatos negativos informales. Sigue los modelos.

> **MODELO** ¿Te compro este vestido? ¿Les muestro los guantes?
> *No, no me lo compres.* *No, no me los muestres.*

Ahora repite el ejercicio una vez más, empleando mandatos afirmativos formales. Sigue los modelos.

> **MODELO** ¿Le compro este vestido? ¿Les muestro los guantes?
> *Sí, cómpremelo.* *Sí, muéstremelos.*

Repite el ejercicio por última vez, empleando mandatos negativos formales. Sigue los modelos.

> **MODELO** ¿Le compro este vestido? ¿Les muestro los guantes?
> *No, no me lo compre.* *No, no me los muestre.*

J. **¿Te compro...?** You have been invited to spend the weekend with your classmate at the country home of his (her) grandparents. 1) Make a list of the clothes that you plan to take. 2) Then compare your list with the one your classmate wrote. 3) Write down a few activities you anticipate doing and tell which clothes you plan to wear for each. 4) Determine at least three activities in which you both can participate and be appropriately dressed.

Aquí escuchamos

De compras: Ropa para caballeros
Jaime y su papá van de compras a una tienda de ropa para caballeros.

Antes de escuchar Repasa las expresiones que pueden usarse para hablar de la ropa de la sección **En otras palabras.** Responde a las siguientes preguntas.

1. ¿Qué crees que podrían comprar Jaime y su papá?
2. ¿Qué comentarios podrían hacer?
3. ¿Quién crees que va a pagar?

 A escuchar Escucha dos veces la conversación entre Jaime y su papá.

Después de escuchar Responde a las siguientes preguntas.

1. ¿Qué le compró la mamá a Jaime la semana pasada?
2. ¿Qué le compra primero el papá?
3. ¿De qué color es la corbata de lana?
4. ¿Por qué el papá no le compra la camisa a Jaime?

EN OTRAS PALABRAS

Más expresiones para hablar de la ropa

Esa camisa **no hace juego** con esos pantalones. **No la compres.**	*That shirt doesn't go with those pants. Don't buy it.*
Esa blusa **hace juego** con esa falda. **Cómprala.**	*That blouse goes with that skirt. Buy it.*
Luces bien en ese vestido.	*You look good in that dress.*
—¿Te lo compro? —Sí, **cómpramelo.**	*Should I buy it for you?* *Yes, buy it for me.*
Esa corbata **luce bien** con ese saco. **Cómprala.**	*That tie looks good with that jacket. Buy it.*
Esa bufanda **luce mal** con ese suéter. **No la compres.**	*That scarf doesn't look good with that sweater. Don't buy it.*

¡Te toca a ti!

K. Ropa nueva
Tú vas a una tienda para comprar ropa nueva. Conversa con un(a) compañero(a) de clase. Para cada prenda de ropa, representen una conversación entre el (la) dependiente(a) y el cliente. Sigan el modelo.

> **MODELO** una chaqueta / 48 pesos
>
> **Tú:** *Quisiera comprar una chaqueta.*
> **Dependiente(a):** *¿De qué color y material?*
> **Tú:** *Azul... y de algodón.*
> **Dependiente(a):** *Aquí hay unas chaquetas de algodón.*
> **Tú:** *Muy bien. ¿Cuánto cuesta esta chaqueta azul?*
> **Dependiente(a):** *48 pesos.*
> **Tú:** *Muy bien. Voy a comprarla.*

1. una falda / 40 pesos
2. unos pantalones / 32 pesos
3. un vestido / 65 pesos
4. un abrigo / 150 pesos
5. una camisa / 35 pesos
6. unos vaqueros / 28 pesos
7. una camiseta / 18 pesos
8. una chaqueta / 56 pesos

¡ADELANTE!

 Vamos de compras Organize an imaginary clothes-shopping trip with two of your classmates. Assume that each of you has $250 to spend.

1. Determine for what occasion you want to buy something new (for example, a party, family event, school, or camp).
2. Decide whether all three of you will go together to one event or whether you will go to separate events at different times (making some borrowing possible).
3. Decide which stores in your town you will visit and which articles of clothing you will buy, using your best guess to approximate prices.

 Una carta Your friend from Paraguay has written and is curious about your shopping habits. Write a description of a recent shopping trip. Tell where you went and the clothes you looked at, tried on, and bought.

EN LÍNEA

Connect with the Spanish-speaking world! Access the *¡Ya verás! Gold* home page for Internet activities related to this chapter.

http://yaveras.heinle.com

VOCABULARIO

Para charlar

Para hablar de la ropa

¿Cómo me queda?
Hace juego con…
Luce bien.
Luce mal.
Te queda chico.
Te queda grande.
Te queda mal.
Te queda muy bien.
¿Puede mostrarme…?
Voy a probarme…

Expresiones para hablar de materiales y diseños

de algodón
de cuero
de lana
de mezclilla
de poliéster
de seda
a lunares
a rayas

Temas y contextos

Las prendas de vestir

el abrigo
la blusa
las botas
la bufanda
los calcetines
la camisa
la camiseta
el chal
el chaleco
la chaqueta
el cinturón
la corbata
la falda
la gorra
los guantes
el impermeable
las medias
los pantalones
los pantalones cortos
el saco
las sandalias
el sombrero
las sudaderas
el suéter
el traje
el traje de baño
los vaqueros
el vestido
los zapatos
los zapatos de tacón
los zapatos de tenis

my personal style.

Mi estilo personal

Antes de leer

1. Observa el título de la lectura y las fotos que acompañan la lectura. ¿De qué crees que tratará la lectura?

2. Lee brevemente la selección. ¿Cuántos autores tiene?

3. ¿Se presenta información objetiva en la lectura?

"A mí me gusta la ropa divertida: las minis en colores vivos, las medias estampadas y las camisetas. Mi mamá usa ropa clásica de colores oscuros. Eso está bien para una mujer de su edad pero las chicas jóvenes podemos ser más atrevidas. Yo trabajo por las tardes y gasto casi todo el dinero que gano en ropa. Estar siempre a la moda cuesta caro pero vale la pena." —*Celinda, 17 años, Venezuela*

"Yo siempre uso vaqueros y camisetas; a mí la moda no me interesa mucho. Creo que una persona que sólo piensa en la ropa está desperdiciando su cerebro; prefiero las chicas que se interesan por la música, los deportes o el cine. En general, uso ropa informal. No me gustan mucho las cosas extravagantes."
—*Mauricio, 16 años, Perú*

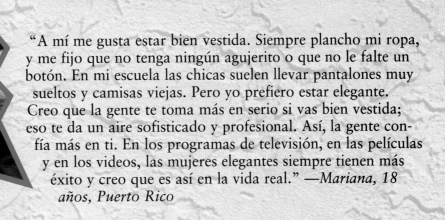

"A mí me gusta estar bien vestida. Siempre plancho mi ropa, y me fijo que no tenga ningún agujerito o que no le falte un botón. En mi escuela las chicas suelen llevar pantalones muy sueltos y camisas viejas. Pero yo prefiero estar elegante. Creo que la gente te toma más en serio si vas bien vestida; eso te da un aire sofisticado y profesional. Así, la gente confía más en ti. En los programas de televisión, en las películas y en los videos, las mujeres elegantes siempre tienen más éxito y creo que es así en la vida real." —*Mariana, 18 años, Puerto Rico*

Guía para la lectura

1. Vocaulario para el mejor comprensión de la lectura.

estampadas	*printed, patterned*
atrevidas	*daring*
desperdiciar	*to waste*
cerebro	*brain*
planchar	*to iron*
confiar	*to trust*
agujerito	*small hole*
que no le falte un botón	*that it isn't missing a button*

Después de leer

1. Resume en una oración lo que piensa cada persona sobre la moda. *fashion*
   Luego escribe una oración que diga lo que tú piensas sobre la
   moda. ¿Qué estilo es más similar al estilo de tu escuela? ¿Les
   gusta a tus amigos y a ti estar a la moda? ¿Por qué?

2. Comenta con tus compañeros las opiniones de Celinda, Mauricio
   y Mariana. ¿Estás de acuerdo con sus opiniones? ¿Por qué?

CAPÍTULO 2

La comida de España

Un restaurante típico en Madrid, España

Objectives

- ordering and paying for food
- expressing your opinions about food
- commenting on food

PRIMERA ETAPA

- ¿Qué sabes de la comida del mundo hispano?
- ¿Puedes nombrar algunos platos típicos de España?

El menú

Si vas a comer a un restaurante español, verás un menú como éste.

Restaurante El Caballo Rojo

Aperitivos

Espárragos a la parmesana	170 pesetas
Chorizo	170 pesetas
Tortilla española	200 pesetas
Jamón serrano	275 pesetas
Calamares **fritos**	180 pesetas
Gambas al ajillo	150 pesetas

Sopas

Gazpacho andaluz	250 pesetas
Sopa de pescado	275 pesetas
Sopa de **ajo**	200 pesetas
Sopa del día	225 pesetas

Ensaladas

Ensalada mixta (lechuga, cebolla, tomate)	135 pesetas

Entradas

Pescado frito	130 pesetas
Ternera asada	400 pesetas
Paella valenciana	500 pesetas
Chuletas de cordero	600 pesetas
Pollo al chilindrón	400 pesetas
Bistec	300 pesetas

Bebidas

Agua mineral con gas	65 pesetas
Agua mineral sin gas	65 pesetas
Té	65 pesetas
Refrescos **surtidos**	65 pesetas
Café	75 pesetas
Agua mineral	75 pesetas

Postres

Flan	85 pesetas
Queso manchego	125 pesetas
Fruta	50 pesetas
Helados **variados**	90 pesetas

Aperitivos *Appetizers* **Espárragos** *Asparagus* **Tortilla española** *Potato omelette* **Jamón serrano** *Spanish ham, similar to prosciutto* **fritos** *fried* **Gambas al ajillo** *Shrimp in garlic* **Gazpacho andaluz** *Cold vegetable soup from Andalucía* **ajo** *garlic* **Ternera asada** *Roasted veal* **Paella valenciana** *Rice with shellfish and chicken, from Valencia* **Chuletas de cordero** *Lamb chops* **Pollo al chilindrón** *Chicken in a spicy tomato sauce* **Queso manchego** *Cheese from the La Mancha region* **variados** *assorted* **surtidos** *assorted*

La mesa

el azúcar
la pimienta
la mantequilla
el vaso
la taza
el plato hondo
la sal
el platillo
el tenedor
el cuchillo
la cucharita
la cuchara
la servilleta
el plato

¡Te toca a ti!

A. ¿Qué vas a comer? Consulta el menú del Restaurante El Caballo Rojo en la página 51 y responde a las preguntas que siguen.

1. Tengo ganas de comer vegetales. ¿Qué puedo comer de aperitivo?

2. Tengo ganas de comer carne. ¿Qué puedo comer de aperitivo?

3. Tengo ganas de comer mariscos *(seafood)*. ¿Qué puedo comer de aperitivo? ¿Qué puedo comer de entrada?

4. No quiero comer pescado. ¿Qué platos debo evitar *(avoid)*?

5. ¿Qué tipos de carne sirven de entrada?

B. ¿Qué le recomiendas? Consulta el menú del Restaurante El Caballo Rojo en la página 51 y pide una comida que incluya aperitivo, sopa, entrada y postre para cada una de las siguientes personas.

1. Para una persona que quisiera pescado.

2. Para una persona que quisiera mariscos.

3. Para una persona que es vegetariana.

4. Para una persona que come mucho.

5. Para una persona que no le gustan los mariscos.

6. Para una persona que no come carne roja.

Repaso ♻

C. ¿Te compro...? Hazle preguntas a un(a) compañero(a) de clase basándote en las claves dadas. Él (Ella) debe responder, empleando mandatos familiares y pronombres de complemento indirecto y directo. Sigan el modelo.

MODELO comprar / el chaleco

Tú: *¿Te compro el chaleco?*

Compañero(a): *Sí, cómpramelo.* o: *No, no me lo compres.*

1. traer / unas botas
2. mostrar / el vestido
3. comprar / la bufanda
4. vender / estos zapatos

5. traer / las sandalias
6. mostrar / el traje de baño
7. comprar / los vaqueros
8. vender / la falda

ESTRUCTURA

Gustar and verbs like gustar

—¿Qué **te gusta** comer?   *What do you like to eat?*
—**Me gusta** comer comida china.   *I like to eat Chinese food.*

—¿Qué **le gusta** a Juan?   *What does Juan like?*
—A Juan **le gusta** la paella.   *Juan likes paella.*

—Y a Lourdes, ¿qué **le gusta**?   *And what does Lourdes like?*
—A Lourdes **le gustan** las chuletas   *Lourdes likes lamb chops.*
   de cordero.

—Y a ustedes, ¿qué **les gusta**?   *And what do you (plural) like?*
—A nosotros **nos gusta** el pescado.   *We like fish.*

—Y a ellos, ¿qué **les gusta**?   *And what do they like?*
—A ellos **les gustan** los tacos.   *They like tacos.*

1. The verb **gustar** is used only in the third person singular (**gusta**) or plural (**gustan**). It is always used with an indirect object pronoun: **me, te, le, nos, os,** or **les.**

2. When **gustar** is followed by an infinitive, regardless of how many infinitives are used, the third person singular (**gusta**) is always used.

—¿**Te gusta** comer?   *Do you like to eat?*
—Sí, **me gusta** comer.   *Yes, I like to eat.*

—¿Qué **te gusta** hacer en tu tiempo   *What do you like to do in your free*
   libre?   *time?*
—**Me gusta** comer, estudiar y dormir.   *I like to eat, study, and sleep.*

3. Other verbs are used in the same way as **gustar: encantar** (*to like very much*), **tocar** (*to be one's turn*), **faltar** (*to need, lack*), **apetecer** (*to appeal*).

Aquí practicamos

D. En el restaurante   Sustituye las palabras en cursiva con las palabras que están entre paréntesis y haz los cambios necesarios al verbo.

1. ¿Te gusta *la comida china?* (las chuletas / el pescado / el queso / el pollo / las gambas)

2. Me encantan *los calamares fritos.* (la tortilla española / los postres / el jamón serrano / las gambas al ajillo / la fruta fresca)

3. Camarero, por favor, nos falta *un tenedor.* (una cuchara / dos cuchillos / una servilleta / la sal / tres vasos)

4. ¿Te apetecen *unas chuletas de cerdo?* (un gazpacho / una sopa de ajo / unas gambas / un bistec / unos calamares fritos)

5. A *Juan* le toca pagar la cuenta. (ella / nosotros / ellos / Uds. / él)

E. ¿A quién le gusta...? Haz preguntas y contéstalas refiriéndote a las personas indicadas entre paréntesis. Sigue el modelo.

MODELO   gustar / sopa de ajo (Juan)
¿A quién le gusta la sopa de ajo?
A Juan le gusta la sopa de ajo.

1. encantar / calamares (nosotros)
2. tocar / pagar la cuenta (Jaime)
3. faltar / tenedor (Linda)
4. tocar / comprar las bebidas (ellas)
5. faltar / dinero (nosotros)
6. encantar / paella (la profesora)
7. faltar / servilleta (ella)
8. apetecer / una ensalada mixta (ustedes)

F. ¿Qué le falta a...? Tú y tus amigos llegan a la mesa en un restaurante y notan que les faltan algunas cosas. Con un(a) compañero(a), indica lo que le falta a cada persona. Sigan el modelo.

MODELO   **Tú:**   *¿Qué le falta a Luisa?*
Compañero(a):   *A Luisa le falta una servilleta.*

Luisa

1. Mónica

2. Jaime

3. Sara

4. Tomás

5. Carmen

Aquí escuchamos

Un restaurante elegante *El Sr. y la Sra. Pérez van a cenar a un restaurante elegante.*

Antes de escuchar Repasa las expresiones de la sección **En otras palabras** que sigue.

 A escuchar Escucha dos veces la conversación entre el camarero y el señor y la señora Pérez.

Después de escuchar Responde a las siguientes preguntas.

1. ¿Dónde pide la mesa el Sr. Pérez?
2. ¿Piden un aperitivo? ¿Qué piden?
3. ¿Qué tipo de sopa pide la Sra. Pérez?
4. ¿Quién pide el pescado?
5. ¿Qué piden de postre?

EN OTRAS PALABRAS

Expresiones para usar en un restaurante

Quisiera una mesa para dos personas, por favor.	*I would like a table for two people, please.*
Quisiéramos sentarnos cerca de la ventana.	*We would like to sit near the window.*
¿Qué **quisiera** pedir de aperitivo?	*What would you (sing.) like for an appetizer?*
¿Qué **quisieran** pedir de entrada?	*What would you (pl.) like for an entree?*
De postre **quisiera** ...	*For dessert I would like...*
La cuenta, por favor.	*The check, please.*
¿Podría traernos la cuenta, por favor?	*Could you bring us the check, please?*
Quisiera la cuenta, por favor.	*I would like the check, please.*
Quisiéramos la cuenta, por favor.	*We would like the check, please.*

¡Te toca a ti!

G. Por favor, camarero(a) Tu papá (mamá) irá a España en un viaje de negocios y quiere aprender a pedir una comida en un restaurante. Responde a sus preguntas sobre lo que debe decir en español.

1. How do I ask for a table?
2. How will the waiter (waitress) ask me if I would like an appetizer?
3. How do I order my meal?
4. How will the waiter (waitress) ask me if I would like dessert?
5. How do I get the check?

H. ¿Qué desean? Consulta el menú del Restaurante El Caballo Rojo en la página 51 y escoge la comida que vas a pedir, incluyendo aperitivo o sopa, entrada, ensalada, postre y bebida. Otro(a) estudiante va a hacer el papel del (de la) camarero(a).

¡ADELANTE!

En el restaurante Work in groups of three. Two of you will be the customers at a restaurant and the third person will be the waiter (waitress). Use the menu on page 51.

1. Request a table.
2. Discuss what each of you likes and does not like on the menu.
3. Order your meal. Ask for at least one item that is not on the menu.
4. The waiter will indicate that one of the courses is no longer available.

Un menú You and your partner are planning to open a Spanish restaurant in your town.

1. Design a short but interesting menu for the new restaurant.
2. Include at least five listings for each category (**aperitivo, sopa, entrada, postre**).
3. Choose an interesting name for your restaurant and give your menu an attractive design.

Preparación

- ¿Dónde buscas información sobre películas? ¿conciertos? ¿restaurantes? ¿eventos especiales?

- ¿Hay en tu pueblo o ciudad alguna publicación dedicada a este tipo de información?

La guía del ocio

Ésta es una página de una revista donde se presenta información sobre algunos restaurantes madrileños.

A TODO MÉXICO ■ **¡A Todo México!** San Bernardino, 4. Tel. 541 93 59. Plaza República del Ecuador, 4. Tel. 259 48 33. San Leonardo, 3. Tel. 247 54 39. Cocina mexicana. Especialidad: tamales, carnitas, mole poblano. Admite tarjetas. . . . . **$$$**.

■ **Airiños do Mar.** Orense, 39. Tel. 556 00 52. Cocina gallega. Especialidad: pescados y mariscos. Cerrado dom. **$$$**

■ **Asador Real.** Dr. Fleming, 22 (esquina con Panamá). Tel. 250 84 60. Especialidad: cordero asado. Cerrado fest., noche y dom. . . . . **$$$**

 ■ **La Baranda.** Augusto Figueroa, 32. Tel. 522 55 99. De 13 a 16 y de 21 a 24 h. Vier. y sáb. hasta a 1 h. Especialidad: ensaladas, crepas, pizzas y pastas. **$$**

■ **El Caballo Rojo.** Reina, 29. (Centro-Cibeles). Tel. 532 71 54. Especialidad: paellas, arroces y cocina española. . . . . **$$$**

■ **El Cacique.** Padre Damián, 47. Tel. 259 10 16. Cocina argentina. Especialidad: Parrillada, panqueques con dulce de leche. . . . . **$$$$**

■ **Casa Fabás.** Plaza Herradores, 7. Tel. 541 11 03. Cocina casera. Especialidad: fabada asturiana, callos, cordero asado. Repostería casera. Cierra dom. noche y lun. **$$**

■ **Casa Gadés.** Conde Xiquena, Tel. 522 75 10. Cocina italiana. Especialidad: pastas, pizzas y postres caseros. **$$$**

■ **Casa Gallega.** Bordadores, 11 (frente a Iglesia San Ginés). Tel. 541 90 55. Cocina gallega. Especialidad: mariscos, pescados y carnes. . . . . **$$$**

■ **Casa Pedro.** Nuestra Señora de Valverde, 119. Tel. 73402 01. Cocina castellana. Horno de leña. Especialidad: cordero, cochinillo y perdices. Leche frita. . . . . . . **$$$$**

■ **Los Chavales.** Plaza Valvanera, 4 (parque de San Juan Bautista). Tel. 415 79 86. Especialidad: mariscos. Cerrado dom. tarde. No admite tarjetas. . . . . **$$**

■ **Chiky Restaurante-Pub.** Mayor, 24 (Centro-Sol). Tel. 266 24 57. Cololeros, 3. Tel. 265 94 48. Especialidad: todos los días, paella y cocido madrileño. Hasta las 2 h. **$$**

■ **Da Nicola.** Plaza de los Mostenses, 11 (junto a parking). Tel. 542 25 74. Cocina italiana y pizzas para llevar. Abierto todo el verano. . . . . **$$**

■ **De la Diva.** Cochabamba, 13. Tel. 250 77 57. De lun. a vier. de 13 a 18 h. Cocina casera. Especialidad: almejas a la marinera con arroz blanco y cola de gambas. Pecho de ternera al horno. . . . . **$$$**

■ **Don Emiliano.** Plaza de los Herradores, 10. Tel. 541 13 72. Cocina mexicana, regionales. Especialidad: carnes, aves, pescados y mariscos. No admite tarjetas. . . . **$$**

■ **Donzoco.** Echegaray, 3 y 9 (Centro). Tel. 429 57 20 y 429 62 24. Cocina japonesa. Cerrado dom. No admite tarjetas. **$$**

■ **Figón Faustino.** Palencia, 29. Tel. 253 39 77. Cocina segoviana. Cordero y cochinillo encargado. Cerrado sáb. Visa. . . . . **$$**

■ **La Flor de la Canela.** General Orgaz, 21 (esquina con Orense). Tel. 571 18 13. Cocina española y peruana. Especialidad: paellas y arroces. Abierto dom. y fest. mediodía. Paellas y platos de encargo. . . . . **$$**

■ **Paparazzi.** Sor Ángela de la Cruz, 22 (Centro). Tel. 279 67 67. Cocina italiana. Especialidad: pastas, pizzas. Admite tarjetas. . . . . **$ $**

■ **Xochimilco.** Piano-bar. Esquilache, 4 (Cuatro Caminos). Tel. 535 17 98. Cocina mexicana. Especialidad: de antojitos a chiles en nogada. Admite tarjetas. Cerrado dom. noche. . . . . **$$$**

Precio aproximado por persona: **$** menos de 1.000 pesetas; **$$** de 1.000 a 2.000 pesetas; **$$$** de 2.000 a 3.000 pesetas y **$$$$** de 3.000 a 4.000 pesetas.

¡Te toca a ti!

A. Recomendaciones While in Madrid, you receive a letter from your parents asking you to meet up with some of their friends who are touring Spain. When you meet their friends, they ask you to recommend a restaurant to go for dinner. Consult the listings from *La guía del ocio* to find one restaurant for each request. Provide an estimate of how much it will cost one person to eat at each restaurant.

1. paella
2. seafood
3. lamb
4. pizza
5. Italian food
6. Argentine food
7. Japanese food
8. Galician food
9. shrimp and squid
10. Mexican food
11. Peruvian food
12. a place that takes credit cards

Repaso ⟳

B. Una encuesta Ask five of your classmates about their food preferences. Use the following numbers to indicate the degree to which each student likes or dislikes the foods on the chart on your activity master. Mark their answers on your activity master. Follow the model to ask questions and provide responses.

MODELO   gambas
           Tú: *¿Te gustan las gambas?*
Compañero(a):   *Sí, me encantan las gambas.* o:
                    No, detesto las gambas.

1 = Lo (La, Los, Las) detesto.
2 = No me gusta(n).
3 = Ni lo (la, los, las) detesto ni me encanta(n).
4 = Me gusta(n).
5 = Me encanta(n).

	Compañero(a) 1	Compañero(a) 2	Compañero(a) 3	Compañero(a) 4	Compañero(a) 5
café					
calamares					
chuletas de cordero					
ensalada mixta					
espárragos					
flan					
gambas					
pescado frito					
sopa de pescado					
té					
ternera asada					

ESTRUCTURA

The impersonal se

Se habla español aquí.   *Spanish is spoken here.*

Se come bien en España.   *One eats well in Spain.*

1. An action that is carried out by an unmentioned person or persons is called an impersonal action.

2. In English, several words can be used to refer to impersonal actions: *one, you, they, people.*

3. In Spanish, one way to make impersonal statements is to place **se** before the third person form of the verb: **se come, se habla, se vende,** etc.

Aquí practicamos

C. ¿Cómo se come? Sustituye las palabras en cursiva con las palabras que están entre paréntesis y haz los cambios que sean necesarios para formar oraciones. Sigue el modelo.

> **MODELO**   comer bien en España
> *Se come bien en España.*

1. vivir bien en este país
2. servir buena comida en ese restaurante
3. estudiar mucho en esta escuela
4. trabajar demasiado en la universidad
5. hablar francés en Francia

D. En mi opinión
Cambia las oraciones según el modelo.

MODELO   Vivimos bien en España.
Se vive bien en España.

1. Comen bien en España.
2. Sirven una paella excelente en ese restaurante.
3. Siempre bailamos en las fiestas.
4. Estudian mucho en la universidad.
5. Viven bien en España.
6. Bajan por esta escalera.
7. No compran fruta en la farmacia.
8. Antes de la sopa, sirven el aperitivo.
9. Después de la entrada, sirven el postre.
10. En España comen la ensalada después de la entrada.

Comentarios CULTURALES

La guía del ocio

La *guía del ocio* es una publicación semanal española que contiene información sobre lo que hay para hacer en Madrid durante el tiempo libre, o sea durante las horas de ocio. En esta publicación se puede encontrar información sobre exhibiciones de arte, obras de teatro, funciones de cine, conciertos, eventos deportivos, restaurantes y mucho más.

E. ¿Qué se hace? Haz comentarios impersonales sobre las actividades que se deben hacer o no se deben hacer en las siguientes situaciones o lugares. Sigue el modelo.

> **MODELO** la biblioteca
> *Se estudia en la biblioteca.* o:
> *No se habla en la biblioteca.*

1. el restaurante
2. el fin de semana
3. un día típico
4. las vacaciones
5. una fiesta de cumpleaños
6. la escuela

Aquí escuchamos

Vamos a buscar un buen restaurante *Laura y Miguel tienen mucha hambre. Están en el centro y buscan un restaurante donde comer.*

Antes de escuchar Repasa las expresiones de la sección **En otras palabras** que sigue. Responde a las siguientes preguntas.

1. ¿Cómo pueden Laura y Miguel decir que tienen mucha hambre?
2. ¿Cómo pueden decir que quieren comer cierta comida?
3. ¿Cómo pueden decir que les gusta o no les gusta una comida?

 A escuchar Escucha dos veces la conversación entre Laura y Miguel.

Después de escuchar Responde a las siguientes preguntas.

1. ¿Cuántos restaurantes hay cerca de donde están Laura y Miguel?
2. ¿Dónde ven los menús?
3. ¿Cómo se llama el primer restaurante?
4. ¿Cuál es la especialidad de este restaurante?
5. ¿Qué tiene ganas de comer Laura?
6. ¿Dónde comen por fin?

EN OTRAS PALABRAS

Expresiones para hablar del hambre

¡Estoy que me muero de hambre!	*I'm starving!*
Tengo tanta hambre que me podría comer un toro.	*I'm so hungry I could eat a bull.*
Tengo ganas de comer...	*I feel like eating. . .*
Yo quisiera comer...	*I would like to eat. . .*
Me encanta la comida china (griega, italiana, francesa, etc.).	*I love Chinese (Greek, Italian, French, etc.) food.*

¡Te toca a ti!

F. **¿A qué restaurante vamos?** Tú y un(a) compañero(a) van en busca de un restaurante. A tu compañero(a) no le gusta tu primera sugerencia, pero él (ella) acepta el segundo restaurante que le sugieres. Usen las sugerencias que siguen y sigan el modelo.

> **MODELO**   un restaurante donde la especialidad es pescado / un restaurante conocido por la carne asada
>
> Compañero(a): *Mira, estoy que me muero de hambre.*
> Tú: *Yo también. Me podría comer un toro.*
> Compañero(a): *¿Por qué no buscamos un restaurante?*
> Tú: *Buenísima idea. Allí hay un restaurante donde se sirve un pescado frito excelente.*
> Compañero(a): *No. No me gusta mucho el pescado. Prefiero la carne.*
> Tú: *Ah, allí hay un restaurante donde la carne asada es la especialidad.*
> Compañero(a): *Perfecto. Me encanta la carne asada.*

1. un restaurante italiano / un restaurante chino

2. un restaurante vegetariano / un restaurante donde la especialidad es los mariscos

3. un restaurante donde la carne asada es la especialidad / un restaurante griego

4. un restaurante donde las chuletas de cordero son la especialidad / un restaurante francés

5. un restaurante donde el pollo asado es la especialidad / un restaurante mexicano

¿Adónde vamos a comer? While visiting Madrid, you and your classmate(s) are trying to choose a restaurant for your evening meal.

1. Consult the listings from *La guía del ocio* on page 58.
2. Discuss what each of you would prefer to eat and how much you are willing to spend for dinner.
3. Decide on a restaurant that everyone can afford and where each person can order a meal that he (she) will enjoy.

 Anoche cenamos afuera Imagine that last night you and your family had dinner at one of the restaurants listed in *La guía del ocio* on page 58. Write a postcard to your Spanish teacher, telling him (her) about the meal.

1. Describe the restaurant.
2. Tell what each member of your family ordered.
3. Describe the best main course served at your table.
4. Indicate whether you would like to return to the restaurant and why.
5. Date and sign your postcard.

EN LÍNEA

Connect with the Spanish-speaking world! Access the *¡Ya verás! Gold* home page for Internet activities related to this chapter.

http://yaveras.heinle.com

VOCABULARIO

Para charlar

Para pedir una mesa en un restaurante

Quisiera una mesa para tres personas, por favor.
Quisiéramos sentarnos cerca de la ventana.

Para pedir la comida

¿Qué quisiera pedir de aperitivo?
¿Qué quisieran pedir de entrada?
De postre quisiera…

Para hablar del hambre

¡Estoy que me muero de hambre!
Tengo tanta hambre que me podría comer un toro.

Para indicar preferencias

Tengo ganas de comer …
Yo quisiera comer …
Me encanta la comida china (griega, italiana, francesa, etc.).
Se come bien en este restaurante.

Para pedir la cuenta

La cuenta, por favor.
¿Podría traernos la cuenta, por favor?
Quisiera la cuenta, por favor.
Quisiéramos la cuenta, por favor.

Temas y contextos

El menú

Los aperitivos
  los calamares fritos
  el chorizo
  los espárragos a la
  parmesana
  las gambas al ajillo
  el jamón serrano
  la tortilla española

Las entradas
  el bistec
  la chuletas de cordero
  los mariscos
  la paella valenciana
  el pescado frito
  el pollo al chilindrón
  la ternera asada

Las ensaladas
  la ensalada mixta

Las sopas
  el gazpacho andaluz
  la sopa de ajo
  la sopa del día
  la sopa de pescado

Las bebidas
  el agua mineral con gas
  el agua mineral sin gas
  el café
  el té
  los refrescos surtidos

Los postres
  el flan
  la fruta
  los helados variados
  el queso manchego

La mesa

el azúcar
la cuchara — spoon
la cucharita
el cuchillo — knife
la mantequilla — butter
la pimienta — pepper
el platillo — saucer
el plato
el plato hondo — bowl
la sal — salt
la servilleta — napkin
la taza — tea cup
el tenedor — fork
el vaso — glass
la manteca de cerdo — lard
entrada — dish

Vocabulario general

Verbos como gustar

apetecer
encantar
faltar
tocar

Una comida familiar

Antes de leer

1. Lee el título de la lectura. ¿De qué crees que se tratará?

2. Esta lectura es un diario personal. ¿Cómo lo sabes?

3. Lee brevemente el primer párrafo. ¿Qué crees que se va a describir en los siguientes párrafos?

Reading Strategies

- Using the title to predict content
- Examining format for content clues
- Using context to guess meaning

Sábado, 4 de agosto

Santiago de Chile

Martín, el muchacho que conocí el otro día, me invitó hoy a comer a su casa. Fue una experiencia muy divertida.

Hoy, como todos los sábados, la familia entera de Martín se reunió para almorzar: sus abuelos, tíos, primos, padres y hermanos. ¡Quince personas en total! La mamá de Martín cocinó toda la mañana. Martín y yo fuimos a comprar los refrescos y el pan. Los invitados comenzaron a llegar cerca del mediodía, y entre todos pusimos la mesa. El almuerzo duró casi dos horas. Aquello era un circo; los niños jugaban y corrían y todo el mundo contaba chistes y reía.

Cuando terminamos de comer, la señora sirvió café y todos nos quedamos sentados alrededor de la mesa conversando durante otra hora y media. Parece que ésta es una costumbre muy común en Chile, la sobremesa.

Bueno, también es cierto que hoy es sábado. Durante la semana las cosas son algo diferentes. El papá y la mamá de Martín vuelven a la casa para almorzar con los hijos que llegan de la escuela, pero la comida es más rápida porque deben regresar al trabajo. No hay sobremesa. A veces los padres de Martín no van a comer a la casa sino que almuerzan en un restaurante cerca de sus oficinas.

En mi casa en Chicago, nunca hacemos sobremesa. (¡Creo que en inglés la palabra ni existe!) Durante la semana, mi hermana y yo comemos en la escuela. Mi papá y mi mamá comen en el trabajo. Por la noche, después de cenar, a veces nos quedamos conversando un rato, pero en realidad no es una sobremesa.

Le conté esto a la familia de Martín. Ellos me preguntaron si tampoco hacemos sobremesa después de una comida especial en un día festivo. Cuando les conté que después de la comida del Día de Acción de Gracias todos los hombres de mi familia se van a ver el fútbol americano en la tele, les pareció muy raro. Aquí, eso sería de muy mala educación.

Guía para la lectura

1. Vocabulario para una mejor comprensión de la lectura.

alrededor de	*around*
tan pronto como	*as soon as*
rato	*while*
ocupados	*busy*
raro	*strange*
mala educación	*bad manners*

2. **Sobremesa** es una palabra compuesta que se forma a partir de las palabras **sobre** y **mesa**. Esta es una costumbre que se observa en todos los países hispanohablantes.

3. La palabra **comida** puede significar tanto *food* como *meal*. En algunos países de América Latina para *lunch* se dice **la comida**, en otros, **el almuerzo**.

Después de leer

1. ¿Qué piensan Martín y su familia de las costumbres estadounidenses después de comer?

2. Compara las costumbres que tienen Martín y su amigo estadounidense con las que tú tienes.

3. ¿Te gusta el concepto de la sobremesa? ¿Por qué o por qué no?

CAPÍTULO 3

La comida de la América Latina

Las comidas son una buena razón para reunirse con los amigos.

Objectives

- describing, ordering, and paying for food
- learning about kinds of Latin American food

PRIMERA ETAPA

Preparación

- ¿Qué sabes de la comida mexicana?
- ¿Puedes nombrar algunos platos típicos de México?
- ¿Cuál es tu comida mexicana favorita?

Un menú mexicano

Un menú mexicano generalmente ofrece especialidades mexicanas y platos internacionales.

S

Sopa especial de pollo $30
Sopa de tortilla $35
Sopa del día $32
Sopa de **verduras** $30

E

Nuestra ensalada especial
del chef $45
Lechuga, gajos de jitomate, tiras de jamón, pollo y queso, rebanadas de huevo duro.

Ensalada de **camarones** $52
Lechuga, gajos de jitomate, camarones frescos, huevo duro.

Ensalada de **atún** $47
Lechuga, gajos de jitomate, atún aderezado y huevo duro.

Ensalada de lechuga, jitomate y
pepino $35

B

Nuestro famoso café $10
Té caliente o helado $10
Leche $12
Chocolate caliente $17
Naranjada $17
Malteadas $23
Limonada $17
Refrescos $15

E

Tacos de pollo (4) $55
Servidos con guacamole, crema y frijoles refritos.

Tacos de bistec (3) $57
Acompañados de cebollitas de cambray asadas y frijoles charros.

Costilla de res a la parrilla ...$62
Servida con arroz, enchilada, guacamole y frijoles refritos.

Pepitos (2) $55
Tierno filete de res en **bolillo***, acompañados de guacamole, frijoles refritos, rajas con crema y papas a la francesa.*

Chilaquiles verdes o rojos ...$57
Fresca tortilla de maíz bañada en salsa y queso gratinado, servidos con crema, cebolla y frijoles refritos.

E

Enchiladas suizas $59
Elaboradas con pollo y queso gratinado, preparadas con nuestra receta especial

Enchiladas verdes o rojas ...$59
Preparadas con pollo y una generosa porción de deliciosa salsa.

Enchiladas de mole $61
Elaboradas con pollo, ajonjolí, cebolla y delicioso mole poblano.

C

Hamburguesa con queso
Con jitomate y lechuga $59
Combinación $67
Riquísima hamburguesa acompañada de papas a la francesa. A su elección, sopa del día o ensalada con aderezo especial.

Combinación gigante $69
Riquísima hamburguesa acompañada de papas a la francesa. A su elección, sopa del día o ensalada con aderezo especial.

Combinación gigante $69
Riquísima hamburguesa de 200 gramos, acompañada de papas a la francesa. A su elección, sopa del día o ensalada con aderezo especial.

Plato de dieta $59
Hamburguesa en pan de centeno, acompañada de queso cottage, rebanada de jitomate y huevo duro.

C

Parrillada mixta $75
Filete de res, pollo, cerdo y chorizo a la **parrilla***, servida con guacamole, frijoles charros y tortillas.*

Pechuga de pollo $62
Tierna pechuga de pollo empanizada, servida con puré de papa, lechuga y jitomate. O asada a la plancha acompañada de verduras al vapor.

Filete de pescado $65
Fresco filete empanizado, servido con puré de papa y salsa tártara, o preparado ricamente al mojo de ajo y servido con papas a la francesa.

verduras *vegetables* **camarones** *shrimp* **atún** *tuna* **Costilla de res** *Beef ribs* **Pepitos** *Sandwich made with filet of beef*
bolillo *Mexican hard roll* **Chilaquiles** *Dish made with corn tortillas and chile salsa* **Parrillada** *A variety of meats cooked on a grill* **parrilla** *grill* **Pechuga** *Breast*

¡Te toca a ti!

A. ¿Qué van a pedir? Sugiere lo que van a pedir las siguientes personas.

1. ¿Qué va a pedir alguien que no come carne?
2. ¿Qué va a pedir alguien que quiere comer algo ligero?
3. ¿Qué va a pedir un(a) turista que no quiere comer comida mexicana?
4. ¿Qué especialidad mexicana va a pedir alguien que no come carne?
5. ¿Qué va a pedir alguien que quiere comer varios tipos de carne?

Repaso ↻

B. ¿Qué se hace...? Un(a) amigo(a) chileno(a) tiene varias preguntas sobre la vida en los Estados Unidos. Responde a sus preguntas empleando oraciones impersonales con **se.**

1. ¿Qué se hace aquí por la tarde después de la escuela?
2. ¿Qué se hace en una fiesta?
3. ¿Qué se come en una fiesta?
4. ¿Qué se hace en general los fines de semana?
5. ¿Qué se hace en el verano?

Comentarios CULTURALES

Las comidas

Las costumbres de la comida varían en todos los países del mundo hispano. En México, el desayuno tradicional se come muy temprano, como a las seis de la mañana, y es muy ligero *(light)*: un café y un pan dulce *(pastry)*. Después de las once se come el almuerzo, que incluye huevos, chilaquiles, tacos u otro plato fuerte, y también frijoles y tortillas. La comida principal del día se hace cerca de las cuatro de la tarde. La cena, que muchos llaman merienda, se sirve cerca de las ocho de la noche, y es ligera como el desayuno. Pero estas tradiciones están cambiando, especialmente en las grandes ciudades.

ESTRUCTURA

Estar + adjectives of state or condition

Yo **estoy nervioso** hoy porque tengo un examen.	*I am nervous today because I have an exam.*
Marta **está triste** hoy porque no hace sol.	*Marta is sad today because it is not sunny.*
Camarero, este plato **está sucio**.	*Waiter, this plate is dirty.*

1. The verb **estar** is used with certain adjectives to express states or conditions that are true at a given moment, but not necessarily permanent, such as a mood.

2. Some adjectives that are commonly used with **estar** to express states or conditions are:

abierto(a)	*open*	**limpio(a)**	*clean*
aburrido(a)	*bored*	**lleno(a)**	*full*
alegre	*happy*	**mojado(a)**	*wet*
caliente	*hot*	**nervioso(a)**	*nervous*
cansado(a)	*tired*	**ocupado(a)**	*busy*
cerrado(a)	*closed*	**preocupado(a)**	*worried*
contento(a)	*happy*	**seco(a)**	*dry*
enfermo(a)	*sick*	**sucio(a)**	*dirty*
frío(a)	*cold*	**triste**	*sad*
furioso(a)	*furious*	**vacío(a)**	*empty*

3. Adjectives that end in -o in the singular have four forms and must agree in both number and gender with the nouns they modify:

El **vaso** está **limpio**.	La **cuchara** no está **limpia**.
Los **vasos** están **limpios**.	Las **cucharas** no están **limpias**.

4. Adjectives that end in -e in the singular have only two forms and need only agree in number with the nouns they modify.

Alberto está **triste** y Marta está **alegre**.

Las **niñas** están muy **alegres** hoy.

Aquí practicamos

C. ¿Cómo están? Sustituye las palabras en cursiva con cada una de las opciones que están entre paréntesis. Haz los cambios que sean necesarios.

1. *Josefina* está aburrida hoy porque no hace buen tiempo. (Jorge / yo / nosotros / la profesora / mis hermanas)

2. Yo no estoy preocupado hoy porque no hay examen. (Diana / mi amigo / mis compañeros / tú / nosotras)

3. ¿Por qué están nerviosos *ustedes* hoy? (Diego / Marta y Sara / tú / la profesora / José y León)

D. ¿Cómo están hoy? Un(a) compañero(a) de clase te hace varias preguntas sobre cómo están varias personas que ustedes conocen. Responde a sus preguntas según el modelo.

> **MODELO**   tu mejor amiga / aburrido
>
> **Compañera(o):** *¿Cómo está tu mejor amiga hoy?*
> **Tú:** *Está aburrida.*

1. tu padre / furioso
2. la profesora de español / ocupado
3. tus amigas favoritas / triste
4. tu mamá / preocupado
5. tus compañeros de clase / cansado
6. tú / alegre

E. Tráigame una... Cuando tú y tus compañeros(as) llegan a la mesa en un restaurante, hay varias cosas sucias. Pídanle al (a la) camarero(a) otras limpias según el modelo.

> **MODELO**   cuchara
> *Camarero, esta cuchara está sucia. Tráigame una cuchara limpia, por favor.*

1. tenedor
2. vaso
3. cuchillos
4. servilletas
5. platos
6. taza

NOTA GRAMATICAL

Adding emphasis to a description

—¿Cómo está Alberto hoy?	*How is Alberto today?*
—Está **un poco** cansado.	*He is a little tired.*
—Estoy **muy** nervioso hoy.	*I am very nervous today.*
—Me gustan los refrescos cuando están **bien** fríos.	*I like soft drinks when they are very cold.*
—¿Estás preocupado ahora?	*Are you worried now?*
—Sí, estoy **algo** preocupado.	*Yes, I am somewhat worried.*
—No, no estoy **nada** preocupado.	*No, I am not worried at all.*

Un poco, muy, bien, algo, and **nada** may be placed before an adjective of condition in order to add emphasis to the description.

Aquí practicamos

F. ¿Cómo estás hoy? On your activity master, describe how you feel today by writing your name in the appropriate column for each adjective. Then ask several classmates how they feel today. Write the name of each person in the appropriate cells of the chart. Try to fill all the cells in the time allotted.

	un poco	algo	muy
aburrido(a)			
alegre			
cansado(a)			
nervioso(a)			
ocupado(a)			
preocupado(a)			
triste			

G. Intercambio Siempre conocemos mejor a una persona cuando sabemos sus sentimientos. Hazle preguntas a uno(a) de tus compañeros(as) y luego comparte la información con el resto de la clase. Sigan el modelo.

> **MODELO** cansado(a)
> **Tú:** *¿Cuándo estás cansado(a)?*
> **Compañero(a):** *Estoy cansado(a) cuando no duermo bien.*

1. cansado(a)
2. preocupado(a)
3. triste
4. nervioso(a)
5. alegre
6. aburrido(a)
7. ocupado(a)
8. furioso(a)

Aquí escuchamos

Un restaurante mexicano *Luis y Sonia van a comer a un restaurante mexicano.*

Antes de escuchar Repasa el menú de la página 70 y las expresiones de la sección **En otras palabras** que sigue. Responde a las siguientes preguntas.

1. ¿Qué crees que Luis y Sonia pueden pedir para comenzar?
2. ¿Qué pueden pedir de tomar?
3. ¿Qué comentarios pueden hacer sobre la comida?

 A escuchar Escucha dos veces la conversación entre Luis y Sonia. Presta atención a las expresiones que usan para decir lo que les parece la comida.

Después de escuchar Responde a las siguientes preguntas.

1. ¿Qué tipo de sopa pide Sonia?
2. ¿Qué tipo de tacos pide Sonia?
3. ¿Pide Luis sopa?
4. ¿Qué va a tomar Luis?
5. ¿Por qué pide Luis otro tenedor?
6. ¿Que les parece la comida a Luis y Sonia?

EN OTRAS PALABRAS

Expresiones para hablar de la comida

—¿Qué tal está la sopa? *How's the soup?*
—Está muy rica. ¡Está riquísima! *It's very good!*

—¿Qué tal están los tacos? *How are the tacos?*
—Están muy ricos. ¡Están riquísimos! *They're very good!*

—¡Qué rica está la hamburguesa! *This hamburger is great!*

—¡Qué ricos están los tacos! *These tacos are great!*

¡Te toca a ti!

H. Te invito a comer You offer to make a meal for a class-mate. Ask him (her) to name three dishes that he (she) 1) really likes, 2) really dislikes, 3) prefers to eat at home, and 4) likes to order in a restaurant. Tell your classmate which of these dishes you can prepare. Suggest three other dishes that you could prepare. Record the information on your activity master. Agree on a menu that your classmate likes and that you could prepare at home.

Le gusta	No le gusta	Prefiere comer en casa	Le gusta pedir en un restaurante	Mis ideas

¡ADELANTE!

 ¿Qué van a pedir? In groups of three, practice ordering a meal from the menu on page 70. One of you will play the role of the waiter (waitress). The other two will order dinner, including soup, salad, a main course, and something to drink. The waiter (waitress) will let you know if an item is unavailable and what the daily specials are, and will take your order.

Una postal While traveling through Mexico, one evening you have dinner in a restaurant. You consider the meal to be one of the best that you have ever eaten. Write a letter to a friend telling him or her about the wonderful dinner, describing each course. Date and sign your letter.

Piensa en la comida mexicana que se sirve en los Estados Unidos.

- ¿Qué platos se sirven?
- ¿Hay restaurantes mexicanos en tu pueblo o ciudad?

La comida tex-mex

Esta deliciosa y popular comida es un ejemplo de la influencia mexicana en la cultura norteamericana.

Ejemplos de la comida tex-mex

¿Cuál es tu plato mexicano favorito? ¿Los tacos? ¿Las enchiladas? ¿Los nachos con salsa picante? Los norteamericanos están acostumbrados a la comida mexicana, pero la comida mexicana que se come en los Estados Unidos es comida tex-mex, y es algo diferente de la comida que generalmente se prepara en México. La comida tex-mex es una adaptación de las **recetas** que se usan en México. Algunos platos incluso se inventaron en los Estados Unidos, usando ingredientes e ideas de la comida mexicana.

Esta comida tiene una larga historia. En 1800, en Álamo, Texas, **nació** el famoso "chile con carne", hoy el plato oficial de la cocina tejana. **Hoy día**, la mayoría de los supermercados en los Estados Unidos venden los productos que se usan para preparar la comida tex-mex.

Desde la década de 1980, la comida tex-mex **ha disfrutado** de una popularidad fenomenal en los Estados Unidos. Un caso interesante de esta comida son los nachos. En México no se conocen los nachos, **o sea,** es una comida que se inventó en los EE.UU. Pero los nachos son tan populares que hasta en los partidos de béisbol se comen en vez de los hot dogs. Otros platos de la cocina tex-mex son las fajitas, los burritos y los tacos. Estos platos se sirven siempre con una salsa **al lado**. La salsa puede ser picante o no picante, según los **gustos** de cada persona.

recetas *recipes* **nació** *was born* **Hoy día** *Today* **ha disfrutado** *has enjoyed* **o sea** *that is* **al lado** *on the side*
gustos *tastes, preferences*

¡Te toca a ti!

A. ¿Sabes...?
Responde a las siguientes preguntas sobre la comida tex-mex usando información de la lectura.

1. ¿Es idéntica a la comida tex-mex la comida mexicana?
2. ¿Cuándo se inventó el chile con carne?
3. ¿Dónde se pueden comprar productos para preparar comida tex-mex?
4. ¿Dónde se inventaron los nachos?
5. ¿Con qué se sirven los platos tex-mex?
6. ¿Cuáles son algunos platos de la cocina tex-mex?

Repaso ♻

B. ¿Cómo te sientes...?
Di cómo te sientes en cada situación.

1. cuando tienes un examen
2. cuando no hay escuela
3. cuando tienes que estudiar
4. cuando llueve y no tienes paraguas5. .

cuando no puedes dormir
6. cuando sacas una "A" en un examen

Un hispano en Nuevo México cultiva sus plantas de chile.

Comentarios CULTURALES

El chile

El chile es un ingrediente importante de la comida tex-mex. Hay más de 2.000 tipos de chiles. La palabra **chile** viene de una lengua indígena mexicana, el náhuatl. Muchas variedades de chiles se cultivaban en América Latina en tiempos precolombinos. Los chiles se preparan de diferentes maneras, o sea, a veces se muelen (*they are ground*) para hacer salsas o se sirven enteros o cortados según la receta. Hay chiles rojos, verdes y amarillos. Algunos de los chiles más conocidos son el jalapeño, el serrano, el pequín, el chipotle y el ancho. Se dice que el habanero, cultivado en Yucatán, México, es probablemente el más picante de todos los chiles cultivados en América Latina.

ESTRUCTURA

Negative and affirmative expressions

—¿Va Alberto o Mario a la fiesta?
—Alberto **no** va a la fiesta y Mario
  no va **tampoco**.
—Ah, entonces **no** va **ni** Alberto
  ni Mario.

Is Alberto or Mario going to the party?
Alberto is not going to the party and Mario
  is not going either.
Oh, then neither Alberto nor
  Mario is going.

—¿Quiere **alguien** ir al partido?
—**No** quiere ir **nadie**.

Does someone want to go to the game?
No one wants to go.

—Sabes tú **algo** de biología?
—**No**, no sé **nada** de biología.

Do you know anything about biology?
No, I don't know anything about biology.

—¿Hay **algún** estudiante aquí?
—**No**, aquí **no** hay **ningún** estudiante.

Is there a student here?
No, there is not a single student here.

1. To make a Spanish sentence negative, you can place **no** before the conjugated verb.

2. Another way to make a Spanish sentence negative is to use a double negative construction:
no + the verb + another negative word.

3. You can use the double negative **nunca jamás** to express an emphatic *never*, equivalent to
never ever.

4. The negative words **alguno** and **ninguno** become **algún** and **ningún** before a singular
masculine noun.

5. Here are some common negative words in Spanish and their affirmative counterparts.

nadie	no one, nobody	alguien	someone, somebody
ningún ninguno ninguna	none	algún alguno alguna	a, an
		algunos algunas	some
nada	nothing	algo	something
tampoco	neither, not either	también	also
jamás nunca	never	una vez	once
		algún día	some day
		siempre	always
		todos los días	every day
ni... ni...	neither... nor	o... o...	either... or

Aquí practicamos

C. No, no y no Expresa cada oración negativamente. No olvides usar dos palabras negativas cuando sea apropiado. Sigue el modelo.

> **MODELO**   Nilda va a ese restaurante todos los días.
> *Nilda no va nunca a ese restaurante.*

1. Alberto va a pedir la paella también.
2. Alguien quiere comer calamares.
3. Yo quiero comer algo antes de salir de casa.
4. Su familia come en un restaurante todos los días.
5. Elena pide siempre la misma comida que su hermana.
6. Algunos estudiantes van a comer pizza el viernes.
7. Alberto o Enrique va a ir al mercado.
8. Alicia come ensalada todos los días.

D. Otra vez no Responde a las siguientes preguntas negativamente.

1. ¿Va tu amigo a cenar con nosotros también?
2. ¿Hay algún buen restaurante en este barrio?
3. ¿Sirven algún plato típico en este restaurante?
4. ¿Hay algo interesante en el menú?
5. ¿Sirven paella en este restaurante también?
6. ¿Alguien te recomendó este restaurante?

E. No quiero... Tú estás de muy mal humor. Un(a) compañero(a) te sugiere varias posibilidades, pero tú siempre le respondes negativamente.

1. ¿Quieres invitar a alguien a cenar con nosotros?
2. ¿Quieres llamar a algún amigo por teléfono?
3. ¿Quieres mirar algo en la televisión?
4. Pero tú siempre quieres mirar la televisión, ¿verdad?
5. ¿Quieres leer o salir a cenar?
6. ¿Quieres hacer algo esta noche?

Aquí escuchamos

Un almuerzo tex-mex *Luis y Alberto deciden comer en un restaurante tex-mex. Tienen mucha hambre y van a pedir mucha comida.*

Antes de escuchar Repasa las expresiones de la sección **En otras palabras** que sigue. Responde a las siguientes preguntas.

1. ¿Qué pueden decir Luis y Alberto para indicar que tienen mucha hambre?
2. ¿Qué crees que van a pedir de tomar?
3. ¿Qué crees que van a pedir de comer?
4. ¿Qué comentarios podrían hacer?

 A escuchar Escucha dos veces la conversación entre Luis y Alberto.

Después de escuchar Responde a las siguientes preguntas.

1. ¿Qué pide Alberto de comer?
2. ¿Qué pide Alberto de tomar?
3. ¿Qué pide Luis de comer?
4. ¿Qué pide Luis de tomar?
5. ¿Por qué pide salsa Luis?
6. ¿Piden postre los dos?

EN OTRAS PALABRAS

Expresiones para hablar del sabor (taste) de la comida

Está un poco **picante**.	*It's a little spicy.*
Está muy **dulce**.	*It's very sweet.*
Está algo **salado(a)**.	*It's somewhat salty.*
Está bien **sabroso(a)**.	*It's really tasty.*
No tiene(n) **sabor**.	*It's (They're) tasteless.*

¡Te toca a ti!

F. En un restaurante tex-mex In groups of three, practice ordering a meal in a tex-mex restaurant. One of you will play the role of the waiter (waitress). The other two will order. After the food is served, the clients and the waiter (waitress) discuss the meal.

G. ¿Cómo se hace y cómo es? Tu amigo(a) salvado-
reño(a) va a cenar contigo en un restaurante norteamericano.
Responde a sus preguntas sobre algunos de los platos que hay en el
menú del restaurante.

1. ¿Cómo es el *clam chowder?* (*clams* = **almejas**)

2. ¿Cómo es el *Southern fried chicken?*

3. ¿Cómo es una *tossed salad?*

4. ¿Cómo es el *banana cream pie?*

5. ¿Son muy picantes los *barbecued spare ribs?*

6. ¿Es muy dulce el *blueberry pie?*

¡ADELANTE!

 La comida tex-mex Your friend from Peru wants to learn about
certain tex-mex foods. Describe in Spanish what the following foods are
like. Be sure to comment on whether you like them or not.

1. nachos

2. tacos

3. salsa picante

4. burritos

5. chile con carne

Una fiesta tex-mex With a partner, plan a tex-mex party.
Prepare a menu for the party, then make a shopping list of the ingredients
you will need to prepare those items. Include at least three dishes and two
beverages in your menu.

Connect with the Spanish-speaking world!
Access the *¡Ya verás! Gold* home page for
Internet activities related to this chapter.

http://yaveras.heinle.com

VOCABULARIO

Para charlar

Para hablar de la comida

¿Qué tal está(n)...?
Está muy rico(a).
Están muy ricos(as).
¡Está riquísimo(a)!
¡Están riquísimos(as)!
¡Qué rica(o) está...!
¡Qué ricos(as) están...!
Está un poco picante.
Está muy dulce.
Está algo salado(a).
Está bien sabroso(a).
No tiene(n) sabor.

Temas y contextos

Expresiones para dar énfasis

algo
bien
muy
nada
un poco

Expresiones afirmativas y negativas

algo
alguien
algún/alguno/ alguna algunos/ algunas
algún día
cada día
jamás
nada
nadie
ni... ni...
ningún/ninguno/ ninguna
nunca
o... o...
siempre
también
tampoco
todos los días
una vez

Vocabulario general

Sustantivos

el atún
los camarones
los chilaquiles
la costilla de res
los gustos
la parrillada
la pechuga
los pepitos
las recetas
las verduras

Adjetivos

abierto(a)
aburrido(a)
alegre
caliente
cansado(a)
cerrado(a)
contento(a)
enfermo(a)
frío(a)
furioso(a)
limpio(a)
lleno(a)
mojado(a)
nervioso(a)
ocupado(a)
preocupado(a)
seco(a)
sucio(a)
triste
vacío(a)

Otras palabras y expresiones

al lado
ha disfrutado
hoy día
nació
o sea

Tostones, tortillas y llapingachos

Reading Strategies

- Using the title to predict content
- Scanning for specific information
- Recognizing cognates
- Examining format for content clues

Antes de leer

1. Mira el título y trata de adivinar el tema de la lectura.

2. Ahora, examina brevemente el primer párrafo y encuentra por lo menos 5 cognados y otras palabras que ya conoces. ¿Estaba correcta tu respuesta? Si no, inténtalo de nuevo *(try again)*.

3. Mira la lectura y trata de identificar su formato. ¿Es un artículo de periódico, un poema...?

La autora de este libro nos presenta un breve panorama de la cocina de dieciocho países latinoamericanos. En el primer capítulo se examinan las tres principales tradiciones de esta cocina. Como ejemplo de la influencia indígena, se discute la técnica incaica para preservar la papa por medio del congelamiento. Se estudian además las numerosas formas que existen para preparar el maíz.

Como ejemplos de la influencia española, se ofrecen la preparación de platos de arroz y los populares flanes. Por último se menciona la influencia africana en los alimentos fritos en aceite y el uso de tubérculos, particularmente en la zona caribeña.

La cocina de México y Centroamérica ocupa el segundo capítulo. Se habla de la importancia de los conventos en la cocina de México y de las diferencias regionales entre las cocinas centroamericanas. En el tercer capítulo se estudia la cocina de las zonas costeras y de las zonas elevadas, usando como ejemplo a Colombia, Perú y Ecuador. Se sigue con la cocina del Caribe hispano, con sus platos a base de arroz, granos y postres de coco. Finalmente se presenta la cocina del Cono Sur, con platos a base de carne y la tradicional bebida argentina, el mate, que es una "institución cultural". Esta bebida es una infusión de hierbas parecida al té que se bebe en un recipiente redondo ("la bombilla"), con una pajilla de metal.

El Paraguay, que tiene dos idiomas oficiales, el español y el guaraní, es una región culinariamente fascinante por su mezcla de tradiciones españolas e indígenas. Uno de sus platos más peculiares, llamado So'o-yosopi en guaraní, es un guiso hecho de carne pulverizada en un mortero, a la que se le añade un sofrito de tomates y especias. Otro plato, la sopa paraguaya, es, a pesar de su nombre, un delicioso pan hecho de queso y harina de maíz.

Las variaciones regionales de la cocina latinoamericana son tantas que no pueden discutirse en un sólo libro. Invitamos, pues, al lector, a que investigue este fascinante tema en otras fuentes.

Guía para la lectura

Vocabulario para una mejor comprensión de la lectura.

Tostón	*Twice-fried, plantain slices (P.R.)*
llapingacho	*Potato and cheese cakes (Ecuador)*
incaica	*Inca*
congelamiento	*freezing*
flanes	*milk and caramel custards*
tubérculos	*tubers*
a base de	*based on*
granos	*grains*
recipiente	*container—here, a hollow gourd with a rim*
pajilla	*drinking straw*
guiso	*stew*
sofrito	*base for many dishes; usually made of tomatoes, cilantro, onions, garlic, peppers, etc.*
a pesar de	*in spite of*

Después de leer

1. Menciona las tres tradiciones que originalmente participaron en la creación de la cocina latinoamericana.

2. Escoge una región de Latinoamérica—Centroamérica, el Caribe, el Cono Sur—y menciona un aspecto de su tradición culinaria.

3. ¿Qué tipo de comida latinoamericana te gustaría probar? ¿Cuál no te interesaría probar? Explica tus respuestas.

4. ¿Tiene tu familia tradiciones culinarias? ¿Cuáles son?

¡SIGAMOS ADELANTE!

Conversemos un rato

A. Gustos diferentes You and a friend have been shopping for clothes. The two of you have completely different tastes: one likes funky clothes; the other prefers a classic look. With a classmate, role-play the following interactions.

1. Talk about your day. ¿Where did you shop? ¿What did you try on?
2. Each of you bought outfits for three different events. Describe the events you will be attending. Your classmate will guess what items you bought for each occasion.
3. Describe your new clothes. Mention colors, patterns, materials, and styles.
4. You each say why you dislike the other person's outifts, and you suggest different outfits your classmate could consider.
5. Tell your classmate how much you paid for each item, and ask about the price of the clothes he or she bought.

B. Una cena especial You are at the restaurant of your choice. In groups of three to five, role-play the following dialogue.

1. Each person takes a turn describing the restaurant.
2. A waiter or waitress comes to your table and describes the specials. Each person orders.
3. After you are served and you begin eating, each one comments about the taste of his or her food and gives an explanation why it is appetizing or not.
4. Ask for the bill and pay.
5. Thank the waiter or waitress.
6. He or she asks how the food and service were. Give your opinion.

Taller de escritores

Escribir la descripción de un restaurante

Escribe una descripción favorable de un restaurante, preferiblemente de comida latina.

> Ayer fuimos al restaurante Casablanca. Encontré la atmósfera amistosa. El servicio era excelente; nos sirvieron pronto y el camarero era muy atento. Desde los aperitivos hasta el postre, ¡cada plato era sabrosísimo! Y tienes que probar los postres; son divinos...

A. Reflexión Piensa en tu restaurante favorito. Prepara una lista de tus impresiones.

Writing Strategy
• List writing

B. Primer borrador Escribe la primera versión de la descripción, basado en la lista de ideas.

C. Revisión con un(a) compañero(a) Intercambia tu redacción con un(a) compañero(a) de clase. Lee y comenta la redacción de tu compañero(a). Usa estas preguntas como guía (guide): ¿Qué te gusta más de la redacción de tu compañero(a)? ¿Qué sección es más interesante? ¿Es apropiada para los compañeros de clase y tu maestro(a)? ¿Incluye toda la información necesaria para el propósito? ¿Qué otros detalles debe incluir la redacción?

D. Versión final Revisa en casa tu primer borrador. Usa los cambios sugeridos por tu compañero(a) y haz cualquier cambio que quieras. Revisa el contenido y luego la gramática y la ortografía, incluyendo los acentos ortográficos y la punctuación. Trae a la clase esta versión final.

E. Carpeta Tu profesor(a) puede incluir la versión final en tu carpeta, colocarla en el tablero de anuncios o usarla para la evaluación de tu progreso.

Conexión con la economía

Los gastos de los adolescentes

Para empezar Según el censo de los Estados Unidos, hay 29 millones de jóvenes entre 12 y 19 años de edad en el país (cifra de 1996). De ellos, el 49% son muchachas y el 51% son muchachos. Los economistas estudian cuánto ganan y gastan los adolescentes, y qué productos compran con su dinero. El siguiente gráfico tiene información sobre los gastos de los adolescentes.

Se calcula que cada año los adolescentes estadounidenses tienen **ingresos** de 96 billones de dólares y gastan 63 de ellos. En **promedio**, cada semana una joven gasta 34 de los 58 dólares que gana, y además 29 dólares que recibe de sus padres. En comparación, un joven gasta 44 de los 76 dólares que gana, y además 24 dólares que recibe de sus padres. Algo curioso es que los jóvenes ganan 30% más que las jóvenes, pero en promedio solamente trabajan una hora más que ellas por semana. Las categorías principales en las que la gente joven gasta su dinero son tres: ropa, comida, y **aparatos** electrónicos y de vídeo. Esta última es la categoría de mayor **crecimiento** en los últimos años. En general, los gastos principales de las muchachas adolescentes son la ropa, el **calzado** y los productos para el **arreglo personal.** Aunque los muchachos adolescentes también dedican un porcentaje importante de sus gastos a la ropa, sus gastos principales son la comida, la gasolina y el entretenimiento. Las gráficas muestran una distribución típica de los gastos anuales en varios productos de una muchacha y un muchacho adolescentes.

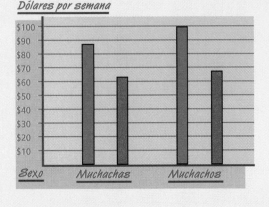

Dólares por semana

Muchacha

- ropa y calzado
- artículos para el arreglo personal
- comida
- cine y video
- música, libros y revistas
- transporte
- ostros gastos

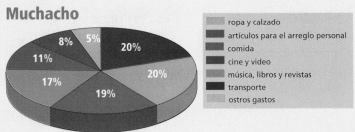

Muchacho

- ropa y calzado
- artículos para el arreglo personal
- comida
- cine y video
- música, libros y revistas
- transporte
- ostros gastos

ingresos *income* **en promedio** *on the average* **aparatos** *equipment* **crecimiento** *growth* **calzado** *shoes*
arreglo personal *personal grooming*

A. ¿Verdadero o falso?

Basándote en la lectura y en la información de las gráficas, indica si cada oración es verdadera o falsa.

1. Hay casi el mismo número de muchachos adolescentes que de muchachas adolescentes en los Estados Unidos.

2. Las muchachas adolescentes reciben más dinero de sus padres que los muchachos.

3. Los muchachos y las muchachas adolescentes tienen el mismo ingreso semanal.

4. Los muchachos y las muchachas adolescentes gastan en total casi la misma cantidad de dinero por semana.

5. Los muchachos y las muchachas adolescentes gastan menos de la mitad del dinero que ganan.

6. Los muchachos adolescentes casi no gastan dinero en ropa y calzado.

7. El porcentaje que las muchachas adolescentes dedican al transporte es casi la mitad del porcentaje que le dedican los muchachos.

B. Mis gastos

Trabaja con un(a) compañero(a). Hablen sobre sus gastos.

1. Tus ingresos semanales son similares a los que la lectura presenta para los (las) adolescentes de tu sexo? Si tienes un trabajo, ¿ganas más o menos que el salario que menciona la lectura?

2. Comenten sobre la información presentada en el segundo párrafo. ¿Qué te parece todo esto?

3. Observa las gráficas circulares. ¿Cómo explican tú y tu compañero(a) las diferencias entre los gastos de los muchachos y los de las muchachas?

4. Hagan una lista de las cosas que compran cada semana, y organícenlas en las mismas categorías de las gráficas circulares. Luego calculen aproximadamente qué porcentaje de sus gastos dedican a cada categoría.

Vistas
de los países hispanos

Guatemala

Capital: Ciudad Guatemala

Ciudades principales: Quetzaltenango, Esquintla

Población: 9.200.00

Idiomas: español, 23 lenguas indígenas

Área territorial: 108.899 km^2

Clima: templado en las mesetas, semitropical en las costas

Moneda: Quetzal

EXPLORA

Find out more about Costa Rica! Access the **Nuestros vecinos** page on the *¡Ya verás! Gold* web site for a list of URLs.

http://yaveras.heinle.com/vecinos.htm

En la comunidad

¡Lo mejor de la moda!

"¡Hola! Me llamo Rachel Phillips. Mi trabajo consiste en comprar la ropa para mujeres que se vende en los departamentos de una importante **cadena de almacenes**. Para que el volumen de nuestras ventas sea alto, debemos ofrecer ropa que le resulte atractiva a nuestra clientela. El mercado hispano es importantísimo, ¡hay 30 millones de hispanos en los Estados Unidos! Yo había estudiado español en la secundaria y en la universidad y por eso me nombraron directora de mercancía para clientes hispanos. Uso el español para hacer investigaciones de mercado. Viajo por todo el país para hablar con clientes hispanos sobre la ropa que les gusta; también hablo con proveedores y publicistas. Para mantenerme **al tanto** de las **novedades** de la moda, veo los canales hispanos en la televisión, leo revistas de modas en español y una vez al año viajo por Latinoamérica en busca de nuevas ideas. Algo que aprendí de esta investigación es que para atraer a más clientes hispanos, nuestras tiendas deben vender ropa que sea atractiva tanto a los que prefieran modas más clásicas como a los que quieran una moda más actual. Hay que ofrecer de todo. Gracias a mis conocimientos de español, nuestras ventas han subido en un 30%."

¡Ahora te toca a ti!

1. Visita una tienda en tu comunidad y pregúntale al dueño(a) si necesita hablar español con los clientes. Si no lo hace ahora, ¿crees que tendrá que hacerlo en el futuro?

2. Pregúntale a tu profesor(a) o a un amigo(a) hispano(a) si es que tiene periódicos o revistas en español. Busca anuncios publicitarios y compártelos en clase para aclarar el vocabulario y comparar con sus significados en inglés. Si tienes acceso a una cadena de televisión hispana, copia o graba los anuncios publicitarios y haz lo mismo.

cadena de almacenes *chain stores*   **al tanto** *up-to-date*   **las novedades** *the latest*

UNIDAD 2

¡Vamos de viaje!

Objectives

In this unit you will learn:

- to organize a trip
- to make telephone calls
- to make arrangements to travel by train, car, or plane
- to ask and answer questions about schedules and places

¿Qué ves?

- ¿Dónde crees que está la gente en la fotografía a la derecha?
- ¿Qué ves en las fotos de esta página?
- ¿Te gusta viajar? ¿Por qué?

Vamos a hacer un viaje

CAPÍTULO 4

Primera etapa: Planes para las vacaciones
Segunda etapa: Para llamar por teléfono

Iremos en tren

CAPÍTULO 5

Primera etapa: El horario de trenes
Segunda etapa: Los billetes de tren

¿Cómo vamos?

CAPÍTULO 6

Primera etapa: El mapa de carreteras
Segunda etapa: Un viaje en avión

CAPÍTULO 4

Vamos a hacer un viaje

Estación de ferrocarril de
Atocha, Madrid, España

Objectives

- making travel plans
- making telephone calls
- extending, accepting, and refusing invitations

PRIMERA ETAPA

Preparación

- ¿Te gusta viajar en tren? ¿Por qué?

- ¿Adónde vas normalmente cuando viajas en tren?

- Cuando preparas un viaje, ¿hablas con un(a) agente de viajes?

Atocha y las otras estaciones de Madrid

En los países donde la gente viaja mucho en tren, puede haber más de una estación de tren en una ciudad importante.

RENFE (**Red** Nacional de Ferrocarriles Españoles) administra el sistema **ferroviario** español. Su centro geográfico y administrativo es Madrid. La capital tiene tres estaciones de tren principales: Atocha, Chamartín y Norte. La estación más antigua es Atocha, que está localizada en el centro de Madrid. Chamartín, en el norte de la ciudad, es la estación más grande. Cada estación sirve como punto de partida a diferentes regiones del país y de Europa. Por eso, cuando alguien desea viajar desde Madrid, es importante saber cuál de las tres estaciones es la de origen para cierta región. El mapa reproducido aquí muestra parte de la red ferroviaria española y su relación con las tres estaciones de Madrid.

Estación de Atocha

Trenes a Córdoba, Sevilla, Granada, Toledo, Málaga, Valencia y Portugal

Estación de Chamartín

Trenes a Barcelona, Burgos, Bilbao, San Sebastián, Santander, Portugal y Francia

Estación del Norte

Trenes a Barcelona, Sevilla, Granada, Galicia y Salamanca

Red *Network* **ferroviario** *railway*

¡Te toca a ti!

A. ¿De qué estación salimos? Después de pasar una semana en Madrid, tus amigos norteamericanos quieren visitar otras partes de España y Europa. Diles a qué estación tienen que ir para comenzar sus viajes. Usa la información de la página 95.

1. Mark and his parents are going to spend a week in Cataluña.
2. Elizabeth and her brother want to travel to France.
3. Carol and her cousins are heading for the beaches of Andalucía, in southern Spain.
4. Rebecca and her grandparents want to visit Valencia.
5. Paul and his father are going to Salamanca.
6. Laura and her mother want to visit Bilbao.
7. Susan and her family are going to visit some friends in Galicia.
8. John and his uncle want to spend a week in Portugal.

B. ¿Qué tan lejos está? En muchos países las distancias se miden en kilómetros. Para convertir kilómetros a millas sigue estos pasos:

a. Divide el número de kilómetros por 8.

b. Multiplica el resultado por 5.

Usa el mapa de la página anterior para calcular la distancia en millas entre las ciudades indicadas. Sigue el modelo.

> **MODELO** de Madrid a Valencia (352 km)
> *a. 352 ÷ 8 = 44*
> *b. 44 x 5 = 220*
> *Hay trescientos cincuenta y dos kilómetros, que son aproximadamente doscientas veinte millas.*

1. de Madrid a Barcelona
2. de Madrid a Sevilla
3. de Madrid a Burgos
4. de Madrid a Salamanca
5. de Madrid a Santander
6. de Madrid a Granada

ESTRUCTURA

The future tense

—¿**Visitaremos** el castillo mañana?
—Sí, **llamaré** por teléfono para confirmarlo.

Will we visit the castle tomorrow?
Yes, I'll call to confirm it.

—¿Dónde nos **encontraremos**?
—Te **esperaré** enfrente del banco.

Where will we meet?
I'll wait for you in front of the bank.

1. To talk about the future you can use the present tense with a future reference (**Mañana visitamos a tus primos.**), the immediate future (**Vamos a ver una película esta noche.**), or an expression that implies the future (**Espero ir a Madrid este verano.**).

2. Spanish also has a future tense that, like the future tense in English, expresses what will happen. In Spanish, however, this tense is not used in everyday conversation with as much frequency as the alternatives you already know.

3. To form the future tense, simply add the endings **-é, -ás, -á, -emos, -éis,** and **-án** to the infinitive form of a verb (whether it is an **-ar, -er,** or **-ir** verb).

llegar			
yo	llegar**é**	nosotros(as)	llegar**emos**
tú	llegar**ás**	vosotros(as)	llegar**éis**
él ella Ud.	llegar**á**	ellos ellas Uds.	llegar**án**

ver			
yo	ver**é**	nosotros(as)	ver**emos**
tú	ver**ás**	vosotros(as)	ver**éis**
él ella Ud.	ver**á**	ellos ellas Uds.	ver**án**

pedir			
yo	pedir**é**	nosotros(as)	pedir**emos**
tú	pedir**ás**	vosotros(as)	pedir**éis**
él ella Ud.	pedir**á**	ellos ellas Uds.	pedir**án**

Aquí practicamos

C. Viajaremos Cambia los verbos de las oraciones al tiempo futuro. Sigue el modelo.

> **MODELO** Mis tíos van a ir a Portugal.
> *Mis tíos irán a Portugal.*

1. Mi familia va a visitar Portugal este verano.
2. Si quieres, tú nos vas a acompañar.
3. Mi padre va a comprender bien el portugués pero yo no.
4. Vamos a ver muchos pueblos pequeños en la costa.
5. Voy a comer platos típicos del país.
6. Ustedes van a ir a la famosa playa de Cascais.
7. Mis hermanos van a volver bronceados del viaje.

NOTA GRAMATICAL

Irregular verbs in the future

Yo **diré** lo que pienso.	*I will say what I think.*
¿Qué **harás** tú?	*What will you do?*
Ellas no **querrán** ir con nosotros.	*They will not want to go with us.*

1. Some "irregular" verbs don't use the infinitive to form the future tense. They use a modified stem. The endings that attach to this form, however, are the same as those you just learned (**-é, -ás, -á, -emos, -éis, -án**). The verbs **decir, hacer,** and **querer** are irregular in the future tense.

	decir	hacer	querer
yo	**diré**	**haré**	**querré**
tú	**dirás**	**harás**	**querrás**
él, ella, usted	**dirá**	**hará**	**querrá**
nosotros	**diremos**	**haremos**	**querremos**
vosotros	**diréis**	**haréis**	**querréis**
ustedes, ellos, ellas	**dirán**	**harán**	**querrán**

2. The verbs **poder, saber,** and **haber** drop the -e of the infinitive to form the new stem.

	poder	saber	haber
yo	**podré**	**sabré**	**habré**
tú	**podrás**	**sabrás**	**habrás**
él, ella, usted	**podrá**	**sabrá**	**habrá**
nosotros	**podremos**	**sabremos**	**habremos**
vosotros	**podréis**	**sabréis**	**habréis**
ustedes, ellos, ellas	**podrán**	**sabrán**	**habrán**

NOTA GRAMATICAL (CONTINUED)

3. The verbs **poner, salir, tener,** and **venir** replace the **-er** or **-ir** ending with **-dr**.

	poner	salir	tener	venir
yo	**pondré**	**saldré**	**tendré**	**vendré**
tú	**pondrás**	**saldrás**	**tendrás**	**vendrás**
él, ella, usted	**pondnrá**	**saldrá**	**tendrá**	**vendrá**
nosotros	**pondremos**	**saldremos**	**tendremos**	**vendremos**
vosotros	**pondréis**	**saldréis**	**tendréis**	**vendréis**
ustedes, ellos, ellas	**pondrán**	**saldrán**	**tendrán**	**vendrán**

Aquí practicamos

D. De vacaciones Indica lo que harán las personas en la Columna A durante sus vacaciones. Escoge dos actividades de la Columna B para cada persona y forma oraciones en el tiempo futuro, según el modelo.

> **MODELO** Mario está en Buenos Aires.
> *Mario estará en Buenos Aires.*
> *Visitará el centro de la ciudad.*
> *Después irá a Paraguay.*

A	B
1. **Juanita tiene ganas de estar al aire libre.** 2. **Vamos a la playa.** 3. **Jorge y su primo van a Panamá.** 4. **Voy a la República Dominicana.** 5. **Estás en casa.**	**cuidar a un hermano** **ir al campo con sus padres** **comer mucho pescado** **ir de campamento** **poder tomar el sol y nadar** **recibir cartas de amigos** **escribir una tarjeta postal** **aprender a bucear** **quedarse en casa de sus abuelos**

E. Ayer no, pero hoy sí Di que las personas siguientes harán hoy lo que no pudieron hacer ayer. Sigue el modelo.

> **MODELO** ¿Pudiste ir de compras ayer?
> *Ayer no, pero iré hoy.*

1. ¿Tu hermana pudo llevar a los niños al parque ayer?
2. ¿Pensaban estudiar ayer ustedes?
3. ¿Fuiste al cine con tu novio(a) ayer?
4. ¿Carmen pudo llamarnos por teléfono ayer?
5. ¿Quería usted tomar el tren ayer?
6. ¿Pudieron ustedes salir temprano de la casa ayer?

F. Intercambio Usa los elementos indicados para hacerle preguntas a un(a) compañero(a), que después te contestará. Indica el futuro con un verbo o una expresión. Sigue el modelo.

> **MODELO** hacer / después de la clase
> **Tú:** *¿Qué harás tú después de la clase?*
> **Compañera(o):** *Yo iré (voy, voy a ir, pienso ir, etc.) al centro.*

1. hacer / después de esta clase
2. hacer / esta tarde después de la escuela
3. hacer / esta noche
4. ver / en el cine la semana próxima
5. comprar / en la nueva tienda de ropa
6. comer / en el restaurante salvadoreño
7. recibir / como regalo de cumpleaños
8. aprender a hacer / el próximo verano
9. hacer / el año próximo
10. viajar / el mes que viene

Comentarios CULTURALES

Los trenes en España

Como España es un país relativamente pequeño, mucha más gente viaja en tren que en avión. La red nacional española de trenes es bastante eficaz *(efficient)* y su importancia es similar a la que tienen las líneas aéreas en los Estados Unidos. Los españoles están orgullosos *(proud)* del desarrollo extenso del sistema ferroviario en los últimos diez años. Los trenes generalmente ofrecen buen servicio y son cómodos y bastante puntuales. En algunas líneas (Madrid - Barcelona, Valencia - Madrid) la velocidad ha subido *(has risen)* a 160 km por hora. El gobierno español, que administra el sistema de transporte conocido como RENFE, ha invertido más de 3.000 millones de pesetas para mejorar las vías *(rail routes)* y aumentar la velocidad de los trenes. Todavía no son velocidades que se puedan comparar a las francesas o a las japonesas, pero no es poca cosa.

Aquí escuchamos

¿Vamos a la playa? *Raquel, Marisa y Victoria hablan de las vacaciones que van a tomar. Quieren ponerse de acuerdo sobre el lugar adonde irán.*

Antes de escuchar En preparación para la conversación que vas a escuchar, repasa las expresiones para proponer ideas y aceptar los de la sección **En otras palabras** que sigue.

A escuchar Escucha dos veces la conversación. Presta atención a los lugares que proponen las amigas.

Después de escuchar Responde a las siguientes preguntas.

1. ¿Adónde deciden ir de vacaciones las tres amigas?
2. ¿Por qué deciden no ir a Alicante?
3. ¿Qué hay de interés especial en Ronda?
4. ¿Cómo se llama la cueva?
5. ¿Cuándo se pintaron algunas de las antiguas pinturas?

EN OTRAS PALABRAS

Expresiones para proponer ideas y aceptar

—¿Qué tal si vamos a...?	*What if we go to . . . ?*
—Buena idea.	*Good idea.*
—¿Por qué no *(+ verbo)*?	*Why not (+ verb)?*
—De acuerdo.	*O.K. (I agree.)*
—Tengo una idea. Vamos a...	*I have an idea. Let's go to . . .*
—Me parece bien.	*That sounds good to me.*
—¡Cómo no!	*Sure.*

¡Te toca a ti!

G. ¿Adónde iremos? Quieres organizar un viaje con dos amigos. No se ponen de acuerdo con las dos primeras sugerencias que hacen, pero sí, con la tercera idea. Sigan el modelo.

> **MODELO** a Puerto Rico, mucho calor / a Guatemala, el año pasado / a Panamá
>
> **Amigo(a) 1:** *¿Por qué no vamos a Puerto Rico?*
> **Amigo(a) 2:** *No, hace mucho calor. Tengo una idea. Vamos a Guatemala.*
> **Tú:** *No, yo estuve en Guatemala el año pasado. ¿Qué tal si vamos a Panamá?*
> **Amigo(a) 1:** *Sí, sí. Buena idea.*
> **Amigo(a) 2:** *Me parece bien. ¡Cómo no!*
> **Tú:** *Bien, de acuerdo. ¡Vamos a Panamá!*

1. a Chicago, mucho frío / a Miami, el verano pasado / a Los Ángeles

2. a Portugal, mucho calor / a Italia, el año pasado / a Francia

3. a Costa Rica, muchos turistas / a Perú, el año pasado / a Paraguay

4. a Roma, mucho calor / a Londres, demasiada gente / a Portugal

5. a Buenos Aires, muy lejos / a la República Dominicana, mucho calor / a Nicaragua

H. ¿Por qué no vamos a...? Sugiéreles a dos compañeros de clase que vayan a los siguientes lugares. Usa las expresiones **¿Qué tal si vamos a...?, ¿Por qué no vamos a...?, Tengo una idea. Vamos a...** Tus compañeros deben responder a tus sugerencias con expresiones apropiadas.

las montañas	El Salvador	Venezuela
Uruguay	la playa de Marbella	Chile

¡Vamos a organizar un viaje!   You and two classmates are planning a short vacation trip that will begin in Madrid. Possible destinations: Toledo, Bilbao, Burgos, Valencia, Santander, Salamanca, Sevilla, Granada.

1. Each of you will propose one of the places listed and suggest an activity to do in that place.
2. Object to one of your partner's suggestions and give a reason for not wanting to go there.
3. Agree on a destination (perhaps even a fourth one chosen from the list on page 95) and mention the activity(ies) you will do there.
4. Refer back to the list of train stations and their destinations on page 95 in order to find out from which station your train will leave.

 ¿Por qué no vienes con nosotros?   Write a short note to a friend, describing the trip that you and your classmates planned in the previous activity and inviting her (him) to join you. Follow the outline given. Begin the note with **Querida(o)** + your friend's name and end it with **Tu amiga(o)** + your name.

1. Tell what you are doing in Madrid and mention a side trip you are planning to take.
2. Tell who is going with you and how you are traveling.
3. Tell from where you are planning to leave.
4. Mention what distance you plan to travel in kilometers and what that would be in miles.

5. Tell what you plan to do there.
6. Indicate when you plan to return to Madrid and then when you plan to return to the United States.
7. Invite your friend to accompany you.

Preparación

- ¿Dónde hay teléfonos públicos generalmente?

- ¿Cuánto cuesta una llamada en un teléfono público?

- ¿Cuántos teléfonos hay en tu casa?

- ¿Alguien de tu familia tiene un teléfono celular? ¿Quién(es)? ¿En el coche? ¿Lo compró para su trabajo o para mayor seguridad?

- ¿Cuándo (o con quién) te gusta hablar por teléfono y por qué? ¿Cuándo (o con quién) no te gusta hablar por teléfono y por qué no?

Para llamar por teléfono

Las compañías telefónicas de los Estados Unidos ofrecen un servicio especial a sus clientes hispanohablantes.

"¿Sólo dijiste AT&T en español?..."

"Sí, y me ayudaron en español."

Es así de sencillo. Porque AT&T tiene muchas opciones para hacer sus llamadas de larga distancia, y AT&T en español es una de ellas.

Con AT&T en español usted obtiene asistencia para completar sus llamadas de persona a persona, por cobrar, hechas con la tarjeta AT&T card y llamadas cobradas a un tercer número, así como crédito inmediato por llamadas a números equivocados y muchos beneficios más por hacer sus llamadas de larga distancia con asistencia de la operadora. Si desea ayuda inmediata y efectiva en español sólo tiene que marcar 0 y decir "AT&T en español" a la operadora.

Disfrute de la opción de utilizar AT&T en español.

AT&T
La mejor decisión.

Cómo usar un teléfono público

1. Descuelga el auricular del teléfono.
2. Deposita las monedas o introduce la tarjeta telefónica.
3. Espera hasta escuchar el tono de marcar.
4. Marca el número deseado.
5. Habla con la persona que contesta.
6. Después de terminar, cuelga el auricular y saca la tarjeta.

¡Te toca a ti!

A. La operadora en español
Lee el anuncio de la página 104 y contesta las preguntas en inglés.

1. What is the special feature of the phone service that is offered in the ad?
2. What are the four types of phone calls that can be made with operator assistance?
3. What happens if you call a wrong number (**número equivocado**)?
4. What number do you dial and what do you say in order to use this service?
5. Do you think this ad would have wide appeal in the United States? Why or why not?

B. El teléfono para coche
Lee el siguiente anuncio y contesta las preguntas en inglés.

1. What kind of telephone is being advertised?
2. Where is the best place to attach it to the car?
3. Can this phone be used only inside the vehicle?
4. What memory capacity does the telephone have?
5. Is the company successful? How do you know this?
6. What do you think the man in the drawing is doing?
7. Do you like the idea of a car phone? What are some advantages? What are some disadvantages? Do the advantages justify the cost?

Cuando llamar es necesario, teléfono para coche Indelec.

No espere a verse en apuros para usar el teléfono para coche INDELEC. Disfrute ahora de todas las ventajas de una gran compañía.

Porque no sólo puede utilizarlo en su coche, sino también convertirlo en teléfono portátil. Para llevarlo con usted dondequiera.

Porque la disposición horizontal del micro-

teléfono permite una mayor comodidad en el manejo y una perfecta adaptabilidad al tablero de su coche.

Y porque el teléfono para coche 1-4000 de INDELEC dispone de 99 memorias, equipo totalmente extraíble, display líquido de 16

cifras, regulación del volumen de audición, sistema de operación "manos libres" y un montón de ventajas más que hacen que los teléfonos para coche INDELEC sean los más vendidos en nuestro país.

Las ventajas de un líder.

◐ indelec

Comunicación en marcha.

Solicite información al 900-100 336

C. Marcar números

Tu compañero(a) debe tener el libro cerrado. Léele los números de teléfono de la Columna A. Él (Ella) debe escribirlos. Después, él (ella) te leerá los números de la Columna B, y tú los escribirás. Finalmente, comparen los números escritos con los números de las dos columnas para ver si los escribieron correctamente.

A	B
341–14–36	718–22–46
533–21–84	351–75–11
492–55–07	562–05–91
366–17–52	822–82–14

D. Vamos a llamar por teléfono

Imagina que estás planeando unas vacaciones por América Latina.

Llama a un(a) amigo(a) hispano(a) para pedirle ayuda con tus planes. Trabaja con un(a) compañero(a) de clase que hará el papel de tu amigo(a). En cada situación dile 1) dónde estás, 2) qué planes tienes y 3) el número de teléfono dónde estás para que tu amigo(a) pueda llamarte. En cada caso, 4) invita a tu amigo(a) a hacer algo cuando vayas a su ciudad.

Tu amigo(a) va a 1) aceptar o negarse a aceptar tu petición de ayuda, 2) decidir si va a acompañarte o no, 3) dar razones si no puede aceptar tu invitación y 4) establecer el lugar y la hora de su cita si acepta.

1. You are in Dallas talking to a friend in La Paz. Next week you would like to go to La Paz, Bolivia and stay in a hotel you've heard about. Can your friend in La Paz call ahead and get a room for you for two nights? It's the Hotel Presidente, Av. Diagonal 570, 200–21–11.

2. Now you are in La Paz talking to a friend in Tegucigalpa, Honduras. Next week, when you visit your friend in Tegucigalpa, you would like to go eat at a restaurant your Spanish teacher recommended. It is called El Botín and its address and phone number are Av. Central 17, 266–42–17. You would like your friend to call and make a reservation for the two of you.

3. Now you are in Tegucigalpa talking to a friend in Barranquilla, Colombia. You need to call some family friends whose last names are Martínez Estrada. They also live in Barranquilla and you think their number, is 57–92–16. Ask your friend in Barranquilla to verify their name and number in the phone book in that city.

4. You are still in Tegucigalpa talking to a friend in La Habana, Cuba. You plan to visit in two weeks and meet your parents there. Tell your friend that they will be staying at the Hotel Covadonga, Av. Diagonal 596, 209–55–11, and that you would like to get together with him or her there and then go with your parents to see a play.

E. En el año 2025   Imagina cómo será el mundo en el año 2025. Escoge cinco de las situaciones de la lista y usa el tiempo futuro para describir el mundo en ese año. Para cada situación que discutas, menciona por lo menos otros dos detalles que puedas inventar o predecir *(predict)*.

1. Podemos manejar automóviles en el aire.
2. No tenemos más armas nucleares.
3. No hay contaminación ambiental.
4. Hacemos viajes interplanetarios.
5. Podemos pasar las vacaciones en la luna.
6. Estudiamos en las universidades hasta los 40 años.
7. Los niños aprenden por lo menos cuatro idiomas en la escuela.
8. Sabemos cómo curar el cáncer.
9. Venden la comida en forma de pastilla.
10. Vienen a la tierra habitantes de otros planetas.

Comentarios CULTURALES

Llamar por teléfono

En las ciudades grandes de España y América Latina, los números de teléfono tienen siete cifras *(digits)*; en muchas ciudades más pequeñas, tienen seis. Generalmente, se dice el número de esta manera: dos diez, dieciséis, cuarenta y seis (210–16–46); o veintidós, veintiocho, setenta (22–28–70). Si la llamada es de larga distancia dentro del país, hay que marcar el indicativo *(area code)* antes del número de teléfono. Si la llamada es de larga distancia desde otro país, también hay que marcar el código territorial *(country code)*, que tiene dos cifras. Es decir, si llamas de los Estados Unidos a España o América Latina, probablemente tienes que marcar diez cifras en total. Lo que se dice al contestar el teléfono varía de país a país: en España se dice **¿Diga?**, en México **¿Bueno?**, en Argentina **¿Hola?**, en Cuba **Oigo,** en Puerto Rico **¿Hello?** y en muchos otros países **¿Aló?**

F. Las ciudades de España En el siguiente mapa, identifica las ciudades de España que están marcadas con una estrella *(star)*. Consulta el mapa de la página 95 si es necesario.

1. Madrid
2. Barcelona
3. Sevilla
4. Granada
5. Toledo
6. Málaga
7. Burgos
8. Valencia
9. Salamanca
10. Córdoba
11. San Sebastián
12. Bilbao

Estructura

Special uses of the future tense

—¿Cuántos años **tendrá** ese actor?   *I wonder how old that actor is.*
—**Tendrá** unos treinta.   *He's probably (He must be) about thirty.*

—¿Quién **será** esa persona?   *I wonder who that person is.*
    (Who could that person be?)

1. The future tense is often used in Spanish to wonder out loud about an action or a situation related to the present. This special use of the future tense always takes the form of a question: **¿Dónde estará Margarita?** *(Where could Margarita be?)*

2. Another common use of the future tense is to express probability or uncertainty with regard to an action or a situation in the present. In other words, when you make a comment that is really more of a guess or speculation, rather than actual knowledge, the future tense is used: **Margarita estará en la biblioteca a estas horas.** *(Margarita is probably in the library about this time.)*

Aquí practicamos

G. Me pregunto... Cambia las siguientes oraciones en el presente a preguntas en el futuro para expresar probabilidad o duda. Sigue el modelo.

> **MODELO**   El tren sale a tiempo.
> *¿Saldrá a tiempo el tren?*

1. El tren llega más tarde.
2. Comemos en el restaurante de la estación.
3. Puedo pagar con un cheque viajero.
4. Sirven el desayuno en el tren.
5. Hay muchos pasajeros alemanes.
6. Los ingleses van a la playa.
7. Mi padre tiene problemas con las maletas.
8. Al llegar estamos cansados.

H. ¡No sé, José! Tu primo viaja en el mismo tren contigo. Como todos los niños, hace muchas preguntas. Como no sabes las respuestas exactamente, inventas respuestas. Usa el futuro para expresar incertidumbre. Sigue el modelo.

> **MODELO**   ¿Qué hora es?
> *¡No sé, José! Serán las nueve.*

1. ¿Cómo se llama el conductor del tren?
2. ¿Qué sirven para comer en el tren?
3. ¿Qué tipo de música escucha esa chica en su *walkman?*
4. ¿Qué tiene esa señora en su maleta?
5. ¿A qué hora llega ese señor a su casa?
6. ¿Cuántas personas hay en este tren?
7. ¿Qué pueblo es éste?
8. ¿A cuántos kilómetros por hora vamos en este momento?

Aquí escuchamos

¿Estás libre esta noche? *Mercedes Benítez llama por teléfono a su amiga Alicia Videla para invitarla a cenar.*

Antes de escuchar En preparación para este diálogo entre las dos amigas, repasa las expresiones para hablar por teléfono y hacer planes de la sección **En otras palabras** que sigue.

A escuchar Escucha dos veces la conversación entre Mercedes y Alicia.

Después de escuchar Responde a las siguientes preguntas.

1. ¿Qué la invita a hacer Mercedes a su amiga Alicia?

2. ¿A quién más piensa invitar Mercedes?

3. ¿Con qué nombre cariñoso se refiere Alicia a su amiga Mercedes en dos ocasiones?

4. ¿Acepta Alicia la invitación para la noche del miércoles?

5. ¿Cuándo deciden cenar juntas las dos amigas?

6. ¿Alicia ya conoce a Raúl?

EN OTRAS PALABRAS

Expresiones para hablar con alguien por teléfono

¿Diga?	
¿Aló?	
¿Hola?	*Hello?*
¿Bueno?	

¿De parte de quién?	*Who's calling?*
¿Quién habla, por favor?	*Who's speaking, please?*
Soy (nombre).	*I'm (name).*
Habla (nombre).	*(Name) speaking.*
Quisiera hablar con (nombre).	*I'd like to speak with (name).*
¿Está (nombre)?	*Is (name) there?*

Un momento, por favor.	*One moment, please.*
Te lo (la) paso.	*I'll get him (her).*
Tiene un número equivocado.	*You have the wrong number.*
Lo siento, no está.	*I'm sorry, he (she) isn't here.*

¿Podría decirle… ?	*Could you tell him (her) . . . ?*
¿Puedo dejarle un recado?	*May I leave him (her) a message?*
Dígale que lo(a) llamó (nombre), por favor.	*Please tell him (her) that (name) called.*

Expresiones para invitar a alguien a hacer algo

¿Estás libre?	*Are you free?*
¿Quieres (infinitivo)?	*Would you like to (infinitive)?*
Te invito a (infinitivo).	*I'm inviting you to (infinitive).*
Quiero invitarte a (infinitivo).	*I want to invite you to (infinitive).*
¿Podría (infinitivo) con nosotros?	*Could you (infinitive) with us?*
Quisiera invitarlo(la) a (infinitivo).	*I'd like to invite you to (infinitive).*

EN OTRAS PALABRAS (continued)

Expresiones para aceptar una invitación

Sí, me parece bien.	*Yes, that sounds good to me.*
¡Cómo no! ¡Estupendo!	*Sure! Great!*
¡Claro que sí! Sería un placer.	*Of course! It would be a pleasure.*
Me encantaría.	*I'd be delighted.*
Acepto con gusto.	*I gladly accept.*

Expresiones para rechazar (refuse) una invitación

Oh, lo siento mucho, pero no puedo.	*Oh, I'm sorry, but I can't.*
Me gustaría, pero no estoy libre.	*I'd like to, but I'm not free.*
Muchas gracias, pero ya tengo planes.	*Thanks very much, but I already have plans.*
Es una lástima, pero no será posible.	*It's a shame, but it won't be possible.*
Me da pena, pero no estoy libre.	*It's a pity (I'm sorry), but I'm not free.*

¡Te toca a ti!

I. **¿Aló?** Sigue los modelos para hacer unas llamadas telefónicas. Trabaja con un(a) compañero(a).

> **MODELO** Patricia Arizpe / su prima
>
> **Tú:** *Aló. Habla (tu nombre).*
> *¿Eres tú, Patricia?*
> **Compañero(a):** *No. Soy su prima.*
> **Tú:** *Ah, perdón. ¿Está Patricia?*
> **Compañero(a):** *Sí. Te la paso.*

1. Daniel Flores / su hermano
2. Juan Carlos Rodríguez / su primo

> **MODELO** Luis Prado / 35–84–92
>
> **Compañero(a):** *¿Diga?*
> **Tú:** *¿Aló? ¿Es éste el 35–84–92?*
> **Compañero(a):** *Sí, señor (señorita).*
> **Tú:** *Quisiera hablar con Luis Prado,*
> *por favor.*
> **Compañero(a):** *¿De parte de quién?*
> **Tú:** *De parte de (tu nombre).*
> **Compañero(a):** *Un momento, por favor. Voy a ver si*
> *está… Lo siento, ya salió.*
> **Tú:** *¿Podría decirle que (tu nombre)*
> *lo llamó?*
> **Compañero(a):** *Sí, cómo no, señor (señorita).*

<blockquote>

Tú: *Muchas gracias, señor (señorita). Adiós.*

Compañero(a): *Adiós.*

</blockquote>

3. Elena Cardoso / 45–37–88

4. Benjamín Briceño / 23–17–65

J. Invitación a cenar Llama por teléfono para hacer las siguientes invitaciones. Un(a) compañero(a) de clase hará el papel de la persona invitada.

1. Invita a un(a) amigo(a) a cenar a tu casa.

2. Invita a un(a) amigo(a) a cenar en un café contigo y dos amigos(as) más.

3. Invita a dos amigos(as) a almorzar a tu casa.

4. Invita a los padres de un nuevo estudiante a cenar en un restaurante contigo, con tu amigo y con tus padres. La madre contesta el teléfono.

5. Invita a tu profesor(a) a cenar a tu casa.

¡ADELANTE!

Una llamada telefónica You and your family have just arrived in Colombia. You call your Colombian friend Verónica Velázquez, who lives in a suburb of Cali. A family member (played by your partner) answers the phone and says that Verónica is away on vacation for several days. 1) Identify yourself as Verónica's American friend, 2) find out when she will be back, and 3) leave details of your stay in Cali. 4) Say that you hope to invite her out when she gets back, and 5) give a phone number where you can be reached.

Un mensaje breve (A brief message) Your friend Verónica Velázquez still has not gotten in touch with you. You have called back several times, but no one has answered the phone. You write her a short letter in which you tell her you're in Cali with your family, say how much longer you will be there, and invite her to join you and your family for dinner one night next week.

EN LÍNEA

Connect with the Spanish-speaking world!
Access the *¡Ya verás! Gold* home page for
Internet activities related to this chapter.

http://yaveras.heinle.com

VOCABULARIO

Para charlar

Para proponer ideas o hacer invitaciones

¿Estás libre?
¿Podría + (infinitivo) con nosotros?
¿Por qué no + (verbo)?
¿Qué tal si vamos a...?
Quiero invitarte a + (infinitivo).
Quisiera invitarlo(la) + (infinitivo).
Te invito a + (infinitivo).
Tengo una idea.
Vamos a + (infinitivo).

Para responder a una invitación

Afirmativo
Acepto con gusto.
¡Buena idea!
¡Claro que sí!
¡Cómo no!
De acuerdo.
¡Estupendo!
Me encantaría.
Me parece bien.
Sería un placer.

Negativo
Es una lástima, pero no será posible.
Lo siento mucho, pero no puedo.
Me da pena, pero no estoy libre.
Muchas gracias, pero ya tengo planes.
Me gustaría, pero no estoy libre.

Para hablar con alguien por teléfono

¿Aló?
¿Bueno?
¿Diga?
¿Hola?
¿Está (nombre)?
Quisiera hablar con (nombre).
¿De parte de quién?
¿Quién habla, por favor?
Habla (nombre).
Soy (nombre).
Te lo (la) paso.
Lo siento, no está.
Un momento, por favor.
Dígale que llamó (nombre), por favor.
¿Puedo dejarle un recado?
¿Podría decirle...?
Por favor, dígale (dile) que lo(a) llamó (nombre).
Tiene un número equivocado.

Vocabulario general

Sustantivos

el auricular
la cifra
el indicativo
el código territorial
las monedas
la red
la señal de marcar
el teléfono público
las vías

Verbos

colgar
descolgar
haber
marcar
subir

Adjetivos

eficaz
ferroviario
orgulloso

El teléfono: lo mismo pero no igual

Antes de leer

1. Lee por encima el primer párrafo de la lectura. ¿De qué crees que se tratará?

2. ¿Qué países o regiones se van a comparar?

3. Busca al menos ocho cognados (palabras que se parecen en inglés y español y que quieren decir lo mismo).

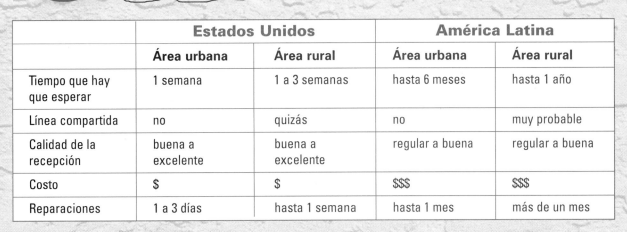

El teléfono es tan útil e importante en los países latinoamericanos como lo es aquí en los EE.UU., pero hay unas cuantas diferencias en el servicio. Compara lo que puede ocurrir aquí y allá, cuando una persona solicita la instalación de una línea de teléfono.

	Estados Unidos		América Latina	
	Área urbana	**Área rural**	**Área urbana**	**Área rural**
Tiempo que hay que esperar	1 semana	1 a 3 semanas	hasta 6 meses	hasta 1 año
Línea compartida	no	quizás	no	muy probable
Calidad de la recepción	buena a excelente	buena a excelente	regular a buena	regular a buena
Costo	$	$	$$$	$$$
Reparaciones	1 a 3 días	hasta 1 semana	hasta 1 mes	más de un mes

El servicio telefónico local funciona como aquí, pero a veces en las llamadas de larga distancia no se escucha bien o se oye un eco. Para hacer llamadas de larga distancia, puede ser necesario llamar a la operadora para que marque el número. La conexión no siempre es rápida. En días feriados o celebraciones importantes, es común no poder comunicarse con América Latina durante muchas horas. No hay suficientes líneas para tantas llamadas del extranjero además de las llamadas domésticas.

Generalmente, los teléfonos públicos sirven sólo para llamadas locales. Si una persona no tiene teléfono y quiere hacer una llamada de larga distancia, tiene que ir a una central telefónica. En esa oficina hay operadoras y una serie de cabinas. Para hacer una llamada, hay que seguir estos pasos:

1) Rellenar un formulario con el número de teléfono y nombre de la persona a quien se llama.

2) Sentarse a esperar que la operadora conecte la llamada. A veces, hay muchas personas haciendo cola.

3) Cuando la operadora conecta, se pasa a una cabina privada para hablar.

4) Después de colgar, se va al mostrador a pagar la llamada.

Guía para la lectura

1. Vocabulario para una mejor comprensión de la lectura.

útil	*useful*
compartida	*shared*
extranjero	*abroad*
cabina	*booth*
rellenar un formulario	*fill out a form*
hacer cola	*to stand in line*
mostrador	*counter*

Después de leer

Indica si cada oración es verdadera o falsa. Corrige las oraciones falsas con la ayuda de la información de la lectura.

1. En América Latina no se usa tanto el teléfono como en los EE.UU.

2. Es más difícil instalar una línea telefónica en América Latina que en los Estados Unidos.

3. Tanto en los Estados Unidos como en América Latina se puede hacer cualquier tipo de llamada de un teléfono público.

4. En América Latina, para hacer llamadas de larga distancia nacional o internacional hay que ir a la central telefónica.

5. En una central telefónica uno marca sus propias llamadas y las paga al terminar.

CAPÍTULO 5

Iremos en tren

Nos vamos de fin de semana en tren.

Objectives

- reading train schedules and related information
- making train reservations

Preparación

- ¿Dónde se puede encontrar información sobre los trenes?
- ¿Qué tipo de información necesitas saber cuando viajas en tren?
- ¿Cómo se dice **horario** en inglés?

El horario de trenes

RENFE prepara horarios regionales que indican las salidas y llegadas de los trenes entre la mayoría de las ciudades principales de España. Estudia este horario de los trenes que van de Madrid a Valencia.

Otros signos

O	Llegada.
■	Origen/destino del tren o rama.
Ⓐ	Suplemento tren cualificado tipo A, B.
Ⓖ	Precio global.
Ⓢ	Suplementos internacionales.
|	El tren no circula por ese tramo.
|	El tren no para en ese tramo o estación.
①	Llamada remitiendo a pie de página.
apd, apt	Apeadero, apartadero.
cgd	Cargadero
🚉	Estación fronteriza.
Talgo P.	Talgo Pendular.
Talgo C.	Talgo Camas.
Reg.Exp.	Regional Exprés.
Interurb.	Interurbano.
Cercan.	Cercanías.
	INTERCITY.
⟺	Eurocity. Tren europeo de calidad.

Composición de los trenes

1, 2	1ª y 2ª clase.
🛏	Coche-literas.
🛏	Coche-camas.
🛏	Cama Gran Clase.
·	Cama Ducha.
✕	Tren con servicio de restaurante.
▮	Tren con servicio de cafetería.
▼	Tren con servicio de bar.
⚱	Mini-bar.
📺	Tren con servicio de vídeo.
♫	Megafonía.
↩	Coche guardería.
⊙⨅	Coche Rail Club.
⟷	Autoexpreso
⟷	Motoexpreso

Tipo de tren	Interurb.	**Diurno**	Interurb.	Interurb.	**Diurno**	Reg.Exp.
Número circulación	36004	**684**	32042	36006	**686**	6008
Número ordenador		**684**			**686**	
Plazas sentadas	1-2	1-2	2	1-2	1-2	1-2
Plazas acostadas						
Prestaciones					⚱	
Suplementos/P. Global	Ⓖ			Ⓖ		Ⓖ
Circulación y notas	Ⓐ					①
Origen	■	■	■	■	■	■
Madrid-Atocha	6 00	9 15	11 00	13 35	**15 45**	19 45
Aranjuez O	6 41	**9 51**	11 42	14 11	**16 21**	20 21
Aranjuez	6 42	**9 52**	11 43	14 12	**16 23**	20 22
Ontígola (apd)						20 31
Ocaña	7 01		12 05	14 30		20 41
Noblejas (apd)			12 11	14 34		20 45
Villarrubia de Santiago	7 13		12 18	14 40		20 52
Santa Cruz de la Zarza	7 25		12 31	14 53		21 09
Tarancón	7 39	10 37	12 45	15 05	**17 10**	21 22
Huelves (apd)	7 48					
Paredes de Melo	7 53					
Vellisca (apd)	8 00					
Huete	8 11	11 04	13 20	15 32	**17 38**	21 50
Caracenilla (apd)						
Castillejo del Romeral (apd)						
Cuevas de Velasco	8 29		13 41	15 51		22 11
Villar del Saz de Navalón (apd)	8 34					
Chillarón	8 44		14 02	16 13		
Cuenca O	8 52	11 43	14 11	16 22	**18 23**	22·35
Cuenca	■	11 45	14 16	■	**18 30**	■
La Melgosa (apd)						
Los Palancares						
Cañada del Hoyo (apd-cgd)			14 43			
Carboneras de Guadazaón		12 17	14 51		19 00	
Arguisuelas			15 05			
Yemeda-Cardenete			15 24			
Víllora (apd)			15 33			
Enguídanos (apd)			15 44			
Camporrobles			16 03			
Cuevas de Utiel (apd)			16 14			
Utiel (apt-cgd)		13 20	16 24		20 00	
San Antonio de Requena (apd)			16 32			
Requena		13 30	16 40		20 10	
Rebollar (apt)						
Siete Aguas (apd)			17 06			
Venta Mina-Siete Aguas (apt)			17 10			
Buñol			17 24			
Chiva (apt)			17 31			
Cheste			17 37			
Loriguilla-Llano (apt-cgd)			17 48			
Aldaya			17 56			
Vara de Quart (apt-cgd)						
Valencia-Término O		14 45	18 12		21 15	
Destino		■	■		■	

① Río Huecar.

¡Te toca a ti!

A. Un horario Contesta en español las siguientes preguntas sobre el horario de los trenes que van de Madrid a Valencia (página 118).

1. ¿Cuántos trenes diarios hay de Madrid a Valencia?
2. ¿Cuántas horas tarda el viaje entre Madrid y Valencia?
3. Si estás en Cuenca y quieres ir a Valencia, ¿cuántas horas toma el viaje? ¿Hay trenes directos que no paran en otros lugares?
4. ¿Hay un tren con servicio de cafetería de Madrid a Valencia?
5. ¿Qué trenes van a Cuenca como destino final?

B. Más información Varios de tus amigos quieren tomar el tren de Madrid a Valencia pero necesitan más información. Consulta el horario en la página 118 para contestar a sus preguntas. Sigue el modelo.

> **MODELO** Quiero llegar a Cuenca a las 12:00. ¿Qué tren debo tomar desde Madrid?
> *Es necesario tomar el tren de las 9:15.*

1. Quiero llegar a Valencia esta noche a las 8:00 para cenar con la familia. ¿Qué tren debo tomar desde Madrid?
2. Voy a Valencia pero quiero desayunar con amigos a las ocho antes de salir. ¿Qué tren puedo tomar?
3. ¿Cuántas paradas *(stops)* hace el tren de las 6:00 entre Madrid y Cuenca?
4. Quiero llegar a Valencia antes de las 9:00 esta noche. ¿Qué tren debo tomar desde Madrid?

Comentarios CULTURALES

El calendario de RENFE

RENFE divide el calendario del año en tres períodos: días blancos, días rojos y días azules. Los días de viaje preferibles son los días azules porque hay menos viajeros y el precio de los billetes es más barato por los descuentos *(discounts)* que RENFE ofrece en esos días. Los precios son más caros para los días blancos (los fines de semana de ciertos meses) y especialmente para los días rojos (días festivos).

C. Así será

En la estación de trenes la gente te hace muchas preguntas. Al contestar las siguientes preguntas, usa el tiempo futuro para expresar probabilidad, indicando que no sabes si tu respuesta es correcta o no. Sigue el modelo.

> **MODELO** ¿Dónde está tu billete para el tren?
> *No sé. Estará en casa.*

1. ¿Cuántas personas viajan en este tren?
2. ¿A qué hora abre el coche comedor para el almuerzo?
3. ¿En cuántas horas hace el viaje de Madrid a Málaga este tren?
4. ¿Qué estación de trenes en Madrid tiene más tráfico?
5. ¿Quién nos espera en la estación adonde vamos?
6. ¿Cuándo llega este tren a Barcelona?
7. ¿Cuál es el precio de un viaje de ida y vuelta *(round trip)* entre Madrid y París?
8. ¿De dónde es ese pasajero que habla inglés?
9. ¿Qué les sirven de beber a los pasajeros?
10. ¿Cuál es la ciudad más grande de España?
11. ¿Dónde tienen revistas y periódicos en el tren?
12. ¿Cuál es la velocidad máxima de este tren?

ESTRUCTURA

Prepositions a, en, de, por, para, entre, hasta, hacia

En julio iremos **a** Italia.	*In July we'll go to Italy.*
Comeremos pizza **en** Roma.	*We'll eat pizza in Rome.*
Saldremos **de** Nueva York.	*We'll leave from New York.*
Viajaremos **por** todo el país.	*We'll travel throughout the entire country.*
Después saldremos **para** Francia.	*Then we'll leave for France.*
¿Qué distancia hay **entre** Roma y París?	*What's the distance between Rome and Paris?*
Seguiremos **hasta** la frontera.	*We'll continue all the way to the border.*
Caminaremos **hacia** los Pirineos.	*We'll walk toward the Pyrenees.*

These prepositions are often used to refer to a location:

- the location itself (**en**)
- a starting point or place of origin (**de**)
- reference to the distance between two places (**entre**)

- a final destination (**a, hasta**)
- movement towards a place (**hacia, para**)
- reference to traveling through a place (**por**)

Aquí practicamos

D. Lugares, lugares Según el contexto, indica cuál de las preposiciones entre paréntesis es la correcta. Sigue el modelo.

> **MODELO**　　　Mis tíos ahora viven (de / en / hasta) Bolivia.
> *Mis tíos ahora viven en Bolivia.*

1. Mañana el tren sale (entre / en / para) Santiago de Chile a las 8:05.
2. ¿Quiénes quieren almorzar (hasta / entre / en) el restaurante de la esquina?
3. Prefiero ir (en / a / entre) la playa que a la montaña.
4. Paraguay está (hacia / cerca de / a) Uruguay.
5. ¿Sólo son 25 km? Entonces nuestro pueblo no está lejos (hacia / de / para) el pueblo de tu prima
6. Dicen que el tren hace seis paradas (en / por / entre) Barranquilla y Cartagena.
7. Pienso llevar a mi sobrino (de / en / a) la playa este fin de semana.
8. El niño durmió en el tren (para / entre / a) Guatemala y San Salvador.
9. El plan es salir (hasta / de / en) la estación principal porque tiene los trenes más rápidos.

E. Preguntas sobre un viaje Hazle a un(a) compañero(a) las preguntas que siguen. Cada vez que hagas una pregunta, llena *(fill)* los espacios en blanco con la preposición que corresponde a las palabras que aparecen en inglés entre paréntesis. Después el (la) compañero(a) contestará la pregunta con **sí** o **no**, usando la misma preposición. Sigan el modelo.

> **MODELO**　　　¿Irás _____ la playa con tu familia este verano? *(to)*
> **Tú:**　　　¿Irás a la playa con tu familia este verano?
> **Compañero (a):**　　Sí, iré a la playa con mi familia. o:
> No, iré a la playa con mis amigos.

1. ¿Cuando saldrán Uds. _____ la ciudad? *(from)*
2. ¿Cuándo regresarás _____ tu casa? *(to)*
3. En su viaje, ¿pasarán _____ el pueblo donde viven sus abuelos? *(through)*
4. ¿Podrán conducir _____ la costa en un coche tan viejo? *(all the way to)*
5. ¿Irán _____ el norte el segundo día de su viaje? *(in the direction of)*
6. ¿Comerás _____ el famoso restaurante de mariscos que está _____ la costa? *(in/on)*

PALABRAS ÚTILES

Prepositional phrases: antes de, después de, cerca de, lejos de

Antes del viaje, hablaré con mis padres por teléfono.	*Before the trip, I'll speak to my parents on the phone.*
Antes de comprar los billetes, quiero ver el horario de trenes.	*Before buying the tickets, I want to see the train schedule.*
Después de las vacaciones, no estaré cansado.	*After vacation, I will not be tired.*
Después de visitar los museos, mis padres sabrán mucho sobre España.	*After visiting the museums, my parents will know a lot about Spain.*
Guatemala está **cerca de** Honduras.	*Guatemala is close to (near) Honduras.*
Guatemala está **lejos de** Argentina.	*Guatemala is far from Argentina.*

1. The prepositional phrase **antes de** *(before)* may be used with a noun (**antes del viaje**) or an infinitive (**antes de comprar**). The prepositional phrase **después de** *(after)* may also be used with a noun (**después de las vacaciones**) or an infinitive (**después de visitar**).

2. The prepositional phrases **cerca de** *(close to, near)* and **lejos de** *(far from)* are used to describe the distance between two places.

3. Remember that when the masculine singular article **el** is used after the preposition **de**, it becomes **del**.

Aquí practicamos

F. ¿Cuándo? ¿Dónde? Sustituye las palabras en cursiva con las palabras que están entre paréntesis y haz los cambios que sean necesarios.

1. Antes de *la salida del tren*, pensamos desayunar. (la llegada / el viaje / la parada / la llamada telefónica)

2. La estación queda lejos de *nuestra casa*. (el centro / la escuela / los negocios / el mercado)

3. Después de *hacer las reservaciones*, regresaremos al hotel. (consultar el horario / caminar por el parque / llamar por teléfono)

4. El hotel está cerca de *la plaza principal*. (el museo / las atracciones turísticas / el zoológico)

G. ¿Quieres llamar por teléfono? Explícale a un(a) compañero(a) de clase cómo hacer una llamada telefónica en español. Cada vez que tú dices algo, tu amigo(a) lo repetirá, usando la frase preposicional **después de** y el infinitivo del primer verbo que tú usaste. Sigan el modelo.

> **MODELO** Llegas al centro, entonces buscas una cabina telefónica.
> *Después de llegar al centro, buscas una cabina telefónica.*

1. Encuentras una cabina telefónica, entonces entras.

2. Entras en la cabina, entonces descuelgas el teléfono.

3. Descuelgas el teléfono, entonces esperas la señal.

4. Oyes la señal, entonces depositas las monedas necesarias.

5. Pones las monedas, entonces marcas el número.

6. Hablas con la persona que llamaste, entonces cuelgas el teléfono.

7. Cuelgas el teléfono, entonces sales de la cabina.

Aquí escuchamos

En la Estación de Atocha *Enrique va a la Estación de Atocha en Madrid para comprar billetes de tren y para reservar dos plazas.*

Antes de escuchar En preparación para el diálogo entre Enrique y el empleado, repasa las expresiones para reservar plazas de la sección **En otras palabras** que sigue. También contesta las siguientes preguntas.

1. ¿Qué información puede pedir Enrique al comprar sus billetes?

2. ¿Qué tipo de preguntas puede hacerle el empleado a Enrique?

 A escuchar Escucha dos veces la conversación entre Enrique y el empleado.

Después de escuchar Responde a las siguientes preguntas.

1. ¿Adónde piensa viajar Enrique?

2. ¿A qué hora sale el tren que prefiere Enrique?

3. ¿Qué tipo de billetes compra Enrique?

4. ¿De qué clase de tarifa son los billetes?

5. ¿Qué día quiere volver a Madrid Enrique?

6. ¿Qué le desea el empleado a Enrique?

EN OTRAS PALABRAS

Expresiones para reservar plazas en un tren

Quisiera reservar tres plazas para Barcelona.	*I'd like to reserve three seats for Barcelona.*
Una plaza de ida y vuelta, por favor.	*One round-trip seat, please.*
Necesito dos plazas de primera clase, por favor.	*I need two first-class seats, please.*
¿Me da una plaza de segunda clase, por favor?	*Could you give me a second-class seat, please?*
¿Sería posible reservar una plaza en el tren de las 14:35?	*Would it be possible to reserve a seat on the 2:35 P.M. train?*
Quisiera una plaza en la sección de no fumar.	*I'd like a seat in the non-smoking section.*

¡Te toca a ti!

H. En la taquilla Compra unos billetes para el tren, usando la información que sigue. Uno(a) de tus compañeros(as) hará el papel de empleado(a). Sigan el modelo.

> **MODELO** 4, San José, ida, segunda clase
>
> **Tú:** *Quisiera reservar (Necesito) cuatro plazas para San José, por favor.*
> **Compañero(a):** *¿De ida y vuelta?*
> **Tú:** *No, de ida nada más.*
> **Compañero(a):** *¿Primera o segunda clase?*
> **Tú:** *Segunda, por favor.*

1. 1, San Francisco, ida, primera clase

2. 3, Asunción, ida y vuelta, segunda clase

3. 2, Caracas, ida y vuelta, segunda clase

4. 4, Montevideo, ida, segunda clase

I. ¡Vamos a reservar nuestras plazas! Usa la información que sigue para reservar unas plazas para viajar en tren. Un(a) de tus compañeros(as) hará el papel de empleado(a). Sigan el modelo.

> **MODELO** 3, salida el 16 de septiembre, 14:25, no fumar, vuelta el 26 de septiembre, 9:00
>
> **Tú:** *Quisiera reservar tres plazas, por favor.*
> **Compañero(a):** *¿Cuándo quiere salir?*
> **Tú:** *El 16 de septiembre. ¿Es posible reservar tres plazas en el tren de las 14:25?*
> **Compañero(a):** *Sí, ¡cómo no! ¿En la sección de fumar o en la de no fumar?*
> **Tú:** *En la de no fumar.*
> **Compañero(a):** *Y la vuelta, ¿para cuándo?*
> **Tú:** *La vuelta para el 26 de septiembre, a las nueve de la mañana, si es posible.*

1. 2, salida el 28 de agosto, 8:45, no fumar, vuelta el 4 de septiembre, 10:15

2. 4, salida el 12 de junio, 11:25, no fumar, vuelta el 19 de junio, 15:30

3. 1, salida el 3 de julio, 22:00, no fumar, vuelta el 31 de julio, 21:00

4. 3, salida el 25 de mayo, 12:05, no fumar, vuelta el 10 de junio, 18:30

Comodidades para el viajero You and a classmate are thinking of taking a trip by train. After consulting the RENFE brochure on page 127, call your classmate and tell him (her) about three services provided for travelers. Your classmate will then tell you which of these services he (she) likes most and why. Then you will tell your classmate which one you consider the most important and why.

¡Vamos a hacer nuestras reservaciones! Imagine that you and several members of your family wish to take the train from Madrid to the city of your choice—Sevilla, Granada, Valencia, San Sebastián, or Barcelona. Go to the appropriate Madrid train station. (See page 95 for help with this information.) Make reservations for the trip, mentioning all the arrival and departure days and times. Note how long it takes to make the trip. Remember to indicate which class of travel you prefer and whether you want a seat in the non-smoking section. Find out the price of the ticket. Your partner will play the role of the rail station clerk.

Salidas, llegadas, enlaces

Descanse cómodamente antes o después de su trayecto. En las salas Rail Club respirará el confort que Ud. se merece.

Prensa diaria y revistas

Disfrute plácidamente de los periódicos y revistas que el servicio Rail Club le proporciona. Manténgase informado mientras espera.

TV

O, simplemente, olvídese de todo frente a los monitores de televisión.

Bar Rail Club

En nuestro bar podrá gozar de un buen café o de un refresco sin pagar nada a cambio. Si desea encargar otras bebidas, nuestras azafatas estarán a su servicio.

Información megafónica

Las salas Rail Club son un buen lugar para escuchar con claridad los anuncios de las salidas y llegadas de trenes. Nuestro servicio de megafonía lo mantendrá informado continuamente.

Teléfono público

Al alcance de su mano en cualquier momento para que Ud. esté siempre comunicado.

Aparcamiento gratis

Para que todo marche sobre ruedas, el servicio Rail Club le da derecho a utilizar gratuitamente durante 48 horas los aparcamientos vigilados de Madrid-Chamartín, Barcelona Sants y Valencia Término.

Salas abiertas

Actualmente están abiertas al público las siguientes salas:

En Madrid: Estación de Chamartín. Vestíbulo principal, lateral más próximo a la bajada al andén número 1. Estación de Atocha. Paso superior de la cafetería en andenes de largo recorrido. Instalación provisional.

En Barcelona: Estación de Sants. Vestíbulo principal, lateral más próximo a la entrada de la estación frente a los teléfonos públicos.

En Valencia: Estación de Valencia Término. Situada en el lateral más próximo al andén número 1.

En Vigo: Situada junto a la cafetería.

En Zaragoza: Próxima apertura.

Escribe un mensaje Write a note to your Spanish friends in Barcelona (or wherever your final destination was in the previous activity). Tell them 1) how many members of your family are traveling with you, 2) the day and time of your departure, 3) the day and time of your arrival, 4) which class you are traveling, and 5) the price of the tickets. 6) Remember to date and sign your note.

Preparación

- ¿Prefieres viajar en tren o en coche? ¿Por qué?
- ¿Qué servicios hay generalmente en un tren?
- ¿Hay precios especiales para los estudiantes que viajan en tren?

Ofertas de RENFE

RENFE ofrece una variedad de tarjetas y planes de descuento, además de ciertos beneficios especiales, a los que viajan en tren.

Auto expreso

Lleve su coche en el tren. Los descuentos dependerán del número de billetes y del viaje. En días azules las reducciones de los precios podrán variar entre un 20 y un 100%.

Especial parejas

Para viajar con su pareja en coche cama. Todos los días azules. Si compra un billete al precio normal, el billete del **acompañante** sólo costará 2.000 pesetas.

Tarjeta familiar

Permite obtener descuentos del 50 al 70% para 3 viajeros o más. Menores de 4 años no pagan. La Tarjeta familiar también permite obtener la tarjeta "Rail Europa Familiar", válida para descuentos en toda Europa en días azules.

Coche guardería

Para niños entre 2 y 11 años de edad. Durante el viaje, estarán con **azafatas** con experiencia **en cuidar** a los niños. Abriremos la **guardería** 15 minutos después de la salida del tren y la cerraremos 15 minutos antes de la llegada.

Tarjeta joven

Para viajar por la **mitad** de precio en días azules. Para jóvenes entre 12 y 26 años. RENFE **regalará** con la tarjeta un viaje **gratis** en coche cama. Sólo necesitarás presentar Certificado de **Nacimiento** o Pasaporte. Ser joven con RENFE es una **ventaja**.

mitad *half*   **regalará** *will give*   **gratis** *free of charge*   **Nacimiento** *Birth*   **ventaja** *advantage*   **azafatas** *stewardesses*   **en cuidar** *in caring for*   **guardería** *nursery*   **acompañante** *traveling companion*

Departamentos exlusivos

En días azules usted y sus acompañantes pueden tener un **departamento de literas** sólo para ustedes. En primera clase viajarán 6 personas y sólo pagarán 4. En segunda clase viajarán 8 por el precio de 5.

Moto expreso

A partir de ahora, será posible llevar tu moto a cualquier lugar y a 160 km por hora. RENFE pondrá tu moto en las mismas plataformas en las que van los coches, pero por la mitad de precio. Y tranquilo, somos especialistas en transporte; sabemos que tu moto es frágil y la llevaremos con el mayor cuidado.

Animales domésticos

Los **animales domésticos** viajarán con la familia en su departamento de cama o, si lo desea, en nuestras **perreras** especiales.

departamento de literas *berth compartments*   animales domésticos *household pets*   perreras *kennels*

¡Te toca a ti!

A. Es una oferta perfecta para...   Con la ayuda de uno(a) o dos compañeros(as) de clase, identifica la oferta especial de RENFE más apropiada para cada una de las personas que se describen a continuación. Indiquen dos ventajas de la oferta que les parece más apropiada para la persona mencionada.

1. La Sra. Méndez tiene tres hijos de menos de nueve años. Su esposo no puede viajar con ellos en esta ocasión. ¿Qué servicio hay para ella?

2. La familia Cohen es de Chicago y quiere viajar por toda Europa durante el verano. El señor y la señora viajan con un hijo de 16 años y una hija de 12 años. ¿Qué oferta será de más interés para ellos?

3. Mario Bermúdez, de Madrid, tiene una motocicleta nueva que compró para su hermano Martín, que vive en Barcelona. Piensa visitar a su hermano el día de su cumpleaños y quiere llevarle la moto de sorpresa. ¿Qué solución hay para Mario?

4. Marisol y su hermana Catalina van a visitar a sus primos en Málaga en agosto. No pueden dejar sus dos gatos en casa porque sus padres también estarán de viaje ese mes. ¿Qué pueden hacer las hermanas?

5. Lalo y Lulú celebrarán su segundo aniversario con un viaje a Granada. Van en tren porque se conocieron por primera vez en un tren. Son inseparables y muy románticos. ¿Qué oferta les conviene más?

6. Susan Spaulding y Martha Davis son estudiantes norteamericanas que quieren viajar en tren para conocer España. Las dos tienen 17 años. El problema es que tienen tiempo para viajar pero no tienen mucho dinero. ¿Cuál es el mejor plan para ellas?

Repaso ♻

B. Planes para nuestro viaje
Consulta el siguiente mapa con un(a) compañero(a). Hablen de un viaje que piensan hacer. Usen Madrid como el punto de partida y el destino final e indiquen la ruta circular que van a seguir en su viaje. Hagan planes para visitar por lo menos tres de las ciudades del mapa. Usen todas las preposiciones posibles de la lista que sigue al hablar de sus planes: **a, en, de, por, para, hacia, hasta, entre.** También pueden usar las expresiones **cerca de, lejos de** y los siguientes verbos: **ir, salir, llegar, regresar, parar, seguir, pasar.**

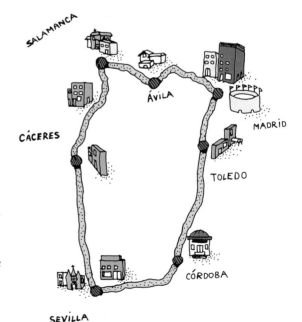

ESTRUCTURA

Prepositional pronouns

Pablo vive lejos de **ella**.	*Pablo lives far from her.*
Ella vive cerca de **nosotros**.	*She lives near us.*
¿Van ustedes a viajar con **él**?	*Are you going to travel with him?*
Los billetes son para **ustedes**.	*The tickets are for you.*
—¿Hablan ustedes de **mí**?	*Are you talking about me?*
—No, no hablamos de **ti**.	*No, we're not talking about you.*
—¿Quieres ir **conmigo**?	*Do you want to go with me?*
—Sí, quiero ir **contigo**.	*Yes, I want to go with you.*

1. A prepositional pronoun is any pronoun that follows a preposition.

2. Prepositional pronouns are exactly the same as subject pronouns, except for **yo** and **tú**, which change to **mí** and **ti**. Mí has an accent in order to distinguish it from the possessive pronoun **mi**.

3. **Mí** and **ti** combine with the preposition **con** to form **conmigo** and **contigo**.

Subject Pronouns	Prepositional Pronouns
yo	mí
tú	ti
él, ella, Ud.	él, ella, Ud.
nosotros(as)	nosotros(as)
vosotros(as)	vosotros(as)
ellos, ellas, Uds.	ellos, ellas, Uds.

Aquí practicamos

C. **¿Quién es?** Sustituye las palabras en cursiva con las palabras que están entre paréntesis y haz los cambios que sean necesarios.

1. El agente de viaje comprará los billetes para *la familia*. (ustedes / nosotros / tú / usted / él)

2. Los empleados hablaron mucho de *los turistas*. (usted / yo / ella / ellos / tú)

3. Josefina y José viven cerca de *la profesora*. (usted / nosotros / tú / ellos / yo)

4. Carlitos no irá a la escuela sin *compañeros*. (ellos / ustedes / yo / él / tú)

5. Mis padres dicen que siempre piensan en *los hijos*. (nosotros / tú / ellas / yo / ustedes / él)

D. ¿Con quién?

Un(a) compañero(a) te hace las siguientes preguntas. Cada vez que menciona a una persona, tú contestas que con esa(s) persona(s) no tienes planes, pero con otra(s) sí. Identifica a esta(s) persona(s). Sigan el modelo.

> **MODELO**   ¿Con quién piensas ir al concierto? ¿Con Mercedes?
> *No, con ella no. Con* (nombre).

1. ¿Con quién vas a salir este fin de semana? ¿Con Pablo?
2. ¿Piensas salir para el centro conmigo muy temprano?
3. ¿Fuiste al cine con Francisca anoche?
4. ¿Vamos a hablar con Carlos y Guillermo esta tarde?
5. ¿Con quiénes iremos al cine el sábado? ¿Con Alberto y Jorge?
6. ¿Con quiénes van a viajar ustedes a Málaga? ¿Con sus padres?

E. ¿Para quién es?

Tú contestas el teléfono y un(a) compañero(a) te pregunta para quién es la llamada. Dile que no es para la persona que él (ella) menciona sino para otra persona. Usa los pronombres preposicionales apropiados. Sigue el modelo.

> **MODELO**   ¿para Juan? / para Claudia
> **Compañero(a):** *¿Para quién es la llamada? ¿Para Juan?*
> **Tú:** *No, no es para él. Es para Claudia. Quieren hablar con ella.*

1. ¿para Juan? / para Ramón
2. ¿para tu hermano? / para mi papá
3. ¿para mí? / para mí
4. ¿para Alicia? / para ti
5. ¿para tus padres? / para nosotros
6. ¿para ti? / para ti

Aquí escuchamos

El tren para Valencia *Es el día que Carmen y Antonio Altabé comienzan sus vacaciones. Llegan a la Estación de Atocha para tomar el tren para Valencia.*

Antes de escuchar En preparación para la conversación entre los Altabé y el empleado, repasa las expresiones para obtener información sobre los trenes de la sección **En otras palabras** que sigue.

 A escuchar Escucha dos veces la conversación entre los Altabé y el empleado.

Después de escuchar Responde a las siguientes preguntas.

1. ¿A qué hora sale el próximo tren para Valencia?
2. ¿Dice el empleado que el tren saldrá a tiempo?
3. ¿De qué andén saldrá el tren?
4. ¿Cuál es el número del vagón en que tienen plazas Antonio y Carmen?
5. ¿Qué van a hacer Carmen y Antonio mientras esperan el tren?

EN OTRAS PALABRAS

Expresiones para obtener información en la estación de trenes

¿A qué hora sale el próximo tren para Burgos?	*What time does the next train for Burgos leave?*
¿A qué hora llega el tren de Valencia?	*What time does the train from Valencia arrive?*
¿El tren llegará tarde / temprano / a tiempo?	*Will the train arrive late / early / on time?*
¿El tren llegará retrasado / adelantado / a tiempo?	*Is the train late / early / on time?*
¿De qué andén sale el tren para Sevilla?	*From what platform does the train for Sevilla leave?*
¿Cómo se llega al andén B?	*How do you get to platform B?*
¿Queda de este lado?	*Is it on this side?*
¿Queda del otro lado?	*Is it on the other side?*
¿Dónde está el vagón número 15?	*Where is car number 15?*

F. El horario de trenes Son las 14:38 y acabas de llegar a la Estación de Atocha en Madrid. Consulta el siguiente horario de trenes para contestar las preguntas sobre las salidas de los trenes.

Origen	■	■	■	■	■	■	■	■
Madrid-Chamartín	8 25	10 30	15 00	15 00	16 35	22 15	22 15	23 05
Madrid-Atocha ○	8 35	10 41	15 10	15 10	16 45			
Madrid-Atocha	8 36	10 42	15 12	15 12	16 46			
Aranjuez	9 05	11 16			17 14			0 07
Alcázar de San Juan ○	9 53	12 09	16 30	16 30	18 01	0 06	0 06	1 09
Alcázar de San Juan	9 53	12 10	16 31	16 31	18 01	0 10	0 10	1 13
Manzanares	10 18	12 37			18 24			1 44
Valdepeñas	10 33	12 53			18 37			
Santa Cruz de Mudela		13 03						
Almuradiel-Viso del Marqués		13 15						
Vilches		13 49						3 03
Linarez Baeza ○	11 54	14 04	18 08	18 08	19 49	2 14	2 14	3 23
Linarez Baeza	11 55	14 06	18 10	18 10	19 50	2 20	2 20	3 51
Espeluy ○		14 23	18 27	18 27				
Espeluy		14 24	18 29	18 29				
Andújar	12 29	14 48	18 46	18 46	20 24	3 02	3 02	4 37
Villa del Río		15 10				3 27	3 27	
Montoro		15 22						
El Carpio de Córdoba								
Córdoba ○	13 15	15 55	19 39	19 39	21 11	4 20	4 20	5 45
Córdoba	13 16	16 03	19 43	19 43	21 13	4 30	4 30	5 55
Palma del Río		16 45				5 08	5 08	6 38
Lora del Río		17 03				5 32	5 32	7 03
Los Rosales ○		17 16						7 19
Los Rosales		17 17						7 20
Sevilla-San Bernardo ○	14 31	17 44	21 00	21 00	22 35	6 23	6 23	8 00
Sevilla-San Bernardo	■			21 12	■		6 55	■
La Palma del Condado				22 11			8 07	
Huelva-Término ○	▼	▼		22 41	▼		8 45	
Sevilla-San Bernardo		17 48	21 08		■		6 41	■
Dos Hermanas (apt-cgd)		17 58						
Utrera		18 09					7 02	
Lebrija		18 32						
Jerez de la Frontera		18 54		22 04			7 57	
Puerto de Santa María		19 07		22 15			8 17	
Puerto Real (apt-cgd)		19 14						
San Fernando de Cádiz		19 25		22 31		8	8 39	
Cádiz ○		19 40		22 46			9 00	
Destino	■	■	■	■	■	■		

● Composición de los trenes

1, 2	1ª y 2ª clase
⊢	Coche-literas
⇌	Coche-camas
⇋	Cama Gran Clase
⇗	Cama Ducha
✕	Tren con servicio de restaurante
▮	Tren con servicio de cafetería
☗	Tren con servicio de bar
⊻	Mini-bar
▢	Tren con servicio de vídeo
♫	Megafonía
↩	Coche guardería
⊘¶	Coche Rail Club
⊟	Autoexpreso
⊶	Motoexpreso

1. ¿A qué hora sale de Madrid el primer tren para Córdoba?
2. ¿A qué hora llega el primer tren de Madrid a Córdoba?
3. Vas a Sevilla. Mira el reloj. ¿Cuánto tiempo tienes que esperar para la salida del próximo tren?
4. ¿Cuál es el nombre de la principal estación de trenes de Sevilla?
5. ¿A qué hora llega a Cádiz el tren que sale de Madrid-Chamartín a las 22:15?
6. ¿A qué hora sale el primer tren que va de Córdoba a Cádiz?

G. Dime Vas a viajar con un(a) compañero(a) que organizó todos los detalles (*details*) del viaje. Cuando llegas a la estación, le haces preguntas sobre el viaje. Él (Ella) te contesta según la información indicada. 1) Tú quieres saber a qué hora sale su tren, 2) el número del vagón donde tienen plazas, 3) de qué andén sale y, 4) si tienen mucho tiempo. Sigan el modelo.

MODELO	13:27 / B / 11 / 13:00
Tú:	*¿A qué hora sale nuestro tren?*
Compañero(a):	*Sale a la una y veintisiete.*
Tú:	*¿De qué andén sale?*
Compañero(a):	*Del andén B.*
Tú:	*¿Cuál es el número de nuestro vagón?*
Compañero(a):	*Es el 11.*
Tú:	*Tenemos mucho tiempo, ¿no?*
Compañero(a):	*Oh, sí. Sólo es la una. o: ¡No! Ya es la una y veinticinco. ¡Corre!*

1. 9:44 / F / 18 / 9:25
2. 11:40 / A / 14 / 11:37
3. 15:51 / B / 12 / 15:50
4. 18:20 / C / 16 / 18:05

¡ADELANTE!

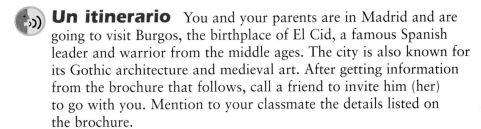

Un itinerario You and your parents are in Madrid and are going to visit Burgos, the birthplace of El Cid, a famous Spanish leader and warrior from the middle ages. The city is also known for its Gothic architecture and medieval art. After getting information from the brochure that follows, call a friend to invite him (her) to go with you. Mention to your classmate the details listed on the brochure.

1. on what day you are going to leave
2. from which station in Madrid the train leaves
3. to what city you're going to take the train
4. at what time the train leaves for this city
5. whether there is a stop along the way
6. at what time you will arrive at your destination
7. where you will stay during the visit
8. what you plan to visit in the city
9. on what day you will be going back to Madrid
10. at what time you will be back in Madrid

Burgos, cuna del Cid. Donde lo romántico y lo gótico se entremezclan para formar una de las provincias más ricas en arte medieval. Lerma, Covarrubias, Silos y Burgos capital, donde lo gótico culmina en una gran obra, la Catedral.

* NOTA: El tren TER continúa a Burgos, llegando a las 12.10 h. Los viajeros no interesados en la excursión pueden continuar a Burgos y hacer uso de sus habitaciones en el hotel elegido.

Programa

Sábado

8.30 h.	Salida en tren TER de Madrid-Chamartín.
11.23 h.	Llegada a Lerma.* Trasbordo a autocar. Circuito a Lerma.
13.30 h.	Covarrubias. Visita a la Colegiata. Tiempo libre para almorzar.
16.30 h.	Salida en autocar para visitar Santo Domingo de Silos y Yecla.
20.00 h.	Llegada a Burgos. Traslado al hotel. Tiempo libre.
21.30 h.	Saludo del Ayuntamiento en el antiguo Monasterio de San Juan, vino y actuaciones folklóricas. Elección de la madrina del tren.

Domingo

8.00 h.	Desayuno en el hotel.
8.30 h.	Recogida en el hotel en autobús. Visita guiada a la Catedral, el Monasterio de las Huelgas, el Monasterio de San Pedro de Cardeña (posibilidad de oír misa) y la Cartuja.
14.00 h.	Tiempo libre para almorzar.
16.30 h.	Visita panorámica de la ciudad. Traslado a la estación.
17.45 h.	Salida en tren TER hacia Madrid.
21.30 h.	Llegada a Madrid-Charmartín. Fin del viaje.

 Una carta a tu profesor(a) You, your parents, and your classmate have just returned from the trip you planned in the previous activity. Write a letter to your Spanish teacher telling about your visit to the city where El Cid was born. Begin and end your letter appropriately.

Connect with the Spanish-speaking world! Access the *¡Ya verás! Gold* home page for Internet activities related to this chapter.

http://yaveras.heinle.com

VOCABULARIO

Para charlar Vocabulario general

Para reservar una plaza en el tren

¿Me da una plaza de segun
 da clase, por favor?
Necesito dos plazas de
 primera clase, por favor.
Quisiera reservar tres plazas
 para…
Quisiera una plaza en la
 sección de no fumar.
¿Sería posible reservar una
 plaza en el tren de la(s)…?
Una plaza de ida y vuelta,
 por favor.

Para obtener información en la estación

¿A qué hora llega el tren
 de…?
¿A qué hora sale el próx-
 mo tren para…?
¿Cómo se llega al andén…?
¿Queda de este lado?
¿Queda del otro lado?
¿De qué andén sale el tren
 para…?
¿Dónde está el vagón
 número…?
¿El tren llegará retrasado /
 adelantado / a tiempo?
¿El tren llegará tarde / tem
 prano / a tiempo?

Sustantivos

el (la) acompañante
el animal doméstico
la azafata
el departamento de literas
los descuentos
la guardería
el horario
la mitad
el nacimiento
las paradas
la pareja
la perrera
la ventaja
el viaje de ida y vuelta

Verbos

cerrar
cuidar
llenar
oscilar
regalar

Preposiciones

a
de
en
entre
hacia
hasta
para
por

Otras palabras y expresiones

antes de
cerca de
conmigo
contigo
después de
gratis
lejos de

El metro mexicano

Antes de leer

1. Lee el título y mira la foto que acompaña la lectura. ¿De qué crees que se tratará?

2. ¿En qué tipo de publicación crees que apareció esta información? Sabiendo esto, ¿qué clase de datos crees que incluirá la lectura?

3. ¿Qué información te da la primera frase del segundo párrafo?

El metro

El metro mexicano se inauguró en septiembre de 1969, y hoy día el Sistema de Transporte Colectivo Metro de la ciudad de México es uno de los más extensos del mundo. La Ciudad de México ocupa el tercer lugar en el mundo en cuanto al número de pasajeros que usan el metro diariamente, después de Moscú en Rusia y Tokio en el Japón. Es probable que para el año 2000 la Ciudad de México cuente con más de 20 millones de habitantes. Transportarlos adecuadamente implicará un gran esfuerzo para las diversas entidades responsables por un metro más limpio y eficiente.

El Sistema de Transporte Colectivo Metro cumple un papel destacado, ya que transporta aproximadamente 4,4 millones de pasajeros diariamente. Durante las horas pico (entre 8 y 10 de la mañana y 4 y 6 de la tarde), el metro se llena por completo.

El Metro actualmente cuenta con 2.505 carros distribuidos en 10 líneas, con 154 estaciones (figuras de 1995). El Metro se ha convertido en el transporte mas económico y popular de México. A pesar de la escasez de recursos económicos actuales, el servicio de transporte de México se mantiene eficaz, seguro y con un precio justo.

Para satisfacer la creciente demanda de transporte del Metro, el Sistema de Transporte Colectivo ha tenido que implementar el Programa Integral de Transporte y Vialidad 1995-2000. Los objetivos del programa son mejorar la calidad de transporte, promover la participación activa de la sociedad en usar más este medio de transporte y modernizar y ampliar los sistemas de telecomunicación.

Es interesante notar que durante las excavaciones que se hicieron para construir el metro, los obreros, ingenieros y arqueólogos encontraron ruinas y objetos prehispánicos. Los colonizadores españoles construyeron la Ciudad de México sobre Tenochtitlán, la antigua capital de los aztecas. Por eso, durante la construcción del metro se descubrieron templos importantes, como el Templo Mayor, muchos objetos decorados con piedras semipreciosas, pequeñas figuras de barro y joyas hechas de oro y de plata.

Guía para la lectura

1. Vocabulario para una mejor comprensión de la lectura.

escasez	*scarcity*
promover	*promote*
horas pico	*peak hours*
se llena	*is filled*
construir	*to build*
obreros	*workers*
prehispánico(a)	*pre-Columbian*
barro	*clay*
joyas	*jewels*

2. Lee el primer párrafo. ¿Puedes encontrar diez cognados?

Después de leer

1. Describe las ventajas del metro de la Ciudad de México.

2. ¿Cuándo se inauguró el metro de la Ciudad de México?

3. ¿Qué tipo de objetos se encontró durante la construcción del metro? ¿De qué época eran esto objetos?

5. ¿Cuál piensas que será el futuro del transporte público? ¿Qué tipo de transporte utilizaremos en el año 2100?

CAPÍTULO 6

¿Cómo vamos?

A mucha gente le gusta viajar por las carreteras para disfrutar del paisaje *(landscape)*.

Objectives

- reading maps
- recognizing traffic signs
- making plans to travel by car and by plane
- describing lost luggage

PRIMERA ETAPA

Preparación

- ¿Viajas mucho en coche?

- ¿Cuándo fue la última vez que hiciste un viaje largo en coche? ¿Adónde fuiste?

- Cuando haces un viaje largo en coche, ¿usas mapas?

- ¿Qué tipo de información necesitas cuando haces un viaje largo?

El mapa de carreteras

El Departamento de Turismo de México publica una serie de mapas detallados de cada región del país. Estudia el siguiente mapa. **Fíjate en** (notice) *la capital del país y en otras ciudades y pueblos cerca de ella.*

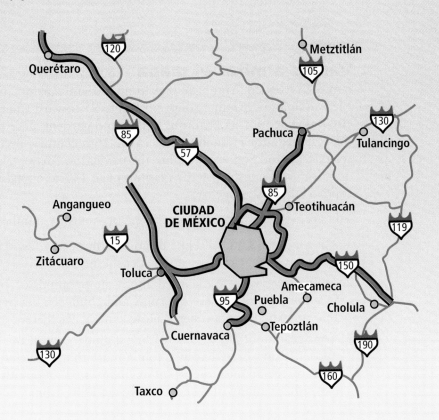

Comentarios
CULTURALES

Los ángeles verdes

Muchas de las carreteras de México pasan por regiones muy montañosas. Para ayudar a los viajeros en caso de emergencia, el Departamento de Turismo tiene una flota *(fleet)* de más de 250 camiones *(trucks)* verdes asignados a policías especiales que hablan inglés. Los policías llevan uniformes del color de sus vehículos. Estos "ángeles verdes", como los llaman los mexicanos, ofrecen asistencia mecánica y primeros auxilios *(first aid)*. Además, tienen información sobre la condición de las carreteras. Todo esto es gratis, con excepción de la gasolina, el aceite *(oil)*, o las piezas de repuesto *(spare parts)*. La Asociación Mexicana Automovilística (AMA) también ofrece muchos servicios a los miembros de su organización.

¡Te toca a ti!

A. Vamos a mirar el mapa You are traveling with your family in Mexico. You have picked up a rental car in Ciudad de México and are heading south on Route 95 toward Cuernavaca, a city renowned for its beautiful homes and gardens since the times of the conquistador Hernán Cortés in the 16th century. Because you speak and read Spanish, you are the navigator. Answer your family's questions in English. Use the map on page 141 to explain the best route to take in each case.

You are near the Tepoztlán exchange on highway number 160.

1. Your mother says, "I'd like to go to Toluca in a few days. Is it far from Cuernavaca? How do we get there?"

2. Your sister says, "We learned about the pyramids of Teotihuacán in school. I'd like to see the ruins and climb the big pyramid. Is that anywhere around here? How can we get there?"

3. Your grandmother, who is reading a guidebook of the region, adds, "It says here that in Cholula more than 350 chapels were built by the Spanish on top of as many small pyramids, and you can still see many of them. Can we get there from Cuernavaca?"

4. You remember reading in your Spanish class about the colonial city of Querétaro, where there is a centuries-old aqueduct. Tell your family where Querétaro is located in relation to Cuernavaca and Ciudad de México.

5. Finally, your mother says, "Well, it looks like we'll be in Cuernavaca in time for lunch. Later this afternoon I would like to go on to Taxco, the old silver-mining town, and buy some earrings and bracelets. How far is Taxco from Cuernavaca? Should we wait until tomorrow to go there?"

B. Las señales de tránsito (Traffic signs) Algunas de las señales de carretera del mundo hispano son iguales a las señales de los Estados Unidos. Otras son muy diferentes. Mira las señales que siguen. Identifica lo que significan en inglés.

a. **No adelantar**

b. **No virar**

c. **No hay paso**

d. **En obras / trabajo**

e. **Aduana**

f. **No estacionar**

1. Do not enter
2. Customs
3. No parking
4. Do not pass
5. No turns
6. Construction zone

Repaso ♻

C. ¡Decisiones, decisiones! Después de leer la siguiente información, responde a las preguntas. Usa solamente la preposición y el pronombre preposicional apropiados.

1. Estás en la estación de trenes. Ves a un hombre viejo con dos maletas y a una muchacha joven con tres maletas. El pobre hombre obviamente tiene prisa. La muchacha también necesita ayuda; está sentada y te mira.

   a. *¿Con quién* vas a hablar primero?

   b. *¿A quién* vas a ayudar?

   c. *¿Por quién* tienes más compasión?

2. Tus amigos te invitan a ir a una fiesta el sábado. Tu tío Alberto te invita al concierto en el que va a tocar el violín, también el sábado. Tienes que decidir con quién vas a salir.

   a. ¿*A quién/quiénes* le (les) vas a decir que no podrás ir?

   b. ¿En realidad *con quién/quiénes* prefieres salir?

   c. ¿*De quién/quiénes* recibes más invitaciones, por lo general, de tu familia o de tus amigos?

3. Yo soy tu padre. Tú y yo vamos a visitar los alrededores *(surroundings)* de la Ciudad de México. Tú quieres ir a las pirámides y yo quiero ir a Taxco, que queda en la dirección contraria. Háblame de las alternativas para decidir lo que podemos hacer.

   a. ¿Quién puede ir *con quién* a las pirámides primero?

   b. ¿Quién puede ir *con quién* a Taxco después?

   c. ¿Puede cada uno ir al lugar que prefiere *sin la otra persona?*

ESTRUCTURA

The present perfect tense

¿Han hablado ustedes con él?	*Have you spoken with him?*
He visitado España y Portugal.	*I've visited Spain and Portugal.*
Esta noche **has comido** temprano.	*Tonight you've eaten early.*
¿No **ha salido** el tren?	*Hasn't the train left?*
Nunca **he comprendido** tu actitud.	*I've never understood your attitude.*

1. The present perfect tense is used to talk about an action that has happened already, either in the general past or quite recently in relation to the moment of speaking. Sometimes it may be used to suggest that the effects of a past event carry over into the present: "I've always done it that way (and still do)."

2. This tense has two parts, exactly as in English: the first part is called a helping verb (*have* in English and **haber** in Spanish). The second part is called a past participle. The past participle of an -ar verb is formed by substituting -**ado** for -**ar.** The ending for both -**er** and -**ir** verbs is -**ido.**

The present tense of *haber* + past participle

	haber	-ar	-er	-ir
yo	**he**			
tú	**has**			
él, ella, Ud.	**ha**	**hablado**	**comido**	**salido**
nosotros(as)	**hemos**			
vosotros(as)	**habéis**			
ellos, ellas, Uds.	**han**			

ESTRUCTURA (continued)

3. Note that this two-part verb is not split up in Spanish by a negative, as it is in English.

Carlos no ha llegado.   *Carlos has not arrived.*

4. Notice also that this compound verb is not split up by the subject or subject pronoun when it is used in a question, as it is in English.

¿No ha salido el tren?   *Hasn't the train left?*

¿Ha llamado Julia?   *Has Julia called?*

5. Here are some more examples of past participles:

bailar	**bailado**	aprender	**aprendido**	ir	**ido**
dar	**dado**	comer	**comido**	seguir	**seguido**
estar	**estado**	comprender	**comprendido**	pedir	**pedido**

Aquí practicamos

D. ¿Quiénes? Sustituye las palabras en cursiva con las palabras que están entre paréntesis y haz los cambios que sean necesarios.

1. Nosotros hemos bailado el mambo. (ustedes / ellos / él / Silvia y Ramón / tú)

2. La profesora ha leído muchas novelas españolas. (mi padre / nosotros / ella / yo / ustedes)

3. Mi hermano no ha podido comprar los billetes de tren. (yo / usted / Raquel y José / el Sr. Méndez / tú)

4. ¿No ha salido el tren? (tus amigos / ustedes / ella / los autobuses / Carlos)

5. Mi hermana nunca ha estado en Bolivia. (nosotros / ellos / tú / yo / vosotros / la familia de Pablo)

6. Tú has vivido en Chile. (el profesor / mis primos / ella / yo / nosotros)

7. ¿Han comido ustedes burritos? (sus padres / tú / él / Maricarmen / usted)

E. ¿Qué ha pasado antes?

Mario y Marta Mendoza han llegado a la estación de trenes. Explica lo que han hecho antes de su llegada. Sigue el modelo.

> **MODELO** leer la guía turística de España
> *Han leído la guía turística de España.*

1. ir a su agencia de viajes
2. discutir sus planes
3. reservar plazas en el tren
4. llevar el gato a la casa de un amigo
5. comer bien
6. preparar las maletas
7. salir temprano de la casa
8. tomar un taxi a la estación

F. Las experiencias

Pregúntales a tres compañeros(as) de clase si han hecho las actividades que se mencionan en la lista de tu hoja reproducible. Si contestan que sí, pregunta cuándo lo hicieron, dónde y con quién. Si contestan que no, pregúntales si tienen interés en hacerlo en el futuro. Sigue el modelo. Escribe sus respuestas en tu hoja reproducible.

> **MODELO**
>
> **Tú:** *¿Has ido a un concierto de los Red Hot Chili Peppers?*
> **Compañero(a):** *Sí, yo he ido a uno de sus conciertos.*
> **Tú:** *¿Cuándo fuiste al concierto?*
> **Compañero(a):** *Fui el verano pasado.*
> **Tú:** *¿Con quién fuiste?*
> **Compañero(a):** *Fui con mi amigo Carlos.*
> **Tú:** *¿Adónde fueron al concierto?*
> **Compañero(a):** *Fuimos al Madison Square Garden en Nueva York.*

	Compañero(a)	¿Cuándo?	¿Dónde?	¿Con quién?	¿En el futuro?
Aprender un poema de memoria	1. 2. 3.				
Montar a caballo	1. 2. 3.				
Bucear	1. 2. 3.				
Viajar en avión	1. 2. 3.				
Ir a un país de América Latina	1. 2. 3.				
Comer comida española	1. 2. 3.				
Jugar al fútbol	1. 2. 3.				
Bailar el cha-cha-chá	1. 2. 3.				
Perder dinero	1. 2. 3.				

NOTA GRAMATICAL

Irregular past participles

He hecho las reservaciones para el tren.

I've made the reservations for the train.

¿**Has visto** la guía turística?

Have you seen the tourist guidebook?

Mis primos me **han escrito** tarjetas postales de Ecuador.

My cousins have written postcards to me from Ecuador.

These are the most commonly used verbs with irregular past participles.

Infinitive	Past participle	Infinitive	Past participle
abrir	**abierto**	poner	**puesto**
decir	**dicho**	ver	**visto**
escribir	**escrito**	volver	**vuelto**
hacer	**hecho**		

Aquí practicamos

G. Más experiencias Forma una oración completa que tenga sentido usando sugerencias de las tres columnas. Usa el presente perfecto. Sigue el modelo.

> **MODELO** Carolina / ver / la nueva película de Rosie Pérez
> *Carolina ha visto la nueva película de Rosie Pérez.*

A	B	C
Raúl	comer	en la cafetería
Carolina	volver	unas postales
mi hermano	hacer	el concierto
yo	escribir	de Colombia
mis amigos y yo	ver	la película de Andy García
el (la) profesor(a)	poner	la puerta de la casa
tú	abrir	la tarea
el taxista	decir	las maletas en el coche
el agente de viajes		la hora que sale el tren
los estudiantes		la mesa

H. Ya lo he hecho Un(a) compañero(a) te hace preguntas sobre un viaje que vas a hacer. Contéstale que ya has hecho todo lo necesario. Usa pronombres para abreviar *(to abbreviate)* tus respuestas. Sigan el modelo.

> **MODELO** ¿Ya viste los nuevos billetes que venden?
> *Sí, ya los he visto.*

1. ¿Ya fuiste a la agencia de viajes?
2. ¿Ya hiciste todas las preparaciones?
3. ¿Ya les dijiste a tus padres que vas a ir a Costa Rica?
4. ¿Ya viste el horario de trenes?
5. ¿Ya pusiste tu maleta en el coche?
6. ¿Ya hiciste una llamada telefónica a tus primos?
7. ¿Ya escribiste la lista de regalos que vas a comprar?

Aquí escuchamos

Un viaje en coche *Patricia del Valle va de viaje en coche con sus dos hijos. Están en camino en la carretera número 57 de la Ciudad de México a Querétaro.*

Antes de escuchar Repasa las expresiones para hablar de un viaje en coche de la sección **En otras palabras** que sigue.

A escuchar ¿Has hecho algún viaje largo en coche alguna vez? Escucha dos veces la conversación entre Patricia y sus hijos.

Después de escuchar Responde a las siguientes preguntas.

1. ¿Cuánto dura el viaje de la Ciudad de México a Querétaro?
2. ¿Qué quieren los hijos que les compre su mamá?
3. ¿Qué le prometen los niños a su mamá?
4. ¿Qué dice la niña que tiene que hacer?
5. ¿Dónde paran por fin?

EN OTRAS PALABRAS

Expresiones para hablar de un viaje en coche

¿Cuánto dura el viaje de... a... (en coche)?	*How long does the trip take from . . . to . . . (by car)?*
¿Cuánto tiempo se necesita para ir a...?	*How much time do you need to go to . . . ?*
¿En cuánto tiempo se hace el viaje de... a... (en coche)?	*How much time does it take to make the trip from . . . to . . . (by car)?*
Se hace el viaje de... a... en... horas (en coche).	*You can make the trip from . . .to . . . in . . . hours (by car)*
Se necesita(n)... (horas).	*You need . . . hours.*
Son... horas de viaje de... a... (en coche).	*The trip from . . . to . . . takes . . . hours (by car).*

¡Te toca a ti!

I. ¿Es largo el viaje?
Estás de vacaciones en la Argentina. Oyes a dos jóvenes hablar de un viaje en coche que van a hacer con su familia. Tú no conoces bien la geografía de la Argentina y quieres saber si el viaje será largo. Por eso les haces varias preguntas. Sigue el modelo.

> **MODELO**   Buenos Aires - Mar del Plata (390 km, 5 1/2 horas)
>
> **Tú:**   *¿Es largo el viaje de Buenos Aires a Mar del Plata?*
>
> **Muchacho(a):**   *No, no muy largo. Mar del Plata está a trescientos noventa kilómetros de Buenos Aires.*
>
> **Tú:**   *¿Cuánto se tarda en coche de Buenos Aires a Mar del Plata? o: ¿Cuánto tiempo se necesita para hacer el viaje de Buenos Aires a Mar del Plata en coche?*
>
> **Muchacho(a):**   *Son cinco horas y media de Buenos Aires a Mar del Plata en coche. o: Se hace el viaje de Buenos Aires a Mar del Plata en cinco horas y media en coche.*

1. Buenos Aires - Bahía Blanca (550 km, 8 horas)
2. Buenos Aires - Rosario (550 km, 3 1/2 horas)
3. Santa Fé - Buenos Aires (350 km, 5 horas)
4. Córdoba - Buenos Aires (600 km, 8 1/2 horas)
5. Buenos Aires - Corrientes (700 km, 10 horas)
6. México - Junín (245 km, 3 1/2 horas)

J. ¡Los coches se han descompuesto (broken down)!
Tu familia y tú van de viaje en coche. Cada vez que ven un coche que se ha descompuesto al lado de la carretera, una persona comenta lo que ha pasado. Indica qué dibujo corresponde a lo que dice cada persona.

a.

b.

c.   d.

1. ¡Miren! Se les ha acabado la gasolina. Han salido de su coche. Están poniendo gasolina en el depósito ahora.

2. ¡Ay, qué mala suerte! ¡Pobres! Han abierto la capota. ¡Se ha descompuesto el motor! Necesitan un mecánico.

3. ¡Miren a ese pobre hombre! Ha tenido un pinchazo y por eso ha parado su coche. Tendrá que cambiar la llanta.

4. Creo que no se ha descompuesto el coche de esos hombres. Parece que han parado porque no saben el camino. Están leyendo un mapa y pidiéndole instrucciones a otro conductor (*driver*).

¡ADELANTE!

 ¿Quieres ir con nosotros? Invite a Spanish-speaking student visiting your school to take a car trip with your family to a nearby destination. A classmate will play the role of the exchange student and ask you about the distance, the time the trip takes, and the route. He (she) will then decide whether to accept your invitation.

 Una tarjeta postal You are on vacation in South America. Write a postcard to a friend. First, describe your trip in general and use the present perfect tense to write about four things that you have done lately. Then, describe a specific incident that happened with the car, using some of the words and expressions in Activity J. Use the preterite tense to tell what the problem was and to pinpoint the time and day when it occurred. Begin and end your card appropriately.

SEGUNDA ETAPA

- ¿Has viajado en avión? ¿Adónde?

- ¿Cuánto tiempo duró el viaje más largo que has hecho en avión?

- ¿Te gusta viajar en avión? ¿Por qué sí o por qué no?

- ¿Sabes cuál es uno de los aeropuertos más grandes en los Estados Unidos? ¿Cuál es la manera más rápida de llegar al aeropuerto que queda más cerca de dónde tú vives?

El Aeropuerto Internacional de México Benito Juárez

El Aeropuerto Internacional de México Benito Juárez es uno de los *más importantes* del mundo. Por sus puertas pasan millones de viajeros cada año.

Los aviones que van de otros países a la Ciudad de México llegan al Aeropuerto Internacional Benito Juárez. El aeropuerto queda bastante lejos del centro de la Ciudad de México, pero hay muchas maneras de hacer el viaje entre el aeropuerto y la ciudad: en metro, en autobús (o camión, como lo llaman los mexicanos) y, por supuesto, en taxi.

Mucha gente viaja del aeropuerto al centro en un **colectivo**. Cada persona paga un precio fijo para compartir el coche o la **camioneta** con otras personas que tienen el mismo destino o que viajan en la misma dirección. El conductor vende los boletos a las zonas en que está dividida la ciudad antes de comenzar el viaje.

En la Ciudad de México, los pilotos tienen que despegar y aterrizar sus aviones con cuidado, porque grandes montañas rodean la ciudad.

El Aeropuerto Internacional Benito Juárez es famoso por ser uno de los centros de tráfico aéreo más importantes del mundo. Casi todas las aerolíneas extranjeras llegan a este aeropuerto. En un año típico, pasan millones de turistas extranjeros y nacionales por la ciudad, y muchos de ellos viajan en avión. Al **despegar** y **aterrizar**, los pasajeros tienen una vista espectacular de la Ciudad de México.

Como la Ciudad de México está a una altura de 2.240 m (más de 7.000 pies) sobre el **nivel del mar,** pero queda dentro de un gran valle **rodeado** de altos volcanes y montañas, los pilotos reciben un **entrenamiento** especial. Tienen que aprender a despegar y aterrizar los aviones dentro de un espacio bastante limitado. Para hacer esto sin problemas, tienen que saber subir o descender en grandes círculos con mucha **destreza**. Para algunos pasajeros, ¡es una experiencia inolvidable!

colectivo *bus* camioneta *van* despegar *to take off* aterrizar *to land* nivel del mar *sea level* rodeado *surrounded*
entrenamiento *training* destreza *skill*

¡Te toca a ti!

A. Al llegar a la Ciudad de México En inglés, responde a las preguntas sobre la lectura.

1. What are the ways to go from the Benito Juárez Airport into the center of Mexico City?
2. What is one of the more popular ways to go to and from this airport?
3. Which way would you guess takes the most time?
4. How is it decided how much a passenger should pay?
5. What is the word for **autobús** that is used in Mexico?
6. How would you describe this airport in terms of its air and passenger traffic?

7. At what altitude is Mexico City's airport?

8. What is so unique about Mexico City's location?

9. What kind of special training must pilots receive in order to fly in and out of this airport safely?

Comentarios CULTURALES

Los taxis en la Ciudad de México

En la Ciudad de México es muy común viajar en taxi. Hay dos tipos de taxis. Algunos taxis van por las calles en busca de pasajeros. Muchos de estos taxis no tienen medidores *(meters)*; cuando el pasajero se sube tiene que llegar a un acuerdo con el taxista sobre el precio que debe pagar por el viaje. Pero mucha gente siente que es más seguro *(safer)* tomar el otro tipo de taxi, el de sitio *(taxi stand)*. Para tomar un taxi de sitio, el pasajero tiene que ir al sitio o llamar por teléfono y pedir que pasen a buscarlo. Los taxis de sitio siempre funcionan sin medidor: el pasajero se pone de acuerdo con el taxista sobre el precio del viaje.

Generalmente el pasajero le da al taxista una propina *(tip)* del diez por ciento del precio del viaje. Como el transporte *(transportation)* en taxi es bastante económico, rápido y seguro, es una buena manera de conocer la ciudad.

Repaso ⟳

B. En general y en particular Forma una oración con cada grupo de palabras. Úsala para explicarle a un(a) amigo (a) lo que siempre o nunca se hace y lo que se hace esta vez. Sigue el modelo.

MODELO Yo / siempre / viajar a Chile / pero esta vez / viajar a Perú
Yo siempre he viajado a Chile, pero esta vez voy a viajar a Perú.

1. Yo / siempre / leer novelas de misterio / pero esta vez / leer una novela romántica

2. Mi hermano / siempre / jugar al tenis / pero esta vez / jugar al golf

3. Yo / nunca / ver una película de horror / pero esta vez / ver una

4. Mis padres / siempre / escribir cartas / pero esta vez / escribir postales

5. Nosotros / nunca / comer caracoles / pero esta vez / comer algunos

6. Su mamá / nunca / hacer un pastel de chocolate / pero esta vez / hacer uno

7. Ustedes / siempre / ir en tren / pero esta vez / ir en avión

8. El profesor / nunca / dar un examen los lunes / pero esta vez / darlo

9. Los empleados / siempre / abrir la tienda a las 10:00 / pero esta vez / abrir la tienda a las 9:00

10. El jefe / nunca / decir nada sobre la economía / pero esta vez / decir algo

11. Isabel y yo / siempre / bailar el cha-cha-chá / pero esta vez / bailar el merengue

12. Roberto / siempre / pedir tacos en este restaurante / pero esta vez / pedir una ensalada

ESTRUCTURA

The past perfect tense

Carlos no fue porque **ya había** visto la película.

Carlos didn't go because he had already seen the movie.

Mis padres **habían llegado** ya cuando yo llamé.

My parents had arrived already when I called.

El tren ya **había salido** cuando llegamos a la estación.

The train had already left when we arrived at the station.

1. The past perfect tense is used to indicate that something had already happened before something else occurred.

2. Just as in English, this tense needs another action in the past as a reference point, whether it is stated or not, in order to make sense.

3. Like the present perfect, the past perfect has two parts: the helping verb **haber** and the past participle. The only difference between the present perfect and past perfect tenses is in the form of **haber**, which for the past perfect is formed with imperfect tense endings.

ESTRUCTURA (continued)

The imperfect tense of haber + past participle

	haber	-ar	-er	-ir
yo	**había**			
tú	**habías**			
él, ella, Ud.	**había**	habl**ado**	com**ido**	sal**ido**
nosotros	**habíamos**			
vosotros	**habíais**			
ellos, ellas, Uds.	**habían**			

Aquí practicamos

C. ¿Qué habían hecho? Forma oraciones completas que tengan sentido usando sugerencias de las tres columnas. Usa el pluscuamperfecto *(past perfect)*. Sigue el modelo.

> **MODELO** Carlos / haber salido / antes de las 8:00
> *Carlos había salido antes de las 8:00.*

A	B	C
Mariana y yo	**haber conocido**	**el viaje**
tú y ella	**haber visto**	**a los pilotos**
Felipe y Ana	**haber escrito**	**antes de las 8:00**
ustedes	**haber estado**	**una tarjeta postal**
Carlos	**haber dicho**	**el horario**
yo	**haber salido**	**en tren**
Leonor y Miguel	**haber viajado**	**las reservaciones**
ustedes	**haber comprado**	**de la estación**
el tren	**haber hecho**	**los boletos**
el agente de viajes	**haber explicado**	**a Chicago**
		en Nicaragua

D. ¿Qué había pasado antes? Cambia las oraciones para indicar que algo ya había pasado antes de que pasara algo más. Sigue el modelo.

> **MODELO** El agente llegó a la oficina y después yo llamé por teléfono.
> *El agente había llegado a la oficina cuando yo llamé por teléfono.*

1. El avión llegó y después yo llamé por teléfono.

2. El agente de viajes preparó el itinerario y después Mario compró los boletos.

3. Vimos el horario y después fuimos a comer.

4. El empleado nos dijo algo sobre el vuelo y después oímos las noticias.

5. Pediste una mesa en la sección de no fumar y después nos llamó el mesero.

6. Mi papá hizo las reservaciones y después yo llegué.

7. En el restaurante comimos demasiado y después nos sirvieron el postre.

8. Yo salí de vacaciones y después me mandaste la tarjeta.

9. Le escribí cinco postales a mi novio(a) y después él (ella) llamó por teléfono.

10. Ustedes se durmieron en el avión y después el piloto habló de las condiciones atmosféricas.

E. Antes de cumplir trece años... Averigua *(Find out)* tres cosas interesantes o inolvidables que tres de tus compañeros(as) de clase habían hecho antes de los trece años de edad. Pregúntale a cada uno(a): **¿Qué cosas interesantes habías hecho antes de cumplir trece años?** Escribe sus respuestas en tu hoja reproducible. Usa la expresión: **Antes de cumplir trece años, ya había...** o **Cuando cumplió trece años ya había...**

	Compañero(a) 1	Compañero(a) 2	Compañero(a) 3
Actividad 1			
Actividad 2			
Actividad 3			

Aquí escuchamos

¿Dónde está la maleta? *Judy está un poco nerviosa en su primer vuelo a México, pero ha conocido a dos mexicanos, el Sr. y la Sra. Castillo, que la ayudan.*

Antes de escuchar Antes de escuchar la conversación entre Judy y los Castillo, repasa las expresiones de la sección **En otras palabras** que sigue. ¿Has perdido una maleta alguna vez durante un viaje en avión?

A escuchar Escucha dos veces la conversación entre Judy y los Castillo.

Después de escuchar Responde a las siguientes preguntas.

1. ¿Cuántas maletas tiene Judy?
2. ¿De qué color es la maleta que Judy no ha encontrado?
3. ¿Es grande o pequeña la maleta que busca Judy?
4. ¿Qué identificación lleva la maleta perdida?
5. ¿Dónde cree Judy por fin que dejó la maleta?
6. ¿Qué lección dice Judy que aprendió?

EN OTRAS PALABRAS

Expresiones para reclamar equipaje perdido (to reclaim lost luggage)

—¿Ha perdido usted su maleta (bolsa, valija, maletín)?	*Have you lost your suitcase (purse, valise, briefcase)?*
—Sí, la he dejado en el avión.	*Yes, I've left it on the plane.*
—Sí, la facturé, pero no he podido encontrarla.	*Yes, I checked it, but I haven't been able to find it.*
—¿En qué avión? ¿En qué vuelo?	*On what plane? On what flight?*
—Aeroméxico, vuelo 208.	*Aeromexico, flight 208.*
—¿De qué color es la maleta?	*What color is the suitcase?*
—Es azul.	*It's blue.*
—¿De qué material es?	*What kind of material is it?*
—Es de tela (de cuero, de plástico).	*It's cloth (leather, plastic).*
—¿De qué tamaño es?	*What size is it?*
—Es grande (pequeña).	*It's large (small).*
—¿Lleva la maleta alguna identificación?	*Does the suitcase have some kind of identification on it?*
—Lleva una etiqueta con mi nombre y dirección.	*It has a tag with my name and address.*
—¿Qué contiene la maleta?	*What is in the suitcase?*
—¿Qué lleva usted en la maleta?	*What do you have in the suitcase?*
—Contiene ropa, unos documentos, etc.	*It contains clothes, some documents, etc.*

¡Te toca a ti!

F. La llegada al aeropuerto Explícale a un(a) compañero(a) lo que tiene que hacer cuando llega a un aeropuerto. Usa las expresiones que siguen pero ponlas en el orden correcto. Usa también las palabras **primero, entonces, después** y **finalmente**. Sigue el modelo.

> **MODELO** *Primero, bajas del avión. Después vas a...*

abrir las maletas en la sala de inspección de la aduana

ir a la aduana

ir a la puerta (*gate*) número 36

ir a la sala de reclamación de equipaje

mostrar tu pasaporte y tu visa

recoger (*pick up*) las maletas facturadas

tomar un autobús o un taxi al centro de la ciudad

G. ¿Has perdido algo? Explícale al (a la) agente del aeropuerto que has perdido las maletas que se muestran en los dibujos. Después contesta las preguntas que te hace sobre las maletas. Tu compañero(a) de clase hará el papel del (de la) agente con la ayuda de las siguientes preguntas.

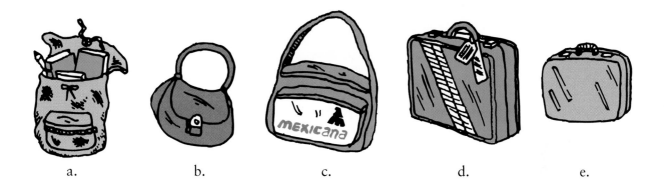

a.   b.   c.   d.   e.

1. ¿Ha perdido su maleta (bolsa, mochila, maletín)?
2. ¿En qué avión? ¿En qué vuelo?
3. ¿De qué color es?
4. ¿De qué material es?
5. ¿Lleva alguna identificación?
6. ¿Qué contiene? ¿Qué lleva dentro?

Te recojo (I'll pick you up) **en el aeropuerto** A Honduran friend who doesn't speak English is coming to visit you in the United States. He (she) will be coming by plane—either flying directly to where you live or changing planes at a major city before reaching your local airport. He (she) will go through customs at the first U.S. airport he (she) reaches. In a letter, explain briefly to him (her) what to do upon arrival at that airport.

 Desde que llegué Play the role of your friend, who has now been with you for a week and calls his (her) parents in Tegucigalpa. Tell them about the things that have happened and what you have done since arriving in the United States. Use the present perfect tense.

EN LÍNEA

Connect with the Spanish-speaking world! Access the *¡Ya verás! Gold* home page for Internet activities related to this chapter.

http://yaveras.heinle.com

VOCABULARIO

Para charlar

Para hablar de un viaje en coche

¿En cuánto tiempo se hace el viaje
de… a… (en coche)?

¿Cuánto tiempo se necesita para ir a…?

¿Cuánto tarda el viaje de… a…?

Se hace el viaje de… a… en…
horas (en coche).

Se necesita(n)… horas.

Son … horas de viaje
de… a… (en coche).

Para reclamar equipaje perdido

¿Ha perdido usted su maleta (bolsa,
maletín)?

Sí, la he dejado en el avión.

Sí, la facturé pero no he podido encontrarla.

¿En qué avión? ¿En qué vuelo?

(Línea aérea), vuelo (número).

¿De qué color es la maleta?

¿De qué material es?

Es (color). Es de tela (de cuero, de plástico).

¿De qué tamaño es?

Es grande (pequeña).

¿Lleva la maleta alguna identificación?

Lleva una etiqueta con mi nombre
y dirección.

¿Qué contiene la maleta?

¿Qué lleva usted en la maleta?

Contiene…

Temas y contextos

El coche

el aceite
la carretera
la llanta
el mapa de carreteras
el neumático
las piezas de repuesto
las señales de tránsito

Los vuelos

el avión
facturar la maleta (la bolsa, el maletín)
el pasaporte
reclamar el equipaje (perdido)
la visa

Vocabulario general

Sustantivos

los alrededores
la ayuda
el boleto
la camioneta
la destreza
el entrenamiento
el equipaje
la flota
el medidor
el nivel del mar
el paisaje
los primeros auxilios
la propina
el sitio de taxis
el transporte

Verbos

aterrizar
compartir
descomponer
despegar
reclamar
recoger

Adjetivos

perdido(a)
rodeado(a)
seguro(a)

Nacido para triunfar

Antes de leer

1. Lee el título, la cita *(quote)* y la leyenda al pie de la segunda foto. ¿De qué crees que se tratará la lectura?

2. Lee el artículo por encima y encuentra al menos seis cognados.

"Me siento muy afortunado. Estoy ganando mucho dinero, haciendo lo que más me gusta: correr coches a su velocidad máxima."

Roberto José Guerrero, un piloto colombiano de autos de carrera, se recuperó milagrosamente de un coma de 17 días para seguir corriendo con aun más ganas.

Roberto José Guerrero tiene muchas razones para considerarse un hombre afortunado. A los 31 años es el piloto principal de Patrick Racing, el equipo campeón del circuito CART para autos Indy en los Estados Unidos.

Guerrero conducirá el auto March con motor Alfa Romeo, una versión mejorada del auto con el que ganó cinco de las 16 carreras que corrió en 1989. Éstas incluyen la gran Carrera de las 500 Millas de Indianápolis, donde también participó el brasileño Emerson Fittipaldi.

Para Guerrero, que nació en Medellín, Colombia, ésta es la culminación de una carrera como piloto que empezó cuando era niño. De chico, Roberto José observaba a su padre que corría karts en Medellín. Guerrero nunca ha querido ser otra cosa que piloto de carreras. Después de correr karts durante su adolescencia, decidió estudiar en la escuela de pilotaje de Jim Russell en Inglaterra.

Poco a poco, Guerrero pasó por las diferentes categorías de pilotaje, incluyendo dos años en Fórmula 1, donde compitió en un total de 21 carreras. En 1984 decidió participar en el exigente circuito Indy de los Estados Unidos. En su primera carrera en las 500 Millas de Indianápolis, Guerrero terminó en segundo lugar. En los años siguientes quedó en tercer, en cuarto y otra vez en segundo lugar. Casi ganó en 1987 cuando iba en primer lugar, pero su coche no arrancó después de una parada, sólo 30 vueltas antes de terminar.

En septiembre de ese mismo año, mientras probaba llantas para Goodyear, tuvo un accidente. Una de las llantas se desprendió del auto y lo golpeó en la cabeza. Guerrero permaneció en el hospital en coma durante 17 días. Pero Guerrero se recuperó milagrosamente, y cuatro meses más tarde regresó a las pistas. En 1988, en su primera carrera después del accidente, Guerrero quedó

Roberto José Guerrero lleva el automovilismo en las venas.

en segundo lugar en el circuito de Phoenix, tras Mario Andretti.

Para Guerrero, una de sus más grandes satisfacciones ha sido la de seguir al gran campeón Fittipaldi como piloto principal del equipo Patrick Racing. "Cuando yo era niño, ya no había lugar en mi cuarto para una foto más de Fittipaldi", dice. "Ahora ha pasado de ser mi ídolo a ser mi competidor."

Aunque ganar nunca ha sido fácil, Guerrero tiene todo lo que se necesita para triunfar. De las 82 carreras en las que

ha participado en el circuito Indy, Guerrero ha terminado 19 veces entre los cinco primeros pilotos y 26 veces entre los 10 primeros, demostrando claramente su superioridad como piloto.

"Este año y el próximo van a ser los años de ganar carreras", dice Guerrero, quien está casado y es padre de dos hijos. "Me siento muy afortunado. Estoy ganando mucho dinero, haciendo lo que más me gusta: correr coches a su velocidad máxima."

Guía para la lectura

1. Vocabulario para una mejor comprensión de la lectura.

piloto	*here, (race car) driver*
carrera	*race*
correr	*to race*
karts	*go-carts*
pilotaje	*driving*
exigente	*demanding*
arrancar	*to start up*
vueltas	*laps*
desprenderse	*to break loose*
pistas	*tracks*

2. En distintos países de América Latina, *car* se dice **coche, auto, carro** o **automóvil**.

Después de leer

1. En tu opinión, ¿porque a Roberto José Guerrero le gusta tanto correr coches? Describe algunos de los peligros que existen en una carrera de coches.

2. El sueño de Roberto José Guerrero era de correr coches. ¿Qué sueños tienes tú?

3. ¿Qué querías ser cuando eras niño(a)? ¿Cómo han cambiado tus ideas sobre tu carrera ideal?

¡SIGAMOS ADELANTE!

Conversemos un rato

A. Gira por América Latina In groups of four, prepare, then role-play the following scenes.

1. You are a successful music group about to tour Latin America. The host of a bilingual TV show is interviewing you.

   a. The host asks about the itinerary. You name countries you will visit, how you will travel from one country to another, and how you will travel within each country.

   b. You and the host talk about the problems, accidents, and strange experiences you have had while traveling in the past: lost suitcases or passports, and cars that broke down. The musicians should also mention things that went wrong before they started touring.

   c. The host asks questions about the band's experiences during previous tours. The musicians tell about the things they have done, places they have been to, and people they have met.

B. Una beca de viajes A wealthy benefactor is donating a summer grant for a student to travel throughout Latin America. Each student must submit an oral proposal based on any topic he or she wishes to explore, such as sports, nature, music or food. The grant will go to the student with the most exciting proposal. Based on the following guidelines, prepare an outline of your proposal in Spanish, then present it to the class.

1. Talk about the itinerary. Name the countries, regions, and cities you will visit. Mention how you will travel from place to place.

2. Describe the things that you will do in each place in order to research the topic you chose.

3. Talk about the experiences that have prepared you for this trip and about the reasons you want to explore a certain topic. For example, if your topic is sports, talk about sports you have played, training you have had, and what you know about Latin American sports.

4. Describe what you will do if you run into problems on your trip; problems such as those encountered by the musical group above.

Taller de escritores

Un viaje catastrófico

Imagínate que hiciste un viaje en el que tuviste un número increíble de problemas. Escríbele una carta a tu amigo(a) por correspondencia y cuéntale lo que te pasó.

Querida Elena:

No te he escrito antes sobre mi viaje a la Argentina porque tuve tantos desastres que no sabía ni por donde empezar.

Cuando fuimos a tomar el tren a Mendoza, llegamos al andén 13 a tiempo para ver nuestro tren salir del andén 15. Afortunadamente hubo otro tren, pero sólo encontramos plazas en el vagón de fumar. Y por ser un vagón de lujo ¡nos cobraron más!

Al volver a Buenos Aires, Ana perdió su pasaporte y...

A. Reflexión Primero piensa en todos los desastres posibles. Odénalos en grupos. Probablemente el orden cronológico de cada etapa del viaje será el más lógico: preparación, salida, llegada, visita, regreso.

B. Primer borrador Escribe la primera versión del informe o reseña, basado en la lista de ideas.

C. Revisión con un(a) compañero(a) Intercambia tu redacción con un(a) compañero(a) de clase. Lee y comenta la redacción de tu compañero(a). Usa estas preguntas como guía (guide): ¿Qué te gusta más de la redacción de tu compañero(a)? ¿Qué sección es más interesante? ¿Es apropiada para los compañeros de clase y tu maestro(a)? ¿Incluye toda la información necesaria para el propósito? ¿Qué otros detalles debe incluir la redacción?

D. Versión final Revisa en casa tu primer borrador. Usa los cambios sugeridos por tu compañero(a) y haz cualquier cambio que quieras. Revisa el contenido y luego la gramática, la ortografía, incluyendo los acentos ortográficos y la punctuación. Trae a la clase esta versión final.

E. Carpeta Tu profesor(a) puede incluir la versión final en tu carpeta, colocarla en el tablero de anuncios o usarla para la evaluación de tu progreso.

Conexión con las matemáticas

El sistema métrico

Para empezar Si viajas a un país de habla hispana, es muy importante conocer el sistema métrico para comprender las distancias. Solo tienes que usar un poco de matemáticas para resolver cualquier problema. Por ejemplo, imagina que estás de vacaciones en Valparaiso, Chile con tu familia y ves lo siguiente:

Santiago	**115 kilometros**
Viña del Mar	**10 kilometros**

¿Comprendes? Es muy fácil. Un kilómetro equivale a 0,621 millas. Para calcular la distancia a Santiago, la capital de Chile, tienes que multiplicar 115 (la distancia) por 0,621 y el resultado es 71 millas. Para calcular la distancia a Viña del Mar, tienes que multiplicar 10 por 0,621 y el resultado es 6,2 millas. Es muy simple si tienes calculadora.

También, si vas a un supermercado con tu familia para comprar comida, necesitan conocer el sistema métrico. Imagina que ves lo siguiente en el supermercado.

Quesos		Leche	
suizo	100 gramos / 750 pesos	1 litro / 800 pesos	
de mesa	100 gramos / 500 pesos	1/2 litro / 400 pesos	
de cabra	100 gramos / 1000 pesos		

¿Comprendes? Una onza equivale a 28,35 gramos. Hay 1,000 gramos en un kilo, y un kilo equivale a 2,2 libras. Si ustedes quieren 10 onzas de queso, ¿cuántos kilos necesitan comprar? Es muy fácil, 10 onzas x 28,35 gramos = 283,5 gramos. Y si ustedes quieren comprar leche, necesitan saber que el litro es más o menos equivalente al *quart*: 0,935 litros = 1 *quart*, y 0,473 litros = 1 *pint*.

A. Tabla de equivalencias
Ahora vas a practicar un poco de matemáticas. Escribe los números que equivalen en una hoja de papel.

1 kilogramo	=	2,205 libras
2 kilogramos	=	(¿cuántas?) libras
1 kilogramo	=	1,000 gramos
500 gramos	=	(¿cuántas?) libras
250 gramos	=	8,8 onzas
750 gramos	=	(¿cuántas?) onzas
28,350 gramos	=	1 onza
(¿cuántos?) gramos	=	5 onzas
0,946 litros	=	1 *quart*
(¿cuántos?) litros	=	5 *quarts*
0,473 litros	=	1 *pint*
(¿cuántos?) litros	=	3 *pints*

B. ¿Qué piensas?
Otra vez, escribe tu respuesta en una hoja de papel.

1. Si un kilómetro equivale 0,621millas ¿cuál es la distancia en millas entre las siguientes ciudades en Sudamérica?
   a. Bogotá, Colombia y Cali, Colombia, 300 kilómetros
   b. Bogotá, Colombia y Cartagena, Colombia, 650 kilómetros
   c. Rosario, Argentina, y Buenos Aires, Argentina, 290 kilómetors
   d. Buenos Aires, Argentina y La Plata, Argentina, 53 kilómetros

2. Mira el tablero de quesos y leche para contestar las preguntas.
   a. Si necesitas 8 onzas de queso suizo, ¿cuántos kilos debes comprar?
   b. ¿Cuántos pesos necesitas para esa cantidad de queso suizo?
   c. Si tienes 500 pesos, ¿cuántos kilos de queso de cabra puedes comprar?
   d. ¿Cuánto cuestan 2 litros de leche?
   e. Si necesitas 1 *quart* de leche, ¿cuántos litros debes comprar?

Vistas

de los países hispanos

Uruguay

Capital: Montevideo

Ciudades principales: Paysandú, Salto, Las Piedras, Mercedes

Población: 3.200.000

Idiomas: español

Área territorial: 187.000 km^2

Clima: templado y húmedo, inestabilidad atmosférica, temperatura en el invierno llega a 10° C; en el verano llega a 22° C

Moneda: nuevo peso

inestabilidad *instability*

Paraguay

Capital: Asunción

Ciudades principales: Coronel Oviedo, Pedro Juan Caballero, Concepción, Encarnación

Población: 4.800.000

Idiomas: español, guaraní

Área territorial: 407.000 km^2

Clima: templado, semi árido, temperatura durante el verano 35° C; durante el invierno llega hasta 5° C

Moneda: nuevo peso

EXPLORA

Find out more about Uruguay and Paraguay! Access the **Nuestros vecinos** page on the *¡Ya verás! Gold* web site for a list of URLs.

http://yaveras.heinle.com/vecinos.htm

Colombia

Capital: Bogotá

Ciudades principales: Medellín, Cali, Barranquilla, Cartagena

Población: 34.900.000

Idiomas: español, más de 200 dialectos indígenas

Área territorial: 1.141.748 km^2

Clima: tropical en las costas y planicies orientales; frío en las tierras altas

planicies *plains*

EXPLORA

Find out more about Colombia! Access the **Nuestros vecinos** page on the *¡Ya verás! Gold* web site for a list of URLs.

http://yaveras.heinle.com/vecinos.htm

En la comunidad

¡Bienvenidos abordo!

"Soy Diana Martin. Desde joven me interesaron los aviones siempre quería ser piloto. También tenía primos en Venezuela y de ahí nació mi interés por el español. Más tarde, descubrí que me encantaba viajar y América Latina se volvió mi lugar favorito, no sólo porque hablaba el idioma, sino también porque era mucho más barato viajar allá que a otras partes.

Después de terminar la universidad, tuve la oportunidad de entrar en las Fuerzas Aéreas y entrenarme como piloto. Después de terminar mi servicio militar, empecé a trabajar como piloto profesional con una línea aérea. Esta línea aérea tiene la mayoría de vuelos hacia el Caribe y América Latina.

El hablar español me ha permitido comunicarme con los viajeros hispanohablantes de distintos países. A muchos viajeros les gusta cuando les saludo en su idioma y se sienten más cómodos en nuestra avión.

También puedo viajar y sobrevivir en los lugares más distantes, en sitios donde no hay muchos turistas, donde no existe nadie que habla ni una palabra de inglés. Me gusta visitar a distintos lugares cuando tengo tiempo libre durante mis viajes de trabajo."

¡Ahora te toca a ti!

Entrevista a varias personas que hablan español y que hayan viajado a América Latina. Pídeles que te describan situaciones en las que usaron su español para solucionar algún problema o para disfrutar más de su viaje. Si no conoces a nadie que haya viajado a América Latina, escribe una entrevista imaginaria. Presenta a la clase en español sobre tu entrevista.

Eres un guía de turismo ecológico. Estás organizando una excursión a una región remota donde no van muchos turistas. Escoge un país de América Latina e investiga en qué partes de ese país se podría realizar este tipo de turismo. Escribe en español un itinerario, donde describas los lugares que los viajeros visitarán, las actividades que harán, y cualquier información interesante sobre los habitantes y la cultura de esa región. Si hay una agencia de turismo hispana en tu comunidad, visítala para obtener folletos en español sobre ese país; si no, busca este tipo de información en el Internet.

UNIDAD 3

El arte y la música en el mundo hispano

Objectives

In this unit you will learn:

- to understand texts about art, popular art, and music in the Spanish-speaking world
- to express wishes, desires, and hopes
- to express emotions and reactions
- to talk about art and music

¿Qué ves?

- ¿Te gusta el arte?
- ¿Te gusta el arte popular?
- ¿Cuál es un ejemplo de arte popular?

La pintura

CAPÍTULO 7

Primera etapa: El muralismo mexicano
Segunda etapa: Tres pintores españoles del
siglo XX: Picasso, Miró, Dalí

El arte popular

CAPÍTULO 8

Primera etapa: Las molas de los indios cunas
Segunda etapa: México y sus máscaras

La música en el mundo hispano

CAPÍTULO 9

Primera etapa: La historia de "La bamba"
Segunda etapa: La música mariachi

CAPÍTULO 7

La pintura

"Las meninas", Diego de Velázquez, pintor español

Objectives

- talking about art
- expressing what we want to happen

PRIMERA ETAPA

- ¿Quiénes son algunos de los artistas que tú conoces?
- A veces un artista pinta un mural en un lugar público para que toda la gente pueda apreciarlo. ¿Hay murales en lugares públicos en tu ciudad o pueblo?

El muralismo mexicano

El muralismo fue uno de los principales movimientos artísticos mexicanos del siglo veinte.

El arte de Diego Rivera constituyó uno de los pilares en los que se basa el muralismo mexicano. Rivera nació en la ciudad de Guanajuato, en el estado de Guanajuato, el 8 de diciembre de 1886. Después del **traslado** a la

Mural de Diego Rivera, Palacio Nacional, Ciudad de México

capital mexicana cuando tenía diez años, obtuvo una **beca** del gobierno para asistir a la Academia de Bellas Artes. Después pasó unos años en Europa, donde investigó la técnica mural del pintor italiano prerrenacentista Giotto, cuya influencia lo hizo **apartarse** del cubismo, un movimiento artístico que era muy popular durante aquella época.

En 1921 regresó a México y **fundó**, junto con David Alfaro Siqueiros y José Clemente Orozco, un movimiento pictórico conocido como la escuela mexicana de pintura. Durante estos años pintó varios murales en México y con la expansión de su fama **expuso** algunas obras en Nueva York. Después de esta exhibición recibió el **encargo** de pintar grandes murales en el Instituto de Arte en Detroit y otro en el Rockefeller Center. El tema principal de Rivera era la lucha de las clases populares indígenas. Su última obra, un mural épico sobre la historia de México, quedó incompleta cuando murió en la Ciudad de México el 25 de noviembre de 1957.

traslado *move*   **beca** *scholarship*   **apartarse** *distance himself*   **fundó** *founded*   **expuso** *exhibited*   **encargo** *commission*

**David Alfaro Siqueiros,
"Etnografía", 1931**

Otro pilar de este movimiento artístico fue David Alfaro Siqueiros, que nació en Chihuahua el 29 de diciembre de 1896. Después de iniciar sus estudios artísticos en la ciudad de México, pasó una temporada en Europa con el objeto de **ampliar** su **formación**. Los temas de las obras de Siqueiros son el **sufrimiento** de la clase obrera, el conflicto entre el socialismo y el capitalismo y la decadencia de la clase media. El arte para Siqueiros era un **arma** que se podía utilizar para el progreso del pueblo, un **grito** que podía inspirar la rebelión de la gente que sufría la injusticia y la miseria. Durante su vida sufrió varios **encarcelamientos** y **destierros** debido a sus actividades políticas, pero esto no impidió que sus murales decoraran importantes edificios públicos en la capital mexicana. Uno de sus últimos trabajos, "Del porfirismo a la revolución", ocupa una **superficie** de 4.500 metros cuadrados en el Museo de Historia Nacional. Otro, que mide 4.000 metros cuadrados y está en el Hotel de México, se llama "La marcha de la humanidad". Fue terminado en 1971 después de cuatro años de trabajo. Siqueiros murió en Cuernavaca el 6 de enero de 1974.

ampliar *to expand, widen*   formación *training*   sufrimiento *suffering*   arma *weapon*   grito *cry, shout*
encarcelamientos *imprisonments*   destierros *exiles*   superficie *surface*

Mural de José Clemente Orozco, Guadalajara, México

El tercer pilar del muralismo mexicano fue José Clemente Orozco. Éste nació en Zapotlán, en el estado de Jalisco, el 23 de noviembre de 1883, y a los siete años se trasladó, con su familia, a la capital. Allí, como estudiante en la Academia de San Carlos, pronto mostró su **genio** para el arte pictórico. Aquí conoció al Dr. Atl, que **animaba** a sus compañeros **a que dejaran** las culturas extranjeras y cultivaran los temas de la tierra mexicana. Orozco pintó grupos de **campesinos** e imágenes de destrucción, sacrificio y renacimiento después de la Revolución de 1910. Su fama se extendió fuera de México y en 1927 recibió el encargo de pintar un mural para Pomona College en California. En 1932 fue profesor de pintura mural en Dartmouth College, donde hoy día podemos ver varios murales que pintó allí. Orozco murió el 7 de septiembre de 1949 en la ciudad de México.

Diego Rivera, "Vendedor de flores", 1935

genio *genius*   animaba *inspired*   a que dejaran *that they leave*   campesinos *peasants*

Comprensión

A. Estudio de palabras

Trata de adivinar el significado de algunas palabras de la lectura sobre el muralismo mexicano. Indica qué palabra(s) en inglés de la lista de la derecha corresponde(n) a la(s) palabra(s) en español de la lista de la izquierda.

1. pilares	a. *season, period of time*
2. obtuvo	b. *because of*
3. cuya	c. *rebirth*
4. quedó	d. *whose*
5. temporada	e. *pillars*
6. debido a	f. *obtained*
7. extranjeras	g. *remained*
8. renacimiento	h. *foreign*

B. Un bosquejo

Completa el siguiente bosquejo *(outline)* con información de la lectura sobre el muralismo mexicano.

El muralismo mexicano

A. Diego Rivera

    1. _____ 1886

    2. con otros artistas fundó un movimiento pictórico en 1921

    3. _____ 1957

B. _____

    1. nació en Chihuahua el 29 de diciembre de 1896

    2. _____ 1971

    3. _____ 1974

C. _____

    1. _____ 1883

    2. _____ 1927

    3. murió el 7 de septiembre de 1949

C. ¿Qué sabes sobre el muralismo?

Responde a las siguientes preguntas en español.

1. ¿Quiénes son los tres muralistas mexicanos más importantes?
2. ¿Dónde nació cada uno?
3. ¿En qué orden murieron?
4. ¿Quién fue Giotto?
5. ¿Quién pintó algunos murales en Detroit?
6. ¿Quién pintó algunos murales en Dartmouth College?
7. ¿Qué les recomendaba el Dr. Atl a los muralistas?
8. ¿Cuál de los muralistas causó más controversias y fue encarcelado por sus ideas?

D. El muralismo mexicano Usa la información de la lectura para escribir un informe breve sobre uno de los muralistas mexicanos. Escoge una de las pinturas de las páginas 177 a 179 y descríbela brevemente para ilustrar tu informe.

ESTRUCTURA

The subjunctive mood

Mi papá quiere **que** yo **estudie** más.   *My father wants me to study more.*

Es necesario **que** tú **estudies** más.   *It is necessary that you study more.*

1. The subjunctive is used to express things we want to happen, things we try to get other people to do, and activities that we are reacting to emotionally.

2. The subjunctive mood is used in sentences that have more than one clause and where the subjects in the two clauses are different. In the examples shown, the person in the first part of the sentence expresses necessity or a desire regarding the person in the second part. Notice that the two parts of the sentence are connected by the word **que**. The verb following **que** is in the present subjunctive.

3. For most verbs, the present subjunctive is formed by removing the **-o** of the **yo** form of the present indicative tense and adding the following endings.

-ar verbs			
Verb	Yo *form*	Subjunctive	
hablar	habl**o**	habl**e**	habl**emos**
		habl**es**	habl**éis**
		habl**e**	habl**en**

-er verbs			
Verb	Yo *form*	Subjunctive	
comer	com**o**	com**a**	com**amos**
		com**as**	com**áis**
		com**a**	com**an**

-ir verbs			
Verb	Yo *form*	Subjunctive	
escribir	escrib**o**	escrib**a**	escrib**amos**
		escrib**as**	escrib**áis**
		escrib**a**	escrib**an**

ESTRUCTURA (continued)

4. You can use this rule for forming the present subjunctive of the following verbs.

-ar verbs			
acampar	charlar	expresar	preguntar
ahorrar	comprar	ganar	presentar
alquilar	contestar	gustar	prestar
andar	cuidar	hablar	regatear
anunciar	cultivar	llamar	regresar
aprovechar	descansar	llevar	sudar
arreglar	desear	mandar	terminar
bailar	disfrutar de	mirar	tomar
bajar	doblar	nadar	trabajar
cambiar	escuchar	necesitar	trotar
caminar	esperar	odiar	viajar
cantar	estudiar	pasar	visitar
cenar	exagerar	planear	

-er verbs			
aprender	correr	leer	ver
comer	creer	romper	
comprender	deber	vender	

-ir verbs		
asistir a	discutir	recibir
compartir	escribir	subir
describir	insistir en	vivir

Aquí practicamos

E. ¿Qué quieres? Sustituye las palabras en cursiva con las palabras que están entre paréntesis y haz los cambios necesarios en la oración.

1. Quiero que *tú* estudies más. (ella / Uds. / Marisa / ellas / Ud.)

2. La profesora quiere que *nosotros* contestemos las preguntas. (tú / Marisol / Uds. / él / ellos)

3. Mi papá quiere que *yo* aprenda español. (mi hermano / nosotros / Uds. / ellas / tú)

4. Es necesario que *él* lea las instrucciones. (yo / tú / nosotros / Uds. / ellas)

5. Es necesario que *ella* escriba la carta. (yo / nosotros / Uds. / Alberto y Sempronio / tú)

6. El médico quiere que *nosotros* descansemos después de correr. (ellas / Marirrosa / tú / yo / Uds.)

F. Quiero que... Tú quieres expresar lo que quieres que hagan otras personas. Sigue el modelo.

MODELO   Uds. comen más.
                     Quiero que Uds. coman más.

1. Tú ahorras dinero.

2. Pedro alquila un coche.

3. El mesero arregla la cuenta.

4. Juana baila el merengue.

5. Los profesores bajan al primer piso.

Ahora quieres expresar lo que tu mamá quiere que hagan otras personas. Sigue el modelo.

MODELO   Yo como menos.
                     Mi mamá quiere que yo coma menos.

6. Yo camino a la escuela.

7. Mi amigo cena con nosotros.

8. Mi papá compra un coche nuevo.

9. Mi hermana mayor cuida a mi hermanito.

10. La vecina charla con ella.

Ahora quieres expresar lo que es necesario que hagan tú y los otros miembros de tu familia. Sigue el modelo.

MODELO   Mi hermanito come mucho.
                     Es necesario que mi hermanito coma mucho.

11. Mis padres disfrutan de sus vacaciones.

12. Nosotros escuchamos las instrucciones de mi padre.

13. Mi hermanito no mira la televisión mucho.

14. Mi padre nada 30 minutos cada día.

15. Mi hermana y yo regresamos temprano a casa todos los días.

16. Tú terminas la tarea de matemáticas temprano esta noche.

17. Yo tomo seis vasos de agua cada día.

18. Mi papá viaja a Chicago cada mes.

19. Mi mamá camina cinco millas cada lunes, miércoles y viernes.

20. Nosotros visitamos a nuestros abuelos en diciembre.

G. No quiere
Varias personas que tú conoces no quieren hacer nada. Pero tú sabes que es necesario que ellos hagan las actividades indicadas. Sigue el modelo.

> **MODELO** Simón no quiere escuchar a la profesora.
> *Es necesario que Simón escuche a la profesora.*

1. Julia no quiere nadar hoy.
2. Julián no quiere estudiar francés.
3. Mi hermanito no quiere comer vegetales.
4. Nosotros no queremos regresar temprano.
5. Beatriz y Rosa no quieren arreglar su cuarto.
6. Tú no quieres cenar conmigo.
7. Magda no quiere ahorrar dinero para la universidad.
8. Mi hermano no quiere cuidar al niño esta noche.
9. Nosotros no queremos ver el programa de televisión en PBS.
10. Marcos y Laura no quieren correr todos los días.

PALABRAS ÚTILES

The subjunctive with ojalá que

—¿Vas al cine el viernes?   *Are you going to the movies on Friday?*
—¡Ojalá que pueda ir!   *I hope I can go!*

—¿Puedes llamarme por teléfono   *Can you call me tonight?*
esta noche?
—Tengo mucho que estudiar.   *I have a lot to study. I hope I will have time!*
¡Ojalá que tenga tiempo!

Ojalá que is an expression that means *I hope.* It is used to make an exclamation and is always followed by a verb in the subjunctive.

Aquí practicamos

H. ¿Con quién?
Un(a) compañero(a) te pregunta lo que vas a hacer y tú le contestas con lo que esperas hacer empleando la expresión **ojalá que**. Sigue el modelo.

MODELO   comer mañana

      Compañero(a):   *¿Con quién vas a comer mañana?*

      Tú: *¡Ojalá que coma con Yara!*

1. estudiar
2. bailar
3. caminar a la escuela
4. cenar el viernes por la noche
5. mirar la televisión esta noche
6. escuchar tu disco compacto nuevo
7. viajar a Bolivia el verano próximo
8. asistir al concierto el sábado próximo

LECTURA CULTURAL

Reading Strategies

- Using the title and the photos to predict content
- Scanning for specific information

Antes de leer

1. Mira el título de la lectura y las reproducciones que aparecen a continuación. ¿Conoces a esta artista?

2. ¿Qué animales aparecen en la pintura?

Frida Kahlo

Frida Kahlo nació en el mismo año en que se inició la Revolución Mexicana: 1910. Más que ningún otro artista mexicano, ella combina el pasado precolombino, la imaginería católica del período colonial, las artes populares de México y la vanguardia europea. Con colores sumamente brillantes **dejó constancia** de su dolor físico, su **muerte cercana** y su tempestuoso matrimonio con Diego Rivera.

En 1951 Frida le dijo a una periodista, "He sufrido dos accidentes graves en mi vida. En uno, **un tranvía me atropelló** cuando yo tenía dieciséis años: fractura de columna, veinte años de inmovilidad… El otro accidente es Diego…" El primer accidente ocurrió el 17 de septiembre de 1925, cuando Frida era estudiante y se preparaba para **ingresar** en la escuela de medicina. El autobús en que ella viajaba **chocó con** un tranvía. Se fracturó la columna en dos lugares, la pelvis en tres y además la pierna derecha.

dejó constancia *she left evidence*   **muerte cercana** *rapidly approaching death*   **un tranvía me atropelló** *a streetcar hit me*   **ingresar** *to enroll*   **chocó con** *crashed into*

Frida Kahlo, "Autorretrato con perro ixcuincle y sol"

El segundo accidente fue su matrimonio con el famoso muralista mexicano Diego Rivera. A los trece años, Frida vio a Rivera, gordo y feo, por primera vez. Se enamoró de él y les confesó a sus amigas que se iba a casar con él. Frida y Diego se casaron el 23 de agosto de 1929. Ella tenía diecinueve años y él, establecido como el pintor más importante de México, tenía cuarenta y tres.

Muchas de las pinturas de Frida son **autorretratos,** y entre 1937 y 1945 se pintó varias veces con **monos** u otros animales. Por ejemplo, en su "Autorretrato con perro ixcuincle y sol", incluye un tipo de perro precolombino casi extinto **en la actualidad,** llamado "ixcuincle". En tiempos precolombinos el ixcuincle **se sepultaba** con su **amo** para que el muerto disfrutara de su compañía juguetona y su cariño en la otra vida. En este autorretrato tal vez Kahlo esté usando el perrito para anunciar su muerte. En su "Autorretrato como tehuana", 1943, lleva el vestido tradicional de una india tehuana y en la frente tiene un retrato de Diego.

Para principios de la década de los años cincuenta la salud de Frida se había deteriorado mucho. El 13 de julio de 1954 murió en su casa en Coyoacán, en la Ciudad de México, donde nació, vivió con Diego Rivera y pintó muchas de sus obras. La casa, que ahora es el Museo Frida Kahlo, contiene muchos recuerdos suyos y su colección de arte.

Frida Kahlo, "Autorretrato con changuito y loro", 1942

autorretratos *self portraits*   monos *monkeys*   en la actualidad *presently* se sepultaba *was buried*   amo *master*

1. Lee la lectura rápidamente. Busca todas las fechas que aparecen y escríbelas en una hoja de papel.
2. Ahora escribe lo que aconteció *(happened)* en cada fecha.
3. Lee la lectura otra vez y completa las actividades de comprensión.

Comprensión

I. **Cognado, contexto o diccionario** Busca en la lectura de las páginas 185 a 186 las palabras que aparecen en el diagrama que sigue. Trata de adivinar el significado de las siguientes palabras. Indica con una palomita (✔) si la palabra es un cognado, si la adivinaste por medio del contexto o si tuviste que buscar la palabra en el diccionario. Marca tus respuestas en la hoja reproducible. Si tuviste que buscar la palabra en el diccionario, indica la forma de la palabra que aparece en el diccionario y el significado que encontraste allí.

	Cognado	Contexto	Forma en el diccionario	Significado en el diccionario
imaginería				
vanguardia				
columna				
enamorarse				
casarse				
autorretratos				
disfrutar				
juguetona				
cariño				
tradicional				
recuerdos				

J. El orden cronológico
Organiza las siguientes oraciones en orden cronológico. Busca las fechas en el texto para justificar tus respuestas.

1. Se casó con Diego Rivera.
2. Fue atropellada por un tranvía.
3. Pintó "Autorretrato con changuito".
4. Nació.
5. Murió en la ciudad de México.

K. Frida Kahlo
Responde a las siguientes preguntas en español.

1. ¿Cuándo nació Frida Kahlo?
2. ¿Qué elementos combina en su arte?
3. ¿Cuáles fueron sus dos accidentes?
4. ¿Qué le pasó en el primer accidente?
5. ¿Qué diferencia de edad había entre Frida y Diego?
6. ¿Qué pintó Frida entre 1937 y 1945?
7. ¿Qué es un ixcuincle?
8. ¿Qué significado tiene el perrito en el "Autorretrato con perro ixcuincle y sol" de Frida?
9. ¿Cuántos años tenía Frida cuando murió?
10. ¿Dónde está el Museo Frida Kahlo?

¡ADELANTE!

Lo que mi mamá quiere Pregúntale a un(a) compañero(a) lo que no le gusta hacer que su mamá quiere que haga. Identifica tres actividades diferentes preguntando sobre diferentes días o aspectos del día (mañana, noche, antes de la escuela, después de la escuela, el sábado, etc.). Sigan el modelo.

MODELO
Tú: *¿Qué te gusta hacer por la noche?*
Compañero(a): *Me gusta mirar la televisión, pero mi mamá quiere que yo estudie.*

Es necesario que mi compañero(a)... Specify a goal for one of your classmates, such as improving his (her) grades during this grading period or becoming more athletic. Write a series of sentences that reflect at least six things your friend must do in order to accomplish the goal. Use **Es necesario que** to begin your statements.

La obra de Frida Kahlo Escoge uno de los cuadros de
Frida Kahlo que aparece en esta etapa y descríbelo. Trabaja con
un(a) compañero(a).

SEGUNDA ETAPA

Learning Strategy

• Brainstorming

Preparación

• ¿Qué sabes del arte del siglo XX?

• ¿Quiénes son algunos de los pintores más importantes?

• ¿Has visto una obra cubista? ¿Y una surrealista?

Tres pintores españoles del siglo XX: Picasso, Miró, Dalí

Estos importantes pintores emplearon algunos de los principales estilos artísticos del siglo: el cubismo, el arte abstracto y el surrealismo.

Pablo Picasso, "Tres músicos"(detail)

Pablo Picasso, "Familia de saltimbanquis", 1905

Picasso

Probablemente el artista español más universal es Pablo Picasso. Su obra dejó una profunda **huella** en la pintura moderna. Nació en Málaga el 15 de octubre de 1881. Su padre, pintor y profesional del dibujo, lo inició en el arte pictórico. Picasso demostró muy pronto una aptitud extraordinaria para la pintura y fue admitido, cuando sólo tenía 14 años, a la Escuela de Bellas Artes en Barcelona. Desde 1900 hizo varios viajes a Madrid y París, donde finalmente estableció su **taller**.

Entre 1900 y 1906 Picasso pasó por sus períodos azul y rosa. Estas dos épocas se llaman así por las tonalidades predominantes en las obras que pintó durante esos años. Más tarde, junto con Georges Braque, creó el estilo que hoy se conoce como el "cubismo". Este movimiento artístico se caracteriza por el uso o predominio de formas geométricas. Picasso es una de las figuras más representativas de este movimiento artístico. También hizo unas excursiones esporádicas en el **ámbito** de la escultura. Dos de estas obras son "La cabra", que está en el Museo de Arte Moderno en Nueva York, y una escultura gigantesca de metal que se encuentra en la ciudad de Chicago. Picasso murió en la Riviera francesa el 8 de abril de 1973.

huella *mark, imprint*　**taller** *studio, workshop*　**ámbito** *field*

Joan Miró,
"Mujer y
pájaro por
la noche",
1945

Miró

Joan Miró nació el 20 de abril de 1893 en Barcelona.
Desde 1948 dividió su tiempo entre España y París. En
esta época el pintor comenzó una serie de obras de
intenso contenido poético cuyos símbolos estaban basa-
dos en el tema de la mujer, el pájaro y la **estrella**. En las
obras de Miró podemos ver un juego de colores brillantes,
contrastes fuertes y líneas que sólo sugieren imágenes.
Su abundante obra representa la búsqueda de un
lenguaje artístico abstracto, con el que **intentaba
plasmar** la naturaleza tal como la **vería** un
hombre primitivo o un niño. Su obra
desemboca en un surrealismo mágico,
rico en color. Miró murió el 25 de
diciembre de 1983 en Mallorca, una
isla española en el Mediterráneo.

estrella *star*   **intentaba plasmar** *he tried to show, to represent*   **vería** *would see*   **desemboca** *meets, joins with*

Dalí

Salvador Dalí nació en Figueras el 11 de mayo de 1904. Pronto mostró habilidades para el dibujo, y su padre lo envió a Madrid a estudiar en la Escuela de Bellas Artes de San Fernando. En 1928, impulsado por el pintor Joan Miró, **se mudó** a París y se adhirió al movimiento surrealista. En estos años colaboró con Luis Buñuel en dos célebres películas, *Un chien andalou (Un perro andaluz)* y *L'Age d'or (La edad de oro)*, y pintó algunas de sus mejores obras, "La persistencia de la memoria" y "El descubrimiento de América". Su exposición en 1933 lo **lanzó** a la fama internacional y comenzó a llevar una vida llena de excentricidades. Esta actitud, considerada por algunos como una forma de comercializar sus obras, y su falta de postura política, causaron su expulsión del grupo surrealista. Murió en Barcelona el 23 de enero de 1989.

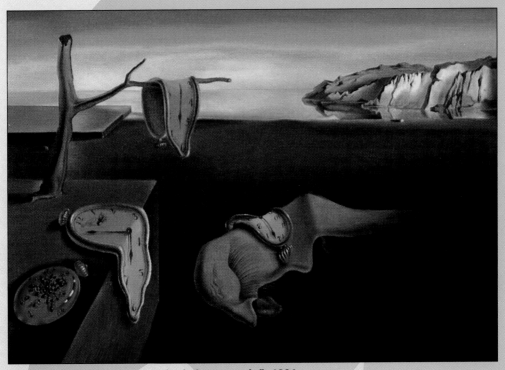

Salvador Dalí, "La persistencia de la memoria", 1931

se mudó *he moved*   **lanzó** *launched*

Comprensión

A. Estudio de palabras Trata de adivinar el significado de algunas palabras de la lectura sobre los tres artistas españoles del siglo XX. Indica que palabra(s) en inglés de la lista de la derecha corresponde(n) a la(s) palabra(s) en español de la lista de la izquierda.

1. tonalidades	a. *suggest*
2. predominio	b. *tones*
3. esporádicas	c. *encouraged*
4. sugieren	d. *predominance*
5. búsqueda	e. *attitude*
6. impulsado	f. *eccentricities*
7. se adhirió a	g. *intermittent, sporadic*
8. excentricidades	h. *joined*
9. actitud	i. *political position*
10. postura política	j. *search*

B. ¿Picasso, Miró o Dalí? Indica si las siguientes oraciones se refieren a Picasso, Dalí o Miró.

1. Nació en Barcelona.
2. Nació en Málaga.
3. Murió en Barcelona.
4. Murió en Mallorca.
5. Fue surrealista.
6. Fue escultor.
7. Sus temas incluyen pájaros y estrellas.
8. Fue cubista.
9. Trabajó en dos películas.
10. Tiene una escultura en Chicago.

C. Sobre los artistas Responde a las siguientes preguntas en español.

1. ¿Cuál de los tres artistas fue el mayor?
2. ¿Cuál de los tres artistas fue el menor?
3. ¿En qué orden murieron?
4. ¿Quién fue Georges Braque?
5. ¿Qué es el cubismo?
6. ¿Qué trataba de mostrar Miró en su arte?
7. ¿Por qué se mudó Dalí a París?
8. ¿Quién fue Luis Buñuel?
9. ¿Cómo era la vida de Dalí después de volverse famoso?
10. ¿Por qué expulsaron los surrealistas a Dalí de su grupo?

D. El arte español del siglo XX Usa la información de la lectura para escribir un informe breve sobre uno de estos tres artistas españoles del siglo XX. Escoge una de las pinturas que aparecen en las páginas 190 a 193 y descríbela brevemente en tu informe.

E. Quiero que tú... Dile a un(a) compañero(a) lo que quieres que haga y no haga. Forma frases que empiecen con **Quiero que tú...**. Emplea los verbos que siguen. Sigue el modelo.

> **MODELO** estudiar
> *Quiero que tú estudies tres horas.* o:
> *Quiero que tú estudies en la biblioteca.*

1. aprender a...
2. cenar con...
3. mirar ... en la televisión
4. escuchar...
5. asistir al concierto de...
6. compartir el libro con...

F. Es necesario Ahora, dile lo que es necesario que haga. Forma frases que empiecen con **Es necesario que...** Emplea los verbos que siguen.

1. llamar a... por teléfono
2. caminar a...
3. regresar a... a las...
4. discutir el problema con...
5. leer...
6. comprar...

ESTRUCTURA

The subjunctive of stem-changing verbs

1. Verbs that change **e** to **ie**: In the subjunctive, the **e** in these verbs changes to **ie** in all forms except **nosotros** and **vosotros**.

Verb	Yo form	Subjunctive
entender	entiendo	**entienda, entiendas, entienda, entendamos, entendáis, entiendan**
pensar	pienso	**piense, pienses, piense, pensemos, penséis, piensen**
perder	pierdo	**pierda, pierdas, pierda, perdamos, perdáis, pierdan**
querer	quiero	**quiera, quieras, quiera, queramos, queráis, quieran**

ESTRUCTURA (continued)

2. Verbs that change **o** to **ue**: In the subjunctive, the **o** in the verbs changes to **ue** in all forms except **nosotros** and **vosotros**.

Verb	Yo form	Subjunctive
encontrar	encuentro	**encuentre, encuentres, encuentre, encontremos, encontréis, encuentren**
poder	puedo	**pueda, puedas, pueda, podamos, podáis, puedan**
volver	vuelvo	**vuelva, vuelvas, vuelva, volvamos, volváis, vuelvan**

The **o** of **dormir** changes to **ue** in all forms except in the **nosotros** and **vosotros** forms, where the **o** changes to **u**.

Verb	Yo form	Subjunctive
dormir	duermo	**duerma, duermas, duerma, durmamos, durmáis, duerman**

3. Verbs that change **e** to **i**: In the subjunctive, the **e** in the verbs changes to **i** for these verbs in all forms.

Verb	Yo form	Subjunctive
pedir	pido	**pida, pidas, pida, pidamos, pidáis, pidan**
repetir	repito	**repita, repitas, repita, repitamos, repitáis, repitan**
seguir	sigo	**siga, sigas, siga, sigamos, sigáis, sigan**

Aquí practicamos

G. Es necesario Sustituye las palabras en cursiva con las palabras que están entre paréntesis y haz los cambios que sean necesarios.

1. Es necesario que *tú* hagas la tarea. (yo / ella / nosotros / Uds. / él)

2. El profesor quiere que *yo* traiga el libro a la clase. (tú / Bárbara / Uds. / él / nosotros)

3. Es necesario que *yo* piense antes de hablar. (Julián / nosotros / Uds. / tú / el niño)

4. Ojalá que *nosotras* no tengamos tarea esta noche. (Uds. / tú / él / ellas / Ud.)

H. El profesor quiere... Di lo que el profesor de español quiere que hagan tú y tus compañeros(as) de clase. Construye frases según el modelo.

Yo repito la respuesta.
El profesor quiere que yo repita la respuesta.

1. Tú haces la tarea.

2. Ella trae su libro a clase.

3. Juan no duerme durante la clase.

4. Nosotros salimos después de la clase.

5. Sara encuentra su tarea.

6. Tú piensas antes de hablar.

I. Es necesario Dales consejos a tus compañeros(as) de clase. Empieza tus consejos con **Es necesario que...** Sigue el modelo.

MODELO Tú repites la respuesta.
Es necesario que tú repitas la respuesta.

1. Él dice la verdad.

2. Ellos vienen a clase temprano.

3. Tú no pierdes tus libros.

4. Ella entiende las instrucciones del profesor.

5. Nosotros dormimos ocho horas cada noche.

6. Yo vuelvo a casa temprano hoy.

NOTA GRAMATICAL

Irregular verbs in the subjunctive

The following six verbs do not form the subjunctive based on the **yo** form of the present indicative tense.

dar	dé, des, dé, demos, deis, den
estar	esté, estés, esté, estemos, estéis, estén
haber	haya, hayas, haya, hayamos, hayáis, hayan
ir	vaya, vayas, vaya, vayamos, vayáis, vayan
saber	sepa, sepas, sepa, sepamos, sepáis, sepan
ser	sea, seas, sea, seamos, seáis, sean

Aquí practicamos

J. ¿Qué quieren? Sustituye las palabras en cursiva con las palabras que están entre paréntesis y haz los cambios que sean necesarios.

1. El profesor quiere que *yo* sepa las respuestas a los ejercicios. (tú / nosotros / ellos / Juan / Ud.)

2. Mi mamá quiere que *yo* vaya con ella al cine. (mi papá / mis hermanos / tú / Uds. / Ud.)

3. Jaime quiere que *nosotros* demos un paseo por el parque con él. (yo / Uds. / ella / tú / Ud.)

4. Es necesario que *tú* estés aquí. (nosotras / él / Marta / Uds. / yo)

5. Es necesario que *yo* sea más responsable. (tú / mi hermano / Javier / nosotros / Ud.)

K. No quiere Un(a) compañero(a) indica que otra(s) persona(s) no quiere(n) hacer algo, pero tú respondes que es necesario que lo haga(n). Sigue el modelo.

> **MODELO**   Miguel no quiere ser más atlético.
> *Es necesario que Miguel sea más atlético.*

1. Javier no quiere estar aquí mañana.
2. Lilia no quiere dar un paseo ahora.
3. Nosotros no queremos saber si hay un examen mañana.
4. Tú no quieres ir a la biblioteca.
5. Francisco y Ramón no quieren ser más responsables.
6. Yo no quiero saber si vas o no vas.
7. Uds. no quieren estar en la clase mañana.
8. Paula y Raúl no quieren ir a la escuela.

Reading Strategies

• Using the title and the photos to predict content

• Scanning for specific information

LECTURA CULTURAL

Antes de leer

1. Mira el título de la lectura y la pintura que aparece en la página siguiente. ¿Conoces esta pintura?

2. ¿Qué ves en la pintura?

Guernica

Una de las pinturas más famosas del arte moderno es "Guernica", que fue pintada por Pablo Picasso para el pabellón español de la Exposición Internacional de París en 1937. El tema de esta pintura, que mide 7,82 por 3,50 metros, es la representación simbólica de las trágicas consecuencias del bombardeo de Guernica, una ciudad en el norte de España.

El bombardeo ocurrió durante la guerra civil española, que duró desde 1936 hasta 1939. Los dos grupos que **lucharon** en esta guerra fueron los republicanos y los nacionales, que estaban bajo el mando de Francisco Franco. Cuando la violencia de la guerra aumentó, Alemania e Italia, que estaban gobernadas por Hitler y Mussolini, ayudaron a los nacionales con tropas y con armas nuevas que querían probar. Una de las técnicas nuevas que probaron fue el uso del avión para el bombardeo. En estos bombardeos se usó el avión por primera vez para atacar a una población civil **indefensa**. Como protesta contra la masacre y para honrar a las miles de víctimas inocentes, Picasso pintó esta famosa pintura. La pintura se exhibió en el Museo de Arte Moderno en Nueva York por muchos años y en 1981 fue enviada a España, donde fue instalada en el Casón del Buen Retiro, un anexo del Museo del Prado. En 1992 se trasladó esta pintura al Museo Reina Sofía, un museo de arte moderno donde se exhiben obras de artistas españoles del siglo XX.

Podemos interpretar la pintura de muchas maneras, pero lo más importante es que Picasso nos muestra la agonía y el terror que la guerra puede causar para los inocentes —niños, mujeres y animales. Por ejemplo, a la izquierda notamos la expresión en la cara de la mujer cuyo niño ha muerto a causa del bombardeo. A la derecha nos podemos **fijar en** la expresión de horror en la cara de la mujer cuya casa está **ardiendo**. Observen también el cuerpo mutilado del **soldado**. Y finalmente miren la expresión del **caballo** en el centro de la pintura, que simboliza los animales inocentes que siempre han sufrido a causa de los **seres humanos**.

lucharon *fought*   **indefensa** *defenseless*   **fijar en** *notice*   **ardiendo** *burning*   **soldado** *soldier*
caballo *horse*   **seres humanos** *human beings*

Guía para la lectura

1. Lee la lectura rápidamente. Busca todos los nombres de personas que aparecen en la lectura y escríbelos en una hoja de papel. ¿Qué importancia tienen?

2. Lee la lectura otra vez. Busca todos los nombres de lugares que aparecen en la lectura y escríbelos en la misma hoja de papel. ¿Qué importancia tienen?

3. Lee el último párrafo y con un(a) compañero(a) busca en la pintura lo que se describe en ese párrafo de la lectura.

Comprensión

L. Cognados Encuentra en la lista de la derecha el cognado inglés que corresponde a la palabra en español de la lista de la izquierda.

1. pabellón	a. *mutilated*
2. bombardeo	b. *arms*
3. tropas	c. *pavilion*
4. armas	d. *agony*
5. masacre	e. *troops*
6. agonía	f. *massacre*
7. mutilado	g. *bombing*

M. Usar el diccionario Escoge la definición que mejor corresponde a cada una de las siguientes palabras. Básate en el contexto en que se usa la palabra en la lectura sobre "Guernica".

1. durar
   a. *v* 1. to be able to 2. can *(+ infinitive) nm* 1. power 2. authority

2. aumentar
   b. *v* 1. to prove 2. to establish 3. to try out 4. to try on

3. poder
   c. *v* 1. to survive 2. to last 3. to endure 4. to wear well

4. mando
   d. *v* 1. to add to 2. to increase 3. to magnify 4. to enlarge 5. to step up

5. probar
   e. *nm* 1. command 2. control

N. Verdadero o falso

Indica si las siguientes oraciones son verdaderas o falsas. Si la oración es falsa, explica por qué.

1. Picasso pintó "Guernica" en 1981.
2. Hitler y Mussolini ayudaron a los republicanos.
3. Guernica es una ciudad en el sur de España.
4. La guerra civil española duró desde 1936 hasta 1939.
5. No hay animales en la pintura.

O. Hablemos de "Guernica"

Responde a las siguientes preguntas en español.

1. ¿Dónde se exhibió "Guernica" por primera vez?
2. ¿Es "Guernica" un cuadro grande o pequeño?
3. ¿Quién fue Francisco Franco?
4. ¿Qué puedes comentar sobre la mujer en la parte izquierda de la pintura?
5. ¿Qué puedes comentar sobre la mujer en la parte derecha de la pintura?
6. ¿Por qué pintó Picasso "Guernica"?

¡ADELANTE!

 ¿Qué quiere el (la) profesor(a)? Repasa los verbos en las páginas 195 y 196. Después haz comentarios sobre lo que el (la) profesor(a) quiere que hagan varios compañeros(as) de clase.

 Es necesario Repasa los verbos en las páginas 195, 196 y 197. Escribe una lista de por lo menos diez recomendaciones donde digas lo que es necesario que haga o no haga un(a) buen(a) estudiante.

 Describamos la pintura Con un(a) compañero(a), describe una de las pinturas que aparece en las páginas de este capítulo.

VOCABULARIO

Temas y contextos	Vocabulario general

Para hablar del arte

Sustantivos

el (la) artista
el autorretrato
el color
el cubismo
el dibujo
la imagen
la imaginería
el mural
el muralismo
la obra
la pintura
el surrealismo
el taller
el tema
la tonalidad

Verbos

dibujar
exponer
sugerir

Otras palabras y expresiones

es necesario que
la muerte
ojalá que

CAPÍTULO 8

El arte popular

El arte popular de América Latina es muy diverso y muy famoso.

Objectives

- talking about art
- expressing what you and other people want, wish, or hope others will do

PRIMERA ETAPA

Preparación

- ¿Has ido a un festival de arte popular?

- ¿Dónde?

- ¿Qué tipos de objetos artísticos hay allí? ¿Cerámica? ¿Tejidos *(weavings)*?

Las molas de los indios cunas

Las **molas** son una expresión artesanal de los indios cunas de Panamá.

molas *appliquéd designs in fabric*

Cerca de la costa **oriental** de Panamá hay más de 300 islas **idílicas** de las cuales sólo 50 están habitadas por los indios cunas. En las otras sólo se ven playas desiertas de arena fina y agua transparente, donde los peces nadan por entre los **arrecifes** coralinos. Desde que Cristóbal Colón navegó por la costa de Panamá en 1502, en su cuarto viaje, los indios cunas se relacionan con el mundo exterior. La cuestión es: ¿Cómo mantienen los cunas sus tradiciones, si **se tiene en cuenta** que prácticamente todas las tribus de indios americanos que tenían algo que los europeos deseaban (tierras, artesanías, etc.) sucumbieron ante las influencias extranjeras?

Una mujer cuna cosiendo molas

Los cunas **poseen** todos estos atractivos. No sólo son las islas donde viven bellísimas, **sino que** los propios indios son atractivos en su físico y en su manera de ser. Es gente amable y es raro que **levanten la voz**. Lo que más se oye en las **aldeas** de esta tribu es la **risa** de los niños. Las mujeres **deslumbran** a los occidentales al ser **muestrarios** de **rasgos** culturales considerados exóticos como **narigueras**, pectorales de oro, inmensos **pendientes** que se mueven, y **desde luego**, las blusas hechas con molas —un gran ejemplo de artesanía en el mundo hispánico.

Si las mujeres son las **embajadoras** de los cunas ante el mundo, las molas son su estandarte. Las tiendas de regalos de las grandes ciudades como Nueva York, Boston, San Francisco, Tel Aviv y Tokio tienen a la venta estos rectángulos de vivos colores, hechos de **telas** superpuestas con incrustaciones que forman diseños geométricos o de flora y fauna reales o de la mitología. Al andar por una aldea a cualquier hora del día se ve a las mujeres **coser**, moviendo las manos con gran rapidez.

Las molas son una innovación relativamente reciente, pues **surgieron** en la segunda mitad del siglo XIX como sustituto de la pintura del cuerpo. Tradicionalmente las mujeres se pintaban el cuerpo con dibujos complicados y cuidadosos, pero el cristianismo y el comercio no eran compatibles con la desnudez del torso. Para adaptarse a la situación, las mujeres **traspasaron** los colores y los dibujos del cuerpo a las telas con las que se hicieron blusas y entraron en la "civilización moderna" llevando molas. La variedad de molas es **sorprendente** y revela una diversidad impresionante de formas y temas. Entre los numerosos motivos de la flora y la fauna figuran los pajaritos y las flores. Los dibujos abstractos son **semejantes** a las formas geométricas que **solían** verse en las primeras molas.

oriental *eastern* idílicas *idyllic* arrecifes *reefs* se tiene en cuenta *one realizes, takes into account* poseen *possess*
sino que *but also* levanten la voz *they raise their voices* aldeas *villages* risa *laughter* deslumbran *dazzle*
muestrarios *examples* rasgos *characteristics* narigueras *nose rings* pendientes *earrings* desde luego *of course*
embajadoras *ambassadors* telas *fabrics* coser *sewing* surgieron *appeared* traspasaron *transferred, transposed*
sorprendente *surprising* semejantes *similar* solían *one tended*

Comprensión

A. Estudio de palabras Trata de adivinar el significado de algunas palabras de la lectura sobre las molas de los indios cunas. Indica qué palabra(s) en inglés de la lista de la derecha corresponde(n) a la(s) palabra(s) en español de la lista de la izquierda.

1. habitadas	a. *behavior, way of being*
2. arena fina	b. *breastplates*
3. coralinos	c. *banner; standard*
4. tribu	d. *placed on top of*
5. artesanía	e. *sell*
6. sucumbieron	f. *nudity*
7. manera de ser	g. *kind, amiable*
8. amable	h. *careful, meticulous*
9. pectorales	i. *similar*
10. estandarte	j. *coral*
11. tienen a la venta	k. *fine sand*
12. superpuestas	l. *inhabited*
13. cuidadosos	m. *gave into, succumbed*
14. desnudez	n. *crafts*
15. semejantes	o. *tribe*

B. ¿Aparece o no aparece en la lectura? Lee la lectura sobre los indios cunas e indica si los siguientes lugares, nombres o temas se mencionan. Si se mencionan, indica en qué párrafo se encuentran.

1. pájaros y flores
2. Nueva York y Boston
3. rasgos exóticos
4. Francisco Pizarro
5. Nicaragua
6. el siglo XX
7. gente desagradable
8. islas

C. Más sobre las molas y los indios cunas Responde a las siguientes preguntas en español.

1. ¿Cuántas de las islas panameñas están habitadas por los indios cunas?
2. ¿Cuándo pasó Colón por la costa de Panamá?
3. Haz una lista de las características de los indios cunas.
4. ¿Cuáles son algunos de los adornos que llevan las mujeres cunas?
5. ¿Dónde se pueden comprar molas?
6. ¿Qué diseños caracterizan las molas?
7. ¿Cuál es el origen de la mola?
8. ¿Qué plantas y animales se encuentran frecuentemente representados en las molas?

D. Las molas Usa la información de la lectura para escribir un informe breve sobre la evolución de las molas de los indios cunas.

Mujeres cunas vestidas de molas tradicionales

Repaso ⟳

E. Ojalá que... Habla con un(a) compañero(a) sobre el fin de semana. Comienza tus comentarios con la expresión **Ojalá que...** Emplea los verbos y expresiones que siguen. Sigue el modelo.

> **MODELO**   despertarse temprano
> *Ojalá que me despierte temprano.*

1. hacer la tarea
2. tener tiempo para mirar la televisión el viernes por la noche
3. ir con mis amigos al centro el sábado
4. no perder nuestro equipo de...
5. poder ir a la fiesta el sábado por la noche
6. mi amigo(a) traer... a la fiesta

F. Es necesario que los estudiantes... Tú eres el (la) nuevo(a) profesor(a) de español y te toca hacer las reglas. Forma frases que empiecen con la expresión **Es necesario que los estudiantes...** Emplea los verbos que siguen.

1. decir
2. salir
3. venir
4. entender
5. dormir
6. pedir

ESTRUCTURA

The subjunctive of reflexive verbs

Es necesario que yo me
    levante temprano.
Mi mamá quiere que yo me
    acueste temprano.

It is necessary that I get up early.

My mother wants me to go to bed early.

1. Reflexive verbs form the subjunctive in the same way as nonreflexive verbs. The reflexive pronoun is in the same position in the subjunctive mood as in its other uses.

2. Here are some of the most common reflexive verbs you have already learned:

acostarse (ue)	llamarse
afeitarse	maquillarse
bañarse	moverse (ue)
dormirse (ue, u)	peinarse
ducharse	ponerse
encargarse	quedarse
encontrarse con (ue)	quitarse
lavarse	sentarse (ie)
lavarse los dientes	servirse (i)
levantarse	vestirse (i)

Aquí practicamos

G. ¿Qué quieren? Sustituye las palabras en cursiva con las palabras que están entre paréntesis y haz los cambios que sean necesarios en la oración.

1. Quiero que *tú* te levantes más temprano. (ella / Uds. / Ramón / ellas / Ud.)

2. La profesora quiere que *Juanito* se siente ahora mismo. (tú / Marisa / Uds. / nosotros / ellos)

3. Mi papá quiere que *yo* me acueste a las 10:00 cada noche. (mi hermano / nosotros / mis primas / ellas / mi hermana)

4. Es necesario que *él* se ponga el abrigo. (yo / tú / nosotras / Uds. / ellos)

5. Es necesario que *ella* se vista con más elegancia. (yo / nosotros / Uds. / Alberto / tú)

6. Es necesario que *yo* me quede en casa el viernes por la noche. (ellas / Catarina / tú / nosotras / Uds.)

H. Mi mamá quiere que... Tú le estás contando a un(a) compañero(a) lo que tu mamá quiere que hagan los miembros de tu familia. Sigue el modelo.

> **MODELO** Nosotros nos bañamos todos los días.
> *Mi mamá quiere que nosotros nos bañemos todos los días.*

1. Yo me acuesto a las 10:30 cada noche.
2. Mi hermano se levanta a las 6:30 todos los días.
3. Nosotros nos duchamos a las 7:00.
4. Mi hermana no se maquilla todos los días.
5. Mi hermano se afeita antes de ducharse.
6. Nosotros nos vestimos antes de bajar al comedor.
7. Mi hermanito se peina con más cuidado.
8. Mi papá nos sirve el desayuno a las 7:30.
9. Nosotros nos lavamos los dientes después de comer.
10. Yo me pongo un suéter antes de salir de casa.

I. Es necesario... Ordena las siguientes actividades cronológicamente. Usa las expresiones **primero, entonces** y **finalmente** para establecer el orden. Sigue el modelo.

> **MODELO** vestirse, levantarse, ducharse
> *Primero es necesario que te levantes.*
> *Entonces es necesario que te duches.*
> *Finalmente es necesario que te vistas.*

1. acostarse, dormirse, bañarse
2. ponerse la ropa, bañarse, despertarse
3. maquillarse, peinarse, vestirse
4. encontrarse con amigos, llamarse por teléfono, sentarse en el café
5. quitarse la ropa, acostarse, ducharse

NOTA GRAMATICAL

The subjunctive of verbs that have spelling changes

Verbs that change z to c

comenzar	comienzo	comience, comiences, comience, comencemos, comencéis, comiencen
cruzar	cruzo	cruce, cruces, cruce, crucemos, crucéis, crucen
empezar	empiezo	empiece, empieces, empiece, empecemos, empecéis, empiecen

Verbs that change c to qu

buscar	busco	busque, busques, busque, busquemos, busquéis, busquen
practicar	practico	practique, practiques, practique, practiquemos, practiquéis, practiquen
roncar	ronco	ronque, ronques, ronque, ronquemos, ronquéis, ronquen
sacar	saco	saque, saques, saque, saquemos, saquéis, saquen
tocar	toco	toque, toques, toque, toquemos, toquéis, toquen

Verbs that change g to gu

jugar	juego	juegue, juegues, juegue, juguemos, juguéis, jueguen
llegar	llego	llegue, llegues, llegue, lleguemos, lleguéis, lleguen
pagar	pago	pague, pagues, pague, paguemos, paguéis, paguen

Aquí practicamos

J. Todos queremos Sustituye las palabras en cursiva con las palabras que están entre paréntesis y haz los cambios que sean necesarios en las oraciones.

1. Quiero que *tú* practiques el piano más. (ella / Uds. / Ramón / ellas / nosotras)

2. La profesora quiere que *Antonio* comience la lección ahora mismo. (tú / Marisa / Uds. / nosotros / ellos)

3. Mi papá no quiere que *yo* juegue al fútbol. (mi hermano / nosotros / Uds. / ellas / tú)

4. Es necesario que *él* empiece a estudiar ahora. (yo / tú / nosotros / Uds. / ellas)

5. Es necesario que *ella* saque la basura cada tarde. (yo / nosotras / Uds. / Alberto / tú)

6. Es necesario que *yo* llegue a clase a tiempo. (ellas / Mariela / tú / nosotros / Uds.)

K. Es necesario...

Tú quieres expresar lo que es necesario que hagan tú y tus compañeros. Forma frases según el modelo.

> **MODELO**   Yo saco la basura todos los días.
> *Es necesario que yo saque la basura todos los días.*

1. Yo practico el español.

2. Tú llegas temprano a la escuela.

3. Yo cruzo la calle con mi hermanito.

4. Ellas tocan el piano en la fiesta.

5. Sara empieza a estudiar a las 7:30.

6. Tú juegas al tenis cada fin de semana.

7. Nosotros pagamos la cuenta.

8. Yo busco las llaves antes de salir de casa.

LECTURA CULTURAL

Antes de leer

1. Mira el título de esta lectura y las fotos que siguen. ¿Qué objetos aparecen en las fotos?

2. ¿Hay alguna palabra en el título de la lectura que corresponde a estos objetos?

3. ¿Qué hace el señor en una de las fotos?

Reading Strategies

- Using the title and the photos to predict content
- Using context to guess meaning
- Scanning for specific information

Una carreta típica de Sarchí, Costa Rica

Un artesano pinta carretas en Sarchí, Costa Rica. Los colores que se usan para pintar las carretas son brillantes.

Las pintorescas carretas de Sarchí

Las carretas de Costa Rica, **policromas** como las **mariposas**, van pasando a la historia como símbolo de la nación y parte integral de su folklore. Costa Rica es un país **singular** de playas tropicales y grandes montañas. Colón descubrió la costa oriental de Costa Rica en 1502 y el nombre que le dio fue muy apropiado, pues esa tierra resultó ser sumamente "rica", no de la manera que pensaban los conquistadores **codiciosos**, sino porque atrajo a muchos colonizadores. Los colonizadores trajeron caballos y **vacas**. Eran personas trabajadoras que construyeron viviendas y **labraron** la tierra. La carreta de **bueyes** pronto llegó a ser el medio más práctico de transporte en esa tierra, donde llueve torrencialmente de mayo a octubre y donde la variación del terreno va desde la arena de las playas de ambas costas hasta las **llanuras** extensas, los valles amplios y los **precipicios** de la **escarpada** Cordillera Central.

Sarchí, que hoy día tiene casi 10.000 habitantes, está situado en un valle **hondo** y elevado entre montañas, por donde millares de **arroyuelos** bajan por **cauces pedregosos**. Allí **prosperó** la fabricación de carretas, porque había gran diversidad de **maderas duras** para hacerlas fuertes y hombres con habilidad para la pintura y espíritu creador. A principios de este siglo empezaron a pintar carretas con motivos geométricos en tres colores fundamentales: anaranjado rojizo, azul celeste y blanco.

policromas *multicolored* mariposas *butterflies* singular *unique* codiciosos *greedy* vacas *cows* labraron *worked, cultivated* bueyes *oxen* llanuras *plains* precipicios *peaks* escarpada *craggy* hondo *deep* arroyuelos *little streams* cauces pedregosos *rocky river beds* prosperó *prospered* maderas duras *hardwoods*

Cada año cuando termina la temporada de lluvias, sale el sol y se aclara el cielo. Florecen los **bosques** de orquídeas y **relucen** las carretas pintadas, verdaderas obras de arte popular. El 22 de septiembre de 1985 tuvo lugar la primera celebración nacional que **honra** a Sarchí como centro costarricense de artesanías, evento que se va a efectuar todos los años. Ese día **hubo** desfiles, fiestas y **se bendijeron** las carretas pintadas en los colores de siempre: anaranjado rojizo, azul celeste y blanco.

Guía para la lectura

1. Lee el artículo y busca el párrafo en que se menciona lo siguiente.

   a. una descripción de Sarchí

   b. la fecha de una celebración nacional

   c. datos históricos sobre Costa Rica

2. Lee el primer párrafo y responde a las siguientes preguntas.

   a. ¿Cómo se le dio el nombre a Costa Rica?

   b. ¿En qué año?

   c. ¿Por qué llegó a ser la carreta el medio de transporte ideal en Costa Rica?

3. Lee el segundo párrafo y responde a las siguientes preguntas.

   a. ¿Dónde está situado Sarchí?

   b. ¿Por qué son especiales las carretas de Sarchí?

   c. ¿Qué colores y diseños usa la gente para pintar las carretas?

4. Lee el último párrafo y responde a la siguiente pregunta: ¿Por qué el año 1985 es tan importante para la gente de Sarchí?

bosques *forests* **relucen** *shine* **honra** *honors* **hubo** *there were* **se bendijeron** *they blessed*

Comprensión

L. Cognado, contexto o diccionario Busca en la lectura las palabras que aparecen en el diagrama de tu hoja reproducible. Trata de adivinar el significado de las palabras de la lectura. En tu hoja reproducible, indica con una palomita (✔) si la palabra es un cognado, si la adivinaste por el contexto o si tuviste que buscarla en el diccionario. Si tuviste que buscar la palabra en el diccionario, indica en qué forma aparece y el significado que encontraste allí.

	Cognado	Contexto	Forma en el diccionario	Significado en el diccionario
atrajo				
trabajadoras				
viviendas				
terreno				
escarpada				
millares				
espíritu creador				
anaranjado rojizo				
azul celeste				
se aclara				
cielo				
florecen				
orquídeas				
se va a efectuar				

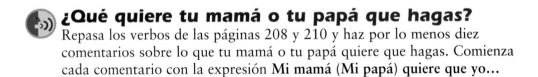

¡ADELANTE!

¿Qué quiere tu mamá o tu papá que hagas?

Repasa los verbos de las páginas 208 y 210 y haz por lo menos diez comentarios sobre lo que tu mamá o tu papá quiere que hagas. Comienza cada comentario con la expresión **Mi mamá (Mi papá) quiere que yo...**

¿Qué es necesario que haga por la mañana?

Repasa los verbos de las páginas 208 y 210 y escribe una lista de recomendaciones sobre lo que es necesario que hagas antes de ir a la escuela cada mañana.

Las molas
Escoge una de las molas que se muestran en las páginas 204 y 205 y escribe una descripción de ella. Trabaja con un(a) compañero(a).

SEGUNDA ETAPA

- ¿Has creado alguna vez una máscara o un disfraz? ¿Cuándo?

- En tu opinión, ¿para qué se usa una máscara?

- ¿Qué prefieres, comprar una máscara en una tienda o hacerla tú mismo(a)?

- ¿Tienes algún ejemplo de artesanía en tu casa? Descríbelo.

México y sus máscaras

Las máscaras nos dan detalles sobre los pueblos que las hicieron.

Miles de años antes de que vinieran los europeos, en muchas partes del Nuevo Mundo se hacían máscaras. Todavía se hacen y se usan en México. Las fascinantes máscaras son más que esculturas, símbolos de dioses y hombres, del bien y del mal, del peligro y del bienestar. Nos dan una clave para entender la vida interior de un pueblo.

dioses *gods* **peligro** *danger* **clave** *clue, key*

Antes de la conquista española, las máscaras eran una parte integral e íntima de la vida religiosa de la gente. Principalmente en las zonas rurales, esto sigue siendo cierto. Pero también se usan en los centros urbanos en la época de carnaval, durante la celebración del Día de los Difuntos, en las **peregrinaciones** y celebraciones importantes. En las pinturas murales y las esculturas en los sitios arqueológicos se pueden ver los festivales religiosos de los indios precolombinos, y a veces los hombres llevaban máscaras. Las excavaciones arqueológicas también han revelado bellas máscaras de **piedra** que se usaban en las antiguas ceremonias.

Las fiestas modernas también reflejan el aspecto teatral de las fiestas antiguas. Antes de la conquista **se creaban** escenas suntuosas y complejas como fondo para actores que **se disfrazaban** de pájaros y animales y llevaban máscaras apropiadas e imitaban los movimientos de éstos en las danzas. Entre los mayas, los comediantes **recorrían** las aldeas divirtiéndose y **recogiendo** regalos. Los **sacerdotes** mayas se vestían de dioses, se ponían máscaras y andaban por las calles pidiendo regalos. Las fiestas **actuales** se componen de una variedad de elementos importantes: música, danza, comida, trajes especiales y ceremonias religiosas relacionadas con la iglesia católica de la aldea donde las máscaras tienen un **sentido** mágico.

La mayoría de estos festivales son regionales, particularmente la danza del tigre y el baile de moros y cristianos. El baile de moros y cristianos tiene su origen en España y se introdujo en México a principios de la Conquista. Siempre representa una batalla en la que los cristianos combaten con un número mayor de moros y les ganan gracias a la intervención de **seres** sobrenaturales. En el baile puede haber **embajadores**, ángeles, santos, reyes, princesas y **diablos**, todos con su propia máscara.

Hay muchas variaciones de la danza del tigre, pero todas tienen un tema común: la **cacería**, captura y muerte de un tigre que está causando **daños** a la gente, las **cosechas** o los animales domésticos. Junto con los **cazadores** y el tigre, los otros personajes que forman parte del grupo son **venados**, perros, coyotes, **halcones**, **buitres**, **conejos** y otros animales. Los bailarines que representan a los animales y a los cazadores siempre llevan máscaras.

peregrinaciones *pilgrimages* piedra *stone* se creaban *they created* se disfraza-ban *disguised themselves* recorrían *toured* recogiendo *gathering* sacerdotes *priests* actuales *contemporary* sentido *meaning* seres *beings* embajadores *ambassadors* diablos *devils* cacería *hunt* daños *damage* cosechas *harvests* cazadores *hunters* venados *deer* halcones *falcons* buitres *vultures* conejos *rabbits*

Las máscaras mexicanas authénticas deben tener un lugar importante entre las máscaras famosas de las diferentes partes del mundo y, **sin duda**, las máscaras contemporáneas **sobresalen** por su variedad y cantidad. Dondequiera que hay danzas, **se halla** un aldeano que hace máscaras. Muchos de los bailarines **tallan** sus propias máscaras, un arte que a menudo se pasa de padres a hijos. Pero ya sean de metal, madera o papel, las máscaras mexicanas siempre son un producto original y espontáneo que **brota de** la ingeniosidad del artista popular mexicano.

sin duda *without a doubt*   **sobresalen** *stand out*   **se halla** *one finds*   **tallan** *carve*
brota de *springs from*

Comprensión

A. Cognados   Encuentra el cognado en inglés en la lista de la derecha que corresponde a la palabra en español en la lista de la izquierda.

1. máscara	a. *complex*
2. han revelado	b. *represent*
3. representan	c. *battle*
4. suntuosas	d. *mask*
5. complejas	e. *have revealed*
6. batalla	f. *sumptuous*

B. Estudio de palabras   A continuación vas a encontrar algunas palabras de la lectura sobre las máscaras mexicanas. Trata de adivinar el significado por medio del contexto en que se usa la palabra. Si es imposible, busca la palabra en el diccionario.

1. bienestar	5. aldeano
2. sobrenaturales	6. bailarines
3. reyes	7. a menudo
4. dondequiera	

C. ¿Aparece o no aparece en la lectura?   Lee la lectura sobre las máscaras mexicanas e indica si los siguientes temas se mencionan. Si se menciona el tema, indica en qué párrafo se encuentra.

1. lo que simbolizan las máscaras

2. el uso de máscaras en la ciudad

3. el uso de máscaras entre los indios precolombinos

4. alguna tribu específica de indios

5. descripciones de bailes específicos

6. los nombres de muchas plantas

7. el uso de máscaras en los EE.UU.

8. los materiales de los que se hacen las máscaras

9. las mujeres que hacen las máscaras

10. algunas ocasiones específicas cuando se usan las máscaras

D. Más sobre las máscaras mexicanas Responde a las siguientes preguntas en español.

1. ¿Desde cuándo se usan las máscaras en México?

2. Haz una lista de lo que pueden simbolizar las máscaras.

3. ¿Cómo sabemos que los indios precolombinos usaban máscaras?

4. ¿Cuál es el origen del baile de moros y cristianos?

5. Haz una lista de los animales que participan en la danza del tigre.

6. ¿Qué materiales se usan para hacer las máscaras hoy en día?

7. ¿Qué usaban los indios precolombinos para hacer máscaras?

E. Celebraciones mexicanas Usa la información de la lectura para escribir un informe breve sobre el uso de las máscaras en algunas celebraciones mexicanas.

Se vende un surtido de máscaras en este mercado.

F. Mis amigos quieren que yo... Tus amigos(as) te dan consejos sobre lo que ellos(as) quieren que hagas. Forma frases originales que empiecen con la expresión **Mis amigos(as) quieren que yo...** y emplea los verbos que siguen.

1. levantarse
2. acostarse
3. despertarse

4. vestirse
5. quedarse
6. encontrarse con

G. Yo quiero que tú... Imagina que tienes tres hijos y les dices lo que quieres que hagan. Emplea los siguientes verbos y expresiones: **levantarse, ducharse, peinarse, desayunarse, lavarse los dientes, ponerse el abrigo.**

H. Es necesario... Forma frases originales que empiecen con la expresión **Es necesario...** Emplea los verbos que siguen.

1. cruzar
2. empezar
3. sacar

4. practicar
5. pagar
6. llegar

ESTRUCTURA

The subjunctive for the indirect transfer of will

1. You have already learned several expressions that take the subjunctive (**querer que, es necesario que, ojalá que**). These expressions convey a feeling (a transferring of will) that influences the action of the verb in the **que** clause. (**Quiero que tú estudies.**) Because of the effect that these verbs and expressions have on the verb in the **que** clause, this verb must be in the subjunctive.

2. Here are some other verbs and expressions that convey a similar effect and trigger the use of the subjunctive in the **que** clause that follows.

esperar	*to hope*
preferir (ie, i)	*to prefer*
mandar	*to order*
insistir en	*to insist that*
prohibir	*to forbid, to prohibit*
es importante	*it is important*
es aconsejable	*it is advisable*

Aquí practicamos

I. Espero que... Sustituye las palabras que están en cursiva con las palabras entre paréntesis y haz los cambios que sean necesarios en las oraciones.

1. *Yo* espero que María practique el piano un poco más. (ella / Uds. / Ramón / ellas / tú)

2. *La profesora* prefiere que Alberto comience la lección ahora mismo. (tú / Elena / Uds. / nosotras / yo)

3. *Mi papá* prohíbe que mi tío fume en casa. (mi hermano / nosotros / Uds. / tú / yo)

4. *Ella* insiste en que Graciela estudie más. (mi papá / nosotros / ellas / tú / yo)

J. Es importante... Tú quieres expresar lo que es importante hacer. Forma frases según el modelo.

> **MODELO** Yo estudio cinco horas todos los días.
> *Es importante que yo estudie cinco horas todos los días.*

1. Yo no fumo.

2. Tú lees mucho.

3. Isabel se levanta temprano.

4. Nosotros no nos acostamos muy tarde.

5. Ellas hacen ejercicio para estar en forma.

6. Uds. hablan español en la clase.

K. Es aconsejable... Ahora quieres expresar lo que es aconsejable hacer. Forma frases según el modelo.

> **MODELO** Yo duermo ocho horas cada noche.
> *Es aconsejable que yo duerma ocho horas cada noche.*

1. Yo me lavo los dientes después de comer.

2. Tú lees dos horas cada día.

3. Ud. estudia cuatro horas cada noche.

4. Nosotros hacemos ejercicios todas las tardes después de la escuela.

5. Mis hermanos se levantan temprano los sábados.

6. Uds. se acuestan temprano antes de un examen.

L. Prefiero / Espero / Es importante o aconsejable que... Usa las expresiones de la página 219 y haz comentarios sobre lo que prefieres, lo que esperas, o lo que es importante o aconsejable que tus amigos hagan cuando están de vacaciones.

Antes de leer

1. Mira el título de esta lectura y las fotos la acompañan. ¿Qué palabras reconoces en el título?

2. ¿Qué crees que representan las figuras de las fotos? ¿Qué palabras indican lo que son estas figuras?

3. ¿Cuántas figuras aparecen? ¿Cómo se llaman?

Los santeros de Nuevo México

Durante los siglos XVIII y XIX las **aldeas** en lo que hoy es el norte de Nuevo México y el sur de Colorado estaban bastante aisladas del resto del mundo hispano. Los habitantes hispanos en esta parte de la Nueva España, como en el resto del mundo hispano, eran sumamente religiosos. A causa del **aislamiento** y la falta de atención que recibían de la Ciudad de México, que era la capital de la Nueva España, surgieron aquí varias tradiciones religiosas que son un poco diferentes de las del resto del mundo hispano. En las iglesias había una falta de objetos religiosos, así que la gente empezó a crear pinturas y esculturas de imágenes religiosas. A veces pintaban escenas religiosas en **trozos** de madera. También tallaban esculturas de los santos más importantes en madera. Las pinturas se conocen como "retablos" mientras que las esculturas se conocen como "bultos".

La tradición de tallar santos no sólo ocurrió en esta región, sino también en otras partes del mundo que colonizaron los españoles. Por ejemplo, en Puerto Rico y en las islas Filipinas también esculpían santos por las mismas razones que en Nuevo México. Los bultos pueden ser de dos clases. Una clase se pinta con colores llamativos mientras que la otra clase no se pinta. Tenemos con estas imágenes religiosas una impresionante muestra de arte popular.

En Nuevo México a mediados de este siglo casi murió esta tradición, pero recientemente ha ocurrido una especie de renacimiento. Algunas personas se han interesado en la historia y en las tradiciones hispanas y han resucitado esta forma de arte popular. Un buen ejemplo de esto es Eulogio Ortega y su esposa Zoraida Gutiérrez de Ortega que viven en Velarde, una aldea en las montañas del norte de Nuevo México. Ambos fueron **maestros** de escuela primaria en el norte de Nuevo México por más de cuarenta años. **Al jubilarse,** el Sr. Ortega empezó a tallar santos en madera. Como él no ve los colores muy bien, después de tallar un santo, la Sra. Gutiérrez de Ortega lo pinta. Juntos han contribuido al renacimiento de esta forma de arte popular en Nuevo México. Aparte del bulto de Santiago, las fotografías en estas páginas muestran algunos bultos que ha tallado el Sr. Ortega con una breve descripción para ayudarles a identificar algunos de los santos más populares en Nuevo México.

aldeas *villages* **aislamiento** *isolation* **trozos** *pieces* **maestros** *teachers* **Al jubilarse** *Upon retiring*

San Isidro Labrador

San Antonio
de Padua

San Isidro Labrador

Lleva un saco azul y pantalones negros, chaleco rojo y sombrero. Debe ser como se vestían los **labradores** en la época colonial en Nuevo México. Siempre aparece con uno o dos bueyes y un **arado** y a veces también aparece con un ángel. Es el santo patrón de Madrid y de los labradores de Nuevo México.

Santiago

Según las leyendas, Santiago, el santo patrón de España, aparecía durante las batallas entre moros y cristianos y **ayudaba** a los españoles a triunfar.

En el Nuevo Mundo se dice que apareció varias veces en batallas entre españoles e indios. Una de estas apariciones ocurrió en Nuevo México en 1599 cuando Santiago ayudó a Juan de Oñate y a sus soldados españoles mientras luchaban contra los indios en el pueblo de Acoma.

San Francisco de Asís

El fundador de la Orden de los Franciscanos, lleva su hábito azul de monje y siempre lleva barba. Generalmente lleva una cruz en la mano derecha y una **calavera** en la otra.

Nuestra Señora de Guadalupe

Siempre se representa como aparece en el **retrato** que está en la Basílica de Guadalupe en la Ciudad de México. Lleva un vestido rojo y una **manta** azul. A sus pies siempre hay un ángel y una **luna creciente**.

San Antonio de Padua

San Antonio es, después de San Francisco, el santo más popular para los franciscanos. Lleva su hábito azul de **monje** y nunca tiene barba. Frecuentemente lleva un libro y un niño.

Santiago

labradores *farmers* **arado** *plow* **ayudaba** *helped* **calavera** *skull* **retrato** *portrait*
manta *shawl* **luna creciente** *crescent moon* **monje** *monk*

San Rafael

Es el ángel que se le apareció a Tobías. San
Rafael le dijo a Tobías **que pescara** un pez, lo
quemara, y que le pusiera las **cenizas** en los ojos
a su padre, que era **ciego**. Según la leyenda, el
papá de Tobías recobró la vista a causa de esto.
San Rafael siempre se representa con un pescado.

que pescara *he should catch*   **quemara** *burn*   **cenizas** *ashes*   **ciego** *blind*

San Rafael

Guía para la lectura

1. Lee el artículo y busca el párrafo en que se
   menciona lo siguiente.

   a. el nombre de un santero en Nuevo México

   b. el nombre de dos estados

   c. otras regiones del mundo con la tradición de tallar santos

2. Lee el primer párrafo y di si las siguientes oraciones son verdaderas o
   falsas. Si son falsas, explica por qué.

   a. Los nuevo mexicanos no eran muy religiosos.

   b. Los retablos son diferentes de los bultos.

3. Lee el segundo párrafo y di si la siguiente oración es verdadera o falsa.
   Si es falsa, explica por qué.

   En América del Sur también se esculpían santos.

4. Lee el tercer párrafo y di si las siguientes oraciones son verdaderas o
   falsas. Si son falsas, explica por qué.

   a. En los años 50 casi murió esta tradición en Nuevo México.

   b. Eulogio Ortega y su esposa viven en una aldea en las montañas de
      las Filipinas.

5. Ahora lee las descripciones de los santos individuales y responde a las
   siguientes preguntas.

   a. ¿En qué es diferente San Antonio de San Francisco?

   b. ¿Quién es el santo más popular entre los franciscanos?

   c. ¿Dónde es San Isidro un santo importante?

   d. ¿Por qué es importante Santiago?

   e. ¿Qué milagro se asocia con San Rafael?

   f. ¿Cuál de los santos no es hombre?

Comprensión

M. Cognado, contexto o diccionario Busca en la lectura las palabras que aparecen en el diagrama de tu hoja reproducible. Trata de adivinar el significado de las siguientes palabras. En tu hoja reproducible, indica con una palomita (✓) si la palabra es un cognado, si la adivinaste por el contexto o si tuviste que buscarla en el diccionario. Si tuviste que buscar la palabra en el diccionario, indica en qué forma aparece y el significado que encontraste allí.

	Forma en el diccionario	Significado en el diccionario	Cognado	Contexto
aisladas				
sumamente				
surgieron				
tallaban				
santos				
razones				
muestra				
especie				
han resucitado				
cruz				
recobró				

El (La) profesor(a) prohibe... Repasa las expresiones de la página 219 y haz cinco comentarios sobre lo que el (la) profesor(a) prohibe en la clase. ¿Cuál es el más importante para la disciplina de la clase?

 Es aconsejable... Un(a) amigo(a) de Costa Rica quiere venir a los Estados Unidos a estudiar el año próximo. Escríbele una carta y dale consejos sobre lo que es aconsejable o importante que él (ella) haga cuando esté aquí. ¿Cuál de los consejos es el más importante para ser buen(a) estudiante? ¿Cuál es el más importante para la vida social, o sea, para estar contento(a) y tener amigos?

Los santos de Nuevo Mexico... Usa la información de la lectura sobre los santos de Nuevo México en las páginas 221 a 223 y prepara una breve presentación oral sobre este tema. Usa un mapa de los Estados Unidos y México para ilustrar tu presentación.

VOCABULARIO

Para charlar

Para hablar del arte popular

Sustantivos

la aldea
la cerámica
el dibujo
el diseño
la diversidad
las esculturas
el espíritu
las excavaciones
la fabricación
la fauna
el festival
la flora
la forma
la incrustación
las máscaras
las molas
el motivo
el rectángulo
el retrato
los tejidos
el tema
los trajes

Adjetivos

abstracto(a)
complicado(a)
contemporáneo
creador(a)
cuidadoso(a)
llamativo(a)
precolombino(a)
mitológico(a)
  policromal
real
suntuoso(a)
superpuesto(a)
surtido

Verbos

coser
pintar
tallar

Temas y contextos

Para expresar necesidad o preferencias

Él (Ella) manda que…
Es aconsejable que…
Es importante que…
Espero que…
Insisto en que…
Prefiero que…
Prohibo que…

CAPÍTULO 9

La música en el mundo hispano

Un conjunto peruano

Objectives

- talking about music
- expressing emotions and reactions

Preparación

- ¿Te gusta la música?
- ¿Qué tipo de música prefieres?
- ¿Has escuchado canciones en español?
- ¿Conoces la música de algún cantante del mundo hispano?

La historia de "La bamba"

¿Conoces los orígenes de la "La bamba"?

Se dice que esta canción, indudablemente una de las más populares de todos los tiempos, llegó al puerto de Veracruz con los esclavos que vinieron de un lugar en África llamado Mbamba.

esclavos *slaves*

Ritchie Valens

¿Es **"La bamba"** la canción más conocida del hemisferio occidental? Probablemente sí. Su **reconocimiento** es instantáneo, alegre y bilingüe. La canción **pertenecía** solamente a la América hispanohablante hasta finales de 1958, cuando Richard Valenzuela, cuyo nombre artístico fue Ritchie Valens, la amplificó y le **incorporó** a la melodía tradicional un alegre ritmo de *rock and roll* —como se ve en la película del mismo título que fue dirigida por Luis Valdez. Desde entonces se ha convertido en un elemento básico del repertorio de toda banda de barrio desde el este de Los Ángeles hasta el sur del Bronx. Treinta años después de que Valens introdujo la canción con su letra en español en la cultura americana, "La bamba" se ha convertido en un clásico en prácticamente todos los países desde el Canadá hasta la Argentina.

La canción que ahora **resuena** en clubes nocturnos, fiestas y radios de todas partes tuvo sus orígenes en la costa sur de Veracruz, México, donde la música regional se caracteriza por el humor de sus **versos** y sus instrumentos de **cuerda**, como guitarras de varios **tamaños**, un arpa pequeña, a menudo un **contrabajo** y algunas veces un violín.

Desde que Hernán Cortés llegó a la costa del golfo en 1519, Veracruz ha presenciado la llegada de misioneros católicos, piratas caribeños, esclavos africanos y tropas extranjeras. El resultado ha sido la fusión de la tradición española con la vida africana, caribeña y nativa. A la población de **origen mixto** se le llamó *"mestiza"*, y sus canciones, junto con sus bailes y ritmos únicos, fueron conocidas como canciones al estilo *"jarocho"*. De los centenares de melodías que **evolucionaron** de ese **híbrido**, la de "La bamba" es la más **duradera**.

"La bamba" vivirá para siempre, pero su origen preciso es desconocido. Entre las teorías existentes, una de las más interesantes es la de su posible origen africano. A principios del **siglo** XVII, los españoles llevaron esclavos a la costa del golfo, de México de diferentes partes de África occidental incluyendo un lugar llamado Mbamba. Hacia fines de ese siglo, una canción llamada "La bamba" surgió en esa misma parte de Veracruz. "La bamba" era aparentemente una fusión del español con lenguas africanas.

reconocimiento *recognition*   pertenecía *belonged*   incorporó *inserted*   resuena *resounds*   versos *lyrics*   cuerda *string*   tamaños *sizes*   contrabajo *bass*   presenciado *witnessed*   origen mixto *mixed blood*   evolucionaron *evolved*   híbrido *hybrid*   duradera *long lasting*   siglo *century*

Comprensión

A. Cognado, contexto o diccionario   Busca en la lectura las palabras que aparecen en el diagrama de tu hoja reproducible. Trata de adivinar el significado de las palabras. En tu hoja reproducible, indica con una palomita (✔) si la palabra es un cognado, si la adivinaste por el contexto o si tuviste que buscarla en el diccionario. Si tuviste que buscar la palabra en el diccionario, indica en qué forma aparece y el significado que encontraste allí.

	Cognado	Contexto	Forma en el diccionario	Significado en el diccionario
indudablemente				
procedieron				
occidental				
hispanohablante				
ritmo				
nocturnos				
arpa				
tropas extranjeras				
centenares				
híbrido				
desconocidos				
teorías				

B. ¿Aparece o no aparece en la lectura? Lee la lectura sobre "La bamba" e indica si las siguientes expresiones se mencionan. Si se mencionan, indica en qué párrafo se encuentran.

1. una ciudad en la costa sur de México
2. un autor
3. un explorador español
4. un lugar en África
5. un país europeo
6. un director de cine
7. un artista de cine
8. un país de América del Sur

C. Para bailar "La bamba" se necesita... Responde a las siguientes preguntas en español.

1. ¿En qué parte de México se originó esta canción?
2. ¿Quién fue Ritchie Valens?
3. ¿Quién es Luis Valdez?
4. ¿Qué diferentes tipos de gente han venido a esa parte de México?
5. ¿Cuál es una teoría sobre el origen de la canción?
6. ¿Cuándo apareció la canción por primera vez?

D. Evolución de "La bamba"... Usa la información de la lectura sobre "La bamba" y escribe un informe breve sobre la evolución de la canción. Usa un mapa del mundo para ayudarte a ilustrar tu presentación.

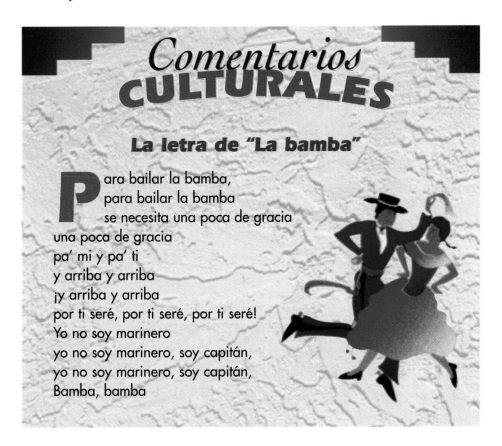

Comentarios CULTURALES

La letra de "La bamba"

Para bailar la bamba,
para bailar la bamba
se necesita una poca de gracia
una poca de gracia
pa' mi y pa' ti
y arriba y arriba
¡y arriba y arriba
por ti seré, por ti seré, por ti seré!
Yo no soy marinero
yo no soy marinero, soy capitán,
yo no soy marinero, soy capitán,
Bamba, bamba

Repaso ♻

E. Los quehaceres Tú y tus compañeros tienen que arreglar la casa para una cena especial. Responde a las preguntas de un(a) compañero(a) empleando los verbos **esperar** o **preferir**. Sigue el modelo.

> **MODELO** sacar la basura / Juan
> **Compañero(a):** *¿Quién va a sacar la basura?*
> **Tú:** *Espero que Juan la saque.* o:
> *Prefiero que Juan la saque.*

1. limpiar la cocina / Lourdes
2. hacer la cama / tú
3. poner la mesa / Esteban
4. hacer la ensalada / Uds.
5. preparar el postre / Luis
6. barrer la sala / Carmelo

F. Es necesario... Un(a) compañero(a) de clase te va a hacer las siguientes preguntas. Responde empleando una de las expresiones que siguen: **es necesario, es importante, es aconsejable.** Sigan el modelo.

> **MODELO** Compañero(a): ¿Te levantas temprano cada día?
> Tú: *Sí, (No, no) es necesario que yo me levante temprano.* o:
> *Sí, (No, no) es importante que yo me levante temprano.* o:
> *Sí, (No, no) es aconsejable que yo me levante temprano.*

1. ¿Estudias mucho para la clase de español?
2. ¿Llegas a clase a tiempo?
3. ¿Te levantas temprano los miércoles por la mañana?
4. ¿Sacas la basura cada día después de la escuela?
5. ¿Tomas desayuno antes de ir a la escuela?
6. ¿Te acuestas temprano los lunes por la noche?

ESTRUCTURA

The subjunctive for conveying emotions and reactions

Estoy contento de que **puedas** ir a la fiesta.	*I am happy that you can go to the party.*
Me alegro de que estudies **conmigo.**	*I am happy that you are studying with me.*
Siento que él no **vaya** mañana.	*I am sorry that he is not going tomorrow.*
Temo que no **podamos** asistir a la conferencia.	*I'm afraid we may not be able to attend the lecture.*
Es bueno (Es malo, Es mejor) que **leas** el libro.	*It's good (It's bad, It's better) that you read the book.*

1. When a verb or expression in the main clause of the sentence expresses an emotion or some sort of reaction, the verb in the **que** clause must be in the subjunctive.

2. Here are some common verbs and expressions that convey an emotion or reaction:

alegrarse	*to be happy*	es mejor	*it's better*
estar contento(a)	*to be happy*	es bueno	*it's good*
sentir (ie, i)	*to regret*	es malo	*it's bad*
temer	*to fear*		

Aquí practicamos

G. ¿Qué sientes? Sustituye las palabras en cursiva con las palabras que están entre paréntesis y haz los cambios que sean necesarios en la oración.

1. *Yo* estoy contento de que Gloria vuelva temprano. (él / Uds. / nosotros / ellas / tú)

2. *La profesora* se alegra de que Alberto llegue a clase a tiempo. (tú / Adela / yo / nosotras / ellos)

3. *Mi papá* siente que Juan no pueda venir a cenar. (mi hermano / nosotros / tú / ellas / yo)

4. *Ella* teme que Marisa no estudie para el examen. (mi papá / nosotros / yo / tú / los profesores)

H. ¿Es bueno o es malo? Di si es bueno o malo lo que hacen tú y tus compañeros de clase. Sigue el modelo.

> **MODELO** Jaime estudia cinco horas todos los días.
> *Es bueno que Jaime estudie cinco horas todos los días.* o:
> *Es malo que Jaime estudie cinco horas todos los días. Debe divertirse más.*

1. Tú no fumas.
2. Julia lee mucho.
3. Isabel se acuesta temprano.
4. Nosotros nos levantamos a las 6:30.
5. Ellos hacen ejercicios para estar en forma.
6. Nosotros hablamos español en la clase.

I. Me alegro de que... Un(a) compañero(a) está contando lo que hacen algunos de tus compañeros de clase. Tú reaccionas con una frase que empieza la expresión con **Me alegro de que...** Sigue el modelo.

> **MODELO** María / dormir ocho horas cada noche
> **Compañero(a):** *María duerme ocho horas cada noche.*
> **Tú:** *Me alegro de que María duerma ocho horas cada noche.*

1. Sara / lavarse los dientes después de comer
2. Benito / ducharse todos los días
3. Sebastián / estudiar cuatro horas cada noche
4. Nora / hacer ejercicios cada tarde después de la escuela
5. Jaime / levantarse temprano los sábados
6. Susana / acostarse temprano antes de un examen

J. Es mejor que... Tu compañero(a) te hace preguntas sobre lo que es mejor y lo que no es mejor que él (ella) haga para sacar una buena nota en el próximo examen. Responde de forma apropiada según el modelo.

> **MODELO** acostarse tarde
> **Compañero(a):** *¿Debo acostarme tarde?*
> **Tú:** *No, es mejor que te acuestes temprano.*

1. estudiar solo
2. acostarse temprano
3. mirar la televisión
4. ver una película la noche antes del examen
5. prestar atención en la clase
6. hablar por teléfono con un(a) compañero(a)

Nota gramatical

The subjunctive of verbs that end in -cer and -cir

Quiero que tú **conozcas** a Beno.   *I want you to meet Beno.*

—¿Puedes leer estas frases escritas   *Can you read these sentences written in*
  en alemán?   *German?*
—No, es necesario que el profesor   *No, it is necessary for the professor to*
  las **traduzca.**   *translate them.*

Verbs ending in **-cer** or **-cir** form the subjunctive with the **yo** form of the verb and add the standard subjunctive endings for **-er** and **-ir** verbs.

conocer	*to know*	conozco	conozca, conozcas, etc.
conducir	*to drive*	conduzco	conduzca, conduzcas, etc.
traducir	*to translate*	traduzco	traduzca, traduzcas, etc.
ofrecer	*to offer*	ofrezco	ofrezca, ofrezcas, etc.

Aquí practicamos

K. Me alegro Sustituye las palabras en cursiva con las palabras que están entre paréntesis y haz los cambios que sean necesarios en la oración.

1. Él está contento de que *Gloria* conozca a Mónica. (Uds. / nosotros / ellas / Ud. / tú)

2. La profesora se alegra de que *Alejandro* traduzca las frases. (tú / yo / Uds. / nosotros / ellos)

3. Mi papá no quiere que *Óscar* conduzca el coche. (mi hermano / nosotros / Uds. / ellas / yo)

Antes de leer

1. Mira el título de la lectura y la foto que la acompaña ¿Qué sabes de este baile?
2. ¿Has escuchado canciones de tango antes?

El Tango

El tango surgió de los **ambientes** llamados "orilleros", barrios formados por inmigrantes en las afueras de Buenos Aires. Se le llama "tango" a diversas danzas del **ámbito** hispano con variedades en las Antillas, Brasil y Argentina. **No obstante,** es el tango argentino el que ha trascendido el ámbito local para dar lugar a un estilo de baile y a una forma musical de fama universal. Evolucionado desde la música de clase baja, el tango manifiesta en su ritmo y en su estructura las influencias de "la milonga" —otro baile hispano.

Club de tango, Buenos Aires

Los primeros tangos rioplatenses con sus propios **rasgos** datan de la década de 1880. Inicialmente **rechazados** por las clases de procedencia media alta, se introdujeron en los círculos de sociedad hacia el año 1900, con lo que experimentaron rápidas modificaciones en su música y **contenido** hasta convertirse en símbolo nacional argentino. Durante la década de 1910 este baile penetró con notable éxito en los ambientes europeos. Los tangos generalmente expresan intensa melancolía y el tema del **desengaño** amoroso y los sufrimientos que causa es muy común. Los instrumentos que se usan para acompañar al tango pueden ser el piano, la guitarra y el violín, pero es **imprescindible** un **bandoneón.**

ambientes *atmosphere, environments*   ámbito *boundary, field*   No obstante *nevertheless*
rasgos *characteristics*   rechazados *rejected*   contenido *content*   desengaño *deception*
imprescindible *essential*   bandoneón *large accordion*

El cantante de tangos más famoso fue Carlos Gardel, que nació en Francia el 11 de diciembre de 1890 y que emigró a Argentina cuando sólo tenía tres años. Comenzó a cantar en los cafés de los suburbios de Buenos Aires cuando era muy joven. En 1917 una **actuación** en un teatro bonaerense lo **lanzó** a la fama por su impresionante forma de interpretar tangos. Murió en un accidente de aviación en Medellín, Colombia, el 24 de junio de 1935.

Guía para la lectura

1. Lee rápidamente la lectura e indica si estos temas se mencionan en ella. Si el tema se menciona, indica en qué párrafo se encuentra.

   a. nombres de ciudades

   b. los Estados Unidos

   c. nombres de instrumentos musicales

   d. nombres de países europeos

   e. algunas fechas

   f. nombre de una mujer que cantaba tangos

2. Lee la lectura otra vez y contesta las siguientes preguntas.

   a. ¿Dónde se originó el tango?

   b. ¿Qué es la milonga?

   c. ¿Cuándo aparecieron los primeros tangos?

   d. ¿Qué sentimientos expresan los tangos?

   e. ¿Qué instrumentos pueden acompañar al cantante de tangos?

   f. ¿Quién fue Carlos Gardel?

   g. ¿Cuál fue la primera reacción al tango?

actuación *show*   **lanzó** *launched*

Comprensión

L. **Estudio de palabras** A continuación vas a encontrar algunas palabras de la lectura sobre el tango. Trata de adivinar el significado por medio del contexto en que se usa la palabra. Si es imposible, busca la palabra en el diccionario.

1. orilleros
2. afueras
3. ha trascendido
4. dar lugar
5. manifiesta
6. rioplatenses
7. experimentaron
8. melancolía
9. bonaerense
10. accidente de aviación

¡ADELANTE!

Temo... estoy contento(a)... Repasa las expresiones de la página 232. Después, exprésale a un(a) amigo(a) por lo menos cinco cosas que temes y cinco cosas con las que estás contento(a). ¿Qué es a lo que más le temes? ¿Con qué estás más contento(a)?

 **Es bueno... es malo...** Escribe una lista de diez consejos sobre lo que es bueno y lo que es malo para llevar una vida sana. Después, indica los dos consejos que son más importantes.

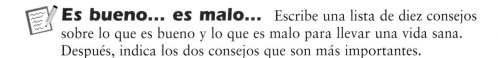 **El tango y "La bamba"** Repasa la información sobre el tango y "La bamba" en las lecturas. Prepara una breve prEsentación en la que describes la evolución geográfica de estos tipos de música.

Preparación

- ¿Hay cantantes en los Estados Unidos que cantan en español?

- ¿Cómo se llaman?

- ¿De dónde son?

- ¿Te gusta la música de estos cantantes?

La música mariachi

Conoce más sobre la música mariachi.

Mariachis en México

Para quienes están acostumbrados a considerar el mariachi como la máxima expresión musical del **charro** mexicano, es una sorpresa ver cuántas mujeres participan en los mariachis estudiantiles y cuántos de los músicos aprendices no son mexicanos, **ni siquiera** latinos. **A juzgar** por la participación juvenil de la Octava Conferencia Internacional del Mariachi en Tucson, Arizona, el futuro de este género musical está asegurado, pero los intérpretes cambiarán radicalmente. Lo que no cambia son las canciones sobre charros **corajudos** y mujeres que los **rechazan**.

charro *cowboy*   **ni siquiera** *not even*   **A juzgar** *To judge*   **corajudos** *brave*   **rechazan** *reject*

Tucson ha sido la **cuna** de prominentes figuras musicales mexicano-americanas como Luisa Ronstadt Espinel (tía de Linda Ronstadt), Manuel Montijo, Jr., Julia Rebeil y Lalo Guerrero. Es hoy uno de los centros más importantes del género mariachi. No hay mariachi juvenil que pueda competir en profesionalismo y talento con la agrupación de estudiantes de secundaria Los Changuitos Feos de Tucson. De Los Changuitos Feos salió el mariachi local de más **proyección**, Mariachi Cobre, hoy día en residencia permanente en Epcot Center de Disney World en Orlando, Florida, bajo la dirección de Randy Carrillo.

Son numerosas las agrupaciones de mariachi en ciudades con población méxico-americana. En Los Ángeles, por ejemplo, el Mariachi Los Camperos, bajo la dirección de Nati Cano, atrae a un público tan internacional a sus presentaciones que hasta han incorporado canciones japonesas a su repertorio. Pero también en la muy caribeña ciudad de Miami, uno de los talentos musicales **más cotizados** por el público latino es el Mariachi Mara Arriaga. Hay mariachis en Nueva Jersey, y varios restaurantes mexicanos neoyorquinos anuncian la presentación de *Live Mariachi Music*. Según la teoría, el mariachi desciende de los **conjuntos** del siglo pasado que tocaban en los bailes de **boda** durante la ocupación francesa de México bajo el Emperador Maximiliano. Hoy es la **onda** musical más identificada en todo el mundo con la cultura mexicana.

En Tucson, la conferencia del mariachi atrajo a un público de entusiastas que vinieron de otros estados y también de México. El público pudo disfrutar de la presentación del grupo mexicano que se considera el máximo **exponente** de esta música, el Mariachi Vargas de Tecatitlán.

Para ciertos números, Cobre, Los Camperos y Vargas se juntaron para formar un supermariachi que acompañó a los invitados especiales. Entre ellos estuvieron Beatriz Adriana, una de las primeras figuras femeninas de la canción "ranchera", y José Luis Rodríguez, "El Puma", quien hace poco se aventuró en el campo de la canción mexicana. Ambas **estrellas** fueron recibidas calurosamente, pero el aplauso máximo fue para Linda Ronstadt, no tanto por su enorme fama internacional, sino porque Linda es de Tucson —la talentosa niña local que ha conquistado el mundo.

cuna *cradle* proyección *visibility*
más cotizados *sought after* conjuntos
groups boda *wedding* onda *wave*
exponente *example* estrellas *stars*

Mariachis en Texas

Comprensión

A. Estudio de palabras A continuación vas a encontrar algunas palabras de la lectura sobre la música mariachi. Trata de adivinar el significado por medio del contexto en que se usa la palabra. Si es imposible, busca la palabra en el diccionario.

1. aprendices
2. asegurado
3. género
4. agrupación
5. repertorio
6. restaurantes neoyorquinos
7. atrajo
8. entusiastas
9. calurosamente
10. talentosa

B. Verbos y adjetivos Como sabes, la base de muchos adjetivos es la forma infinitiva de un verbo. ¿Cuál es la base verbal de cada uno de los siguientes adjetivos que aparecen en la lectura?

1. acostumbrados
2. asegurado
3. pasado
4. identificada
5. recibidas

C. Verdadero o falso Di si las siguientes frases son verdaderas o falsas. Si la oración es falsa, explica por qué.

1. No hay mujeres en los grupos de mariachis.
2. Solamente la gente latina forma parte de los grupos de mariachis.
3. La tía de Linda Ronstadt es una cantante famosa de México.
4. Hay un grupo de mariachis en residencia permanente en Disney World en Florida.
5. La música mariachi no es muy popular en la parte del este de los EE.UU.
6. En la conferencia en Tucson había gente de México y de los EE.UU.

D. Sobre la música mariachi Responde a las siguientes preguntas en español.

1. ¿Cuál es el tema más común de las canciones que cantan los mariachis?
2. ¿Dónde trabaja el famoso Mariachi Cobre?
3. ¿Qué grupo incluye canciones japonesas en su repertorio?
4. ¿Dónde y cuándo se originó la música mariachi?
5. ¿Por qué es especial el Mariachi Vargas de Tecatitlán?
6. ¿Por qué fue recibida Linda Ronstadt tan calurosamente en la conferencia?

E. La evolución de la música mariachi Usa la información de la lectura para escribir un informe breve sobre la evolución de la música mariachi.

Comentarios
CULTURALES

Los laureles

Una de las canciones más populares —y una de las que se pide con más frecuencia a un grupo de mariachis— se conoce como "Los laureles". Aquí tienen la letra de esta canción.

¡Ay qué laureles tan verdes,
qué flores tan **encendidas!**
si piensas abandonarme
mejor quítame la vida.
Alza los ojos a verme
si no estás **comprometida.**
Eres **mata de algodón**
que vives en el **capullo.**
¡Ay, qué tristeza me da
cuando **te llenas de orgullo,**
de ver a mi corazón
enredado con el tuyo!
Eres rosa de Castilla
que sólo en mayo se ve.
Quisiera hacerte un invite,
pero la verdad, no sé.
Si tienes quién te lo dicte
mejor me separaré.
Allí les va la despedida
chinita por tus quereres,
la **perdición** de los hombres
son las **benditas** mujeres.
Aquí se acaban cantando
los versos de los laureles.

encendidas *glowing, fiery* Alza *Raise* comprometida *promised, engaged* mata de algodón *cotton plant* capullo *bud* te llenas de orgullo *you fill with pride* enredado *enmeshed, intertwined* chinita *sweet young thing* perdición *downfall* benditas *blessed*

F. Estoy contento(a) de que... Un(a) compañero(a) te hace comentarios y tú contestas con un comentario que empieza con la expresión **Estoy contento(a)...** Sigue el modelo.

> MODELO　Compañero(a):　*Él va a Ecuador en junio.*
> Tú:　*Estoy contento(a) de que él vaya a Ecuador en junio.*

G. ¿Qué temes? Observa el diagrama en tu hoja reproducible. En la primera columna del diagrama, indica tres cosas que temes. Después, pregúntales a cinco compañeros qué temen. Completa el diagrama con la información. ¿Tienen Uds. respuestas en común?

Yo	Estudiante 1	Estudiante 2	Estudiante 3	Estudiante 4	Estudiante 5
exámenes					
aviones					
perros					

ESTRUCTURA

More expressions to convey an emotion or a reaction with the subjunctive

¡Qué bueno que **llegues** temprano!	*How great that you're arriving early!*
¡Qué raro que Juan no **esté** aquí hoy!	*How strange that Juan is not here today!*
¡Qué pena que tú no **estudies** más!	*What a shame that you don't study more!*

1. When used in the first clause of a sentence that has a **que** clause as its second part, these expressions of emotion or relation trigger the use of the subjunctive in the **que** clause.

2. Here are more common expressions that are used in Spanish to express an emotion or a reaction.

qué bueno	*how great*
qué lástima	*what a pity*
qué malo	*how terrible*
qué maravilla	*how wonderful*
qué pena	*what a shame*
qué raro	*how strange*
qué vergüenza	*what a shame*

Aquí practicamos

H. ¡Qué bueno! Expresa tu alegría al oír las siguientes frases. Usa la expresión **¡Qué bueno!** Sigue el modelo.

> **MODELO** Tú visitas a tu abuela con frecuencia.
> *¡Qué bueno que tú visites a tu abuela con frecuencia!*

1. Lucas estudia solo.
2. Él no come mucho.
3. Susana llega a casa temprano.
4. Uds. hacen su tarea antes de mirar la televisión.
5. Tú vas a la biblioteca ahora.
6. Ellos terminan la lección.

I. ¡Qué malo! Expresa tu opinión de desacuerdo. Usa la expresión **¡Qué malo!** Sigue el modelo.

> **MODELO** Tú comes torta de fresas para el desayuno.
> *¡Qué malo que tú comas torta de fresas para el desayuno!*

1. Enrique no trabaja.
2. Él no escucha a la profesora.
3. Ileana sale con Juan.
4. Ustedes no estudian para esta clase.
5. Tú no dices la verdad.
6. Ellos quieren ir con nosotros al cine.

J. ¡Qué raro! Expresa tu incredulidad. Usa la expresión **¡Qué raro!** Sigue el modelo.

> **MODELO** Juan no llega tarde.
> *¡Qué raro que Juan no llegue tarde!*

1. Luis no está aquí.
2. Marisol no viene a clase.
3. Tú no vas con ellos.
4. Jaime y Esteban no conocen a Marilú.
5. Ustedes no pueden asistir al concierto.
6. Ellas no tienen tarea esta noche.

K. ¡Qué maravilla! Expresa que las siguientes ideas te maravillan. Usa la expresión **¡Qué maravilla!** Sigue el modelo.

> **MODELO** Tú comes en un restaurante elegante.
> *¡Qué maravilla que tú comas en un restaurante elegante!*

1. Yo voy al cine con ustedes.

2. No hay clase mañana.

3. Nosotros no tenemos tarea esta noche.

4. Nosotros podemos ir a Costa Rica durante el verano.

5. Él toca el piano muy bien.

6. Sabemos hablar español.

L. ¡Qué bueno que...! Repasa las expresiones de la página 242 y úsalas para reaccionar a las actividades de tus amigos.

LECTURA CULTURAL

Antes de leer

Mira el título de la lectura y las fotos de esta página y de la página 245. ¿Qué sabes sobre este baile?

El flamenco

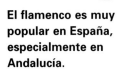

El flamenco es muy popular en España, especialmente en Andalucía.

En España, los **gitanos,** notables por su talento como músicos y bailarines y asentados en la región de Andalucía desde la Edad Media, se llamaban "flamencos", palabra que con el tiempo ha pasado a designar gran parte del folklore andaluz. El flamenco es una manifestación musical que tiene sus orígenes entre los gitanos andaluces y que se ha extendido a otras regiones de España. Los orígenes remotos del flamenco se **remontan** a las danzas y cantos precristianos del sur de la Península Ibérica. La inmigración de pueblos gitanos en el siglo XV fue conformando las maneras definitivas de este arte, que es reconocido como tal desde la aparición de las primeras letras de canciones escritas en el siglo XVIII.

Unos cien años después, los gitanos comenzaron a bailar y cantar profesionalmente en los cafés de España y, como consecuencia, surgió la figura del guitarrista que siempre acompaña al (a la) cantante. Es esencial en el flamenco la emoción que anima al (a la) intérprete. La emoción aumenta mediante complejos **redobles de palmas, chasquidos de dedos,** gritos y **castañuelas** que, junto con la danza y el canto, constituyen un componente fundamental del espectáculo. En la actualidad, influencias diversas actúan sobre el desarrollo del flamenco originan, corrientes modernas que coexisten con las tradicionales. Un excelente ejemplo de esto son los *Gipsy Kings,* un grupo musical que a fines de los años ochenta fue muy popular en los Estados Unidos. Su música, un poco moderna, se basa en los ritmos, cantos y la tradición del flamenco de los gitanos del sur de España.

gitanos *gypsies* **remontan** *date back to* **redobles de palmas** *clapping* **chasquidos de dedos** *snapping of fingers* **castañuelas** *castanets*

Guía para la lectura

1. Lee el primer párrafo y di si las siguientes oraciones son verdaderas o falsas. Si son falsas, explica por qué.

   a. Los gitanos son conocidos por su talento como músicos y bailarines.
   b. El flamenco surgió en el siglo XX.
   c. El flamenco solamente existe en Andalucía.

2. Lee el segundo párrafo y di si las siguientes oraciones son verdaderas o falsas. Si son falsas, explica por qué.

   a. En el flamenco tradicional siempre hay alguien que canta y alguien que toca la guitarra.
   b. El flamenco se ha mantenido puro a través de los años.
   c. Los *Gipsy Kings* son un grupo de flamenco tradicional.

Comprensión

M. Estudio de palabras Trata de adivinar el significado de algunas palabras en la lectura sobre el flamenco. Indica qué palabra(s) en inglés de la lista de la derecha corresponde(n) a las palabras en español de la lista de la izquierda.

1. notables	a. *inspires*
2. Edad Media	b. *artist*
3. designar	c. *noteworthy*
4. reconocido	d. *Middle Ages*
5. aparición	e. *trends*
6. anima	f. *to designate*
7. intérprete	g. *appearance*
8. corrientes	h. *recognized*

Las reacciones Repasa las expresiones de la página 242. En tu hoja reproducible, haz una lista de seis situaciones reales o inventadas de tu vida actual. Luego, trabajando con tres compañeros, diles lo que pasa en tu vida. Cada persona debe reaccionar con una de esas expresiones ante cada actividad. Escribe la información en el diagrama de tu hoja reproducible.

Tú	Compañero(a) 1	Compañero(a) 2	Compañero(a) 3
Voy a México en junio.			

¡Qué pena! Acabas de recibir una carta en la que un(a) amigo(a) te dice que no puede visitarte en mayo, pero que va a visitarte en julio. Repasa las expresiones de la página 242 para expresar una reacción. Escríbele una carta a tu mejor amigo(a) en la que expreses varias reacciones diferentes ante los nuevos planes.

Más reacciones Por escrito, expresa tus reacciones ante las lecturas sobre el arte y la música que leíste en esta unidad, incluyendo el muralismo mexicano, Frida Kahlo, Picasso, Miró y Dalí, Guernica, los indios cunas, Sarchí y sus carretas, las máscaras de México, los santeros de Nuevo México, "La Bamba", el tango, la música mariachi y el flamenco.

VOCABULARIO

Para charlar

Para expresar emociones y reacciones

Es bueno que …
Es malo que…
Es mejor que…
Estoy contento(a) de que…
Me alegro de que…
Qué bueno que…
Qué lástima que…
Qué maravilla que …
Qué pena que…
Qué raro que…
Qué vergüenza que…
Siento que…
Temo que…

Temas y contextos

Para hablar de la música

Sustantivos

la actuación
el arpa
el baile
el bajo
el bandoneón
la canción
las cuerdas
la danza
el desengaño
el estilo
la guitarra
el instrumento de cuerdas
el (la) intérprete
la letra
la melancolía
la melodía
la onda
el piano
el rasgo
el ritmo
el repertorio
los versos

Verbos

interpretar
resonar (ue)
traducir

Adjetivos

alegre
conocido(a)
corajudo(a)
rechazado(a)

Conversemos un rato

A. Estudiante de intercambio Role-play the following situations with three other classmates.

1. Enrique is a Costa Rican student staying with your family. He has just started to learn English, and he excels in art class. Give Enrique some tips on how to have a good year at your high school.

   a. Discuss Enrique's favorite classes.

   b. Encourage Enrique to work on his English.

   c. Give Enrique advice on how to make the most of his year in the U.S. You can use such phrases as **Es necesario que, Es importante que, Es aconsejable que** with a verb in the subjunctive.

B. Entrevista para una revista While interning at a bilingual magazine in Texas you get to interview some people for the arts section of the magazine. Role-play the following situations with a classmate.

1. You chat with a famous Latin American singer who is on tour.

   a. Discuss the singer's favorite music.

   b. Tell the singer how his/her music makes you feel.

   c. Have the singer explain his/her music and how it makes him/her feel.

   d. Discuss the singer's travel and concert schedule.

2. Your boss asks you to interview the curator of an art museum currently exhibiting Mexican painters. There are works by Frida Kahlo, Diego Rivera and other artists featured earlier in this unit. Review the art in the unit. Role-play the following conversation between you and the curator.

   a. Discuss the paintings in the collection. What is your opinion of the paintings? What are the curator's opinions?

   b. Discuss how the paintings make you feel.

   c. The curator gives you some advice on how to view the collection. Then give him advice on how to attract more viewers to the art exhibit.

Taller de escritores

Descripción de una obra de arte

Escribe un análisis de alguna obra de arte para explicarla a tus compañeros(as) de clase y tu profesor(a). Puede ser una pintura, una canción, una escultura, un poema o cualquier obra de arte formal o popular. El análisis debe tener dos partes principales: (1) una descripción concreta, donde explicas el contenido de la obra, y (2) una exposición de tu opinión sobre el significado de la obra. Escribe dos o tres párrafos para cada parte. Incluye una fotocopia de la obra si no está en el libro o una copia de la letra de la canción o poema.

Un poema nahua

No vivimos en nuestra casa
aquí en la tierra.
Así solamente por breve tiempo
la tomamos en préstamo,
¡Adornaos, príncipes!

Solamente aquí
nuestro corazón se alegra
por breve tiempo, amigos, estamos
prestados unos a otros:
No es nuestra casa definitiva la tierra:
¡Adornaos, príncipes!

Contenido: Este poema azteca habla de la vida. Dice que la vida es algo "prestado". Dice que la vida es muy corta; no es nuestra. El autor les dice a los príncipes que deben adornarse o vestirse elegantemente. La segunda estrofa repite la misma idea. Dice que la tierra no es "nuestra casa" permanente.

Significado: En mi opinión, el significado del poema es que vivimos sólo brevemente en la tierra. El último verso de cada estrofa dice que debemos divertirnos en la tierra. Manda a los príncipes, "¡Adornaos!" Cuando nos vestimos elegantemente es para ir a una fiesta y divertirnos.

A. Reflexión Después de elegir una obra, escribe durante unos cinco minutos todas las ideas que se te ocurran sobre el contenido. Examina lo que escribiste y elige las ideas que vas a usar. Luego escribe cinco minutos más sobre estas ideas. Repite este proceso para escribir sobre el significado de la obra.

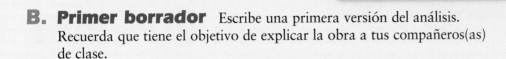

B. Primer borrador Escribe una primera versión del análisis. Recuerda que tiene el objetivo de explicar la obra a tus compañeros(as) de clase.

C. Revisión con un(a) compañero(a) Intercambia tu redacción con un(a) compañero(a) de clase. Lee y comenta la redacción de tu compañero(a). Usa estas preguntas como guía (guide).

1. ¿Qué te gusta más de la redacción de tu compañero(a)?

2. ¿Qué sección es más interesante?

3. ¿Es apropiada para los compañeros de clase y tu maestro(a)?

4. ¿Incluye toda la información necesaria para el propósito?

5. ¿Qué otros detalles debe incluir la redacción?

D. Versión final Revisa en casa tu primer borrador. Usa los cambios sugeridos por tu compañero(a) y haz cualquier cambio que quieras. Revisa el contenido, la gramática y la ortografía, incluyendo la punctuación y los acentos ortográficos. Trae a la clase esta versión final.

E. Carpeta Tu profesor(a) puede incluir la versión final en tu carpeta, colocarla en el tablero de anuncios o usarla para la evaluación de tu progreso.

Conexión con la literatura

La literatura en los países de habla española

Para empezar En esta lectura vas a leer sobre la literatura en general y la literatura de habla hispana. En tus propias palabras, define la palabra "literatura". ¿Qué ejemplos de literatura conoces (en inglés o en español)? ¿Conoces algunos escritores famosos de España o de América Latina? ¿Conoces algunos escritores de descendencia latinoamericana? Puedes leer rápidamente la lectura y hacer una lista de los escritores y las obras que se menciona. Después lee los títulos de cada sección de la lectura y trata de adivinar la idea principal de cada sección.

¿Qué es "literatura"? Cuando una civilización empieza a cultivar el arte de la expresión escrita, tiene una literatura. En general, la literatura tiene su origen en la narración oral, transmitida de generación en generación. La literatura es un arte que explora y explica la realidad, que incluye la naturaleza, la sociedad, la religión, la ciencia, la política y la psicología.

La literatura abre un camino importante hacia el **conocimiento** de un país y la cultura de su gente. Por medio de un sistema de **signos apuntados** en papel, el escritor encuentra maneras de representar las múltiples dimensiones de la realidad y la fantasía. El escritor expresa de una manera artística lo que observa, piensa, imagina y **siente** sobre la vida, creando en el proceso la literatura.

conocimiento *knowledge*   signos apuntados *writing symbols*   siente *feels*

Las formas y las funciones de la literatura

El desarrollo de la literatura ocurre cuando los escritores siguen la tradición de convertir una narración en un texto literario. Hay varios tipos o **géneros** de literatura como el **cuento**, la poesía, el teatro, la novela o el **ensayo**. El autor se comunica con el lector por medio de la lengua literaria. Esta comunicación escrita se realiza a distintos niveles por medio de palabras **cargadas de** sonidos, imágenes, emociones, ideas y símbolos.

Las funciones de una obra artística son llamar atención a la razón, expresar sentimientos, enseñar algo o simplemente divertir. Un aspecto interesante de la literatura es que la interpretación de un texto puede variar de lector a lector, mostrando así la gran diversidad y variedad del mundo y de las maneras de representar y entender la realidad por medio del arte literario.

La literatura del mundo de habla española

Las literaturas del mundo de habla española tienen sus orígenes en el siglo XII en España con *El cantar del Mío Cid* sobre la figura heroica de un gran **guerrero**. De importancia también son los relatos y las historias de las antiguas civilizaciones (como los mayas, los aztecas y los incas) que vivían en América muchos siglos antes de la llegada de los europeos en el siglo XV. Se considera a Miguel de Cervantes el "padre de la novela moderna" por su famosa obra del siglo XVII, *Las aventuras del ingenioso hidalgo don Quijote de la Mancha*.

En el siglo XIX el poeta nicaragüense Rubén Darío fue el principal escritor del modernismo, un movimiento literario latinoamericano que influyó tanto a España como a Europa por su atención al estilo y a la forma de la poesía y la prosa. En el siglo XX se encuentra un extraordinario número de excelentes escritores en todos los países donde se habla y escribe el español, inclusivo en los Estados Unidos.

géneros *genres*   cuento *short story*   ensayo *essay*   cargadas de *full of*   guerrero *warrior*

La visión del arte literario y del mundo

Por lo general, los países de habla española se formaron a lo largo de los siglos como resultado de la **mezcla** de diversas razas y culturas. Es una de las **complejas** y fascinantes realidades que se reflejan en su cultura. En efecto, muchos escritores siguen la tradición de Cervantes, que incorporó elementos españoles, europeos, mediterráneos, africanos, orientales y árabes en sus famosos libros de ficción.

Los escritores de lengua española, de España o de la América Latina, tienen en común no sólo el poder expresivo de su idioma, sino también una visión totalizadora del mundo. Esta visión incluye lo histórico y lo mítico, lo divino y lo humano, lo sublime y lo grotesco, lo bello y lo feo, lo real y lo irreal, lo serio y lo cómico. Además, muchos escritores creen que la literatura debe tener en cuenta el contexto histórico y la necesidad de **promover** la justicia social.

Escritores de descendencia hispanohablante

Un fenómeno que se ve más y más es la actividad literaria en los Estados Unidos de autores de descendencia hispanohablante, —especialmente mexicana, cubana, puertorriqueña y dominicana, que se han dedicado a escribir en inglés y en español. En este grupo de escritores bilingües y biculturales se encuentra un número impresionante de mujeres que escriben sobre las experiencias de sus familias, de padres o abuelos que inmigraron a los Estados Unidos en las últimas décadas. Algunas de las escritoras de más talento son Julia Álvarez *(How the García Girls Lost Their Accents)*, Ana Castillo *(So Far From God)*, Sandra Cisneros *(The House on Mango Street)* y Cristina García *(Dreaming in Cuban)*. **En fin,** la amplia circulación de estas nuevas novelas, **entre otras,** indica que en los Estados Unidos hay mucho interés en la literatura norteamericana que refleja la influencia latinoamericana. Más y más jóvenes, inspirados y de talento, se están dedicando a participar en el mundo de las letras. Así la **trayectoria** literaria del mundo hispanohablante seguirá siendo dinámica, innovadora y diversa.

mezcla *mixture* **complejas** *complex* **promover** *to promote* **En fin** *In short* **entre otras** *among others* **trayectoria** *path*

A. ¿Verdadero o falso?
Según la lectura, indica si cada oración es verdadera o falsa.

1. La literatura tiene su origen en la narración oral.

2. Los géneros literarios más conocidos son sonidos, imágenes, emociones, ideas y símbolos.

3. A Rubén Darío se le considera como "el padre de la novela moderna".

4. Los escritores de los diferentes países de habla española no tienen nada en común.

5. La mayoría de los escritores biculturales de los Estados Unidos son hombres.

6. A los norteamericanos les gusta la literatura que refleja la influencia latinoamericana.

B. Trabaja con un(a) compañero(a).
Respondan en parejas a las siguientes preguntas y hablen sobre la literatura.

1. ¿Has leído alguna vez un ensayo? ¿una obra de teatro? ¿un cuento corto? ¿un poema? ¿Qué género literario prefieres? ¿Por qué?

2. ¿Por qué crees que muchas escritoras hispanas en los Estados Unidos escriben sobre las experiencias de sus familiares como inmigrantes? ¿Eres tú de una familia de inmigrantes? ¿Sabes lo suficiente sobre tu familia como para poder escribir un cuento sobre sus experiencias? ¿Cómo sería este cuento: ¿largo o corto? ¿triste o feliz?

3. ¿Por qué crees que la literatura de un país puede ayudarnos a conocer su cultura? ¿Por qué puede variar de lector a lector la interpretación de un texto literario?

4. ¿Quién es Rubén Darío y qué influencia tuvo en la literatura moderna?

5. Según la lectura, las funciones de una obra artística son llamar atención a la razón, expresar sentimientos, enseñar algo o simplemente divertir. Piensa en una obra literaria que acabas de leer (sea esta lectura u otra) e indica cuál de estas funciones emplea.

Vistas de los hispanos en los Estados Unidos

Colorado

Capital: Denver

Ciudades principales: Colorado Springs, Aurora, Pueblo,

Población: 3.294.394

Idiomas: inglés y español

Área territorial: 269.596 km^2

Clima: seco y árido, con extremos de 100° F (38° C) en el verano

Moneda: dólar

Téxas

Capital: Austin

Ciudades principales: Dallas, San Antonio, Arlington, Irving, Plano, Waco

Población: 16.986.510

Idiomas: inglés y español

Área territorial: 691.030 km^2

Clima: Varia mucho. La costa es templada y húmeda. El interior se mantiene más fresco y seco.

Moneda: dólar

EXPLORA

Find out more about Colorado and Texas! Access the **Nuestros vecinos** page on the *¡Ya verás!* *Gold* web site for a list of URLs.

http://yaveras.heinle.com/vecinos.htm

En la comunidad

"Quiero tocar para usted"

"Mi nombre es Neil Leonard III y soy músico de jazz. Siempre me ha interesado la música de Cuba **por razón de que** ésta ha tenido una gran influencia en muchas de las corrientes musicales del mundo, incluyendo el jazz y la salsa. En 1986 fui a Cuba* con un grupo de músicos para investigar y estudiar la música cubana. Yo no hablaba ni una palabra de español. Viajé por toda la isla con mi saxofón y un diccionario bilingüe, usando a cada momento la única frase que podía decir bien: 'Quiero tocar para usted'.

Cuando volví a los Estados Unidos, comencé a tomar clases de español. En 1989 regresé a Cuba y me quedé a vivir ahí por un año. Como ya sabía bastante español, pude conseguir un trabajo de profesor. Ese año me dediqué a enseñar cómo usar las computadoras en el mundo de la música. Entre mis alumnos se encontraban algunos de los músicos más famosos de Cuba. Viajé por toda la isla tocando con Pablo Milanés, Silvio Rodríguez, Chucho Valdez y muchos más.

Actualmente enseño en el Berklee College of Music; viajo por todo los Estados Unidos y América Latina dando conferencias sobre la aplicación de las computadoras en la música, y escribo artículos y comentarios sobre la música cubana en la revista *Rhythm Music Magazine*. Esta revista también ha publicado entrevistas **que yo le he hecho** a Carlos Santana, a Michel Camilo y a otros músicos famosos."

¡Ahora te toca a ti!

Visita una tienda de música y busca la sección de música latina. Fíjate qué tipo de música latina venden (rock, rap, pop, romántica, afrocaribeña, jazz) y de qué países es esta música. ¿Hay cantantes o músicos que parecen ser más populares que otros? ¿Quiénes son? ¿Por qué crees que son más populares? Habla con el (la) dependiente(a) y pregúntale en qué se basan ellos para decidir qué discos vender.

por razón de que *because*   **que yo le he hecho a** *that I had done with*

*While travel to Cuba under normal circumstance is illegal, travel for the purposes of education and/or research is permitted. It was on this basis that Neil was allowed to go there.

UNIDAD 4

El mundo de las letras

Objectives

In this unit you will learn:

- to understand a variety of texts about the Spanish-speaking world
- to express doubt, uncertainty, and improbability
- to talk about the world of the imagination and unreality
- to talk about conditions contrary to fact
- to support your opinions

¿Qué ves?

- ¿Te gusta leer?
- ¿Cuál fue la última novela que leíste?
- ¿Lees revistas y el periódico? ¿Cuántas veces a la semana?
- ¿Quién es tu autor(a) preferido(a)?

Periódicos y revistas

Primera etapa: Una fotonovela: *Un amor secreto*
Segunda etapa: La revista *Enciclopedia popular*

Las raíces de la literatura

Primera etapa: Las leyendas prehispánicas y lo maravilloso
Segunda etapa: El realismo y el idealismo
Tercera etapa: La influencia afro-hispanoamericana

El mundo de la fantasía

Primera etapa: El realismo mágico
Segunda etapa: La fantasía y el sueño
Tercera etapa: Los mundos fantásticos del hogar

CAPÍTULO 10

Periódicos y revistas

¿Qué vas a leer?

Objectives

- talking about books and literature
- expressing unreality, uncertainty, and doubt
- talking about indefinite, nonexistent, or imaginary things

PRIMERA ETAPA

- ¿Te gusta leer revistas? ¿Cuál es tu revista favorita?
- ¿Dónde se venden las revistas y los periódicos?
- ¿Cuáles son algunas revistas para jóvenes de tu edad?
- ¿Sabes lo que es una "fotonovela"?

Una fotonovela: "Un amor secreto"

*E*n los quioscos, los supermercados y las tiendas de las ciudades de habla española se encuentra un tipo de revista muy popular —la fotonovela. Los **temas** tienen que ver con el misterio, las aventuras y, por supuesto, el amor. Existe una gran variedad en cuanto a la calidad de las fotografías y el contenido de estas revistas divertidas. Algunas son a colores; otras sólo se publican en blanco y negro. Hay fotonovelas de todos los precios, pero generalmente no cuestan mucho.

La fotonovela es una revista popular que trata de amor, misterio, o aventuras.

Las fotonovelas que generalmente se venden más son las de tema romántico. Éstas llevan en sus títulos palabras como *pasión, amor, romance, drama, suspenso, ternura, lágrimas*, etc. Las fotonovelas más populares de este tipo son protagonizadas por actores y actrices que aparecen en las fotonovelas con tanta frecuencia que el público reconoce a algunos como estrellas.

A veces una fotonovela presenta una historia en una serie de episodios que se publican en números semanales o mensuales. Para que el lector pueda recordar el **argumento** del número previo, siempre hay un resumen de los capítulos anteriores en la primera página. Este resumen que sigue sirve de ejemplo de una fotonovela de tema romántico. Va acompañado de una página típica de una fotonovela.

temas *themes*   **argumento** *plot*

"Un amor secreto"

Orlando le ha dicho varias veces a Natalia que se ha enamorado de ella. Natalia, sin embargo, nunca ha estado realmente enamorada de él. Ella le ha confesado a su amiga Elvira que no ha podido decirle a Orlando que ama a otro hombre. Ese hombre se llama Marco Antonio y es novio de Silvia, una prima de Natalia. Una noche, Marco Antonio, que conoce al padre de Natalia, la invita a cenar. Natalia está sorprendida pero acepta la invitación con mucho gusto. Silvia se enoja cuando descubre esto y va en busca de Natalia para hablar con ella. Mientras tanto, Orlando ha ido a la casa de Natalia donde ella por fin le revela que tiene un amor secreto.

1

Orlando, te quiero decir que otro hombre me ha invitado a cenar esta noche. He aceptado porque estoy enamorada de él. Es mejor que entiendas de una vez: te quiero pero no te amo...

2

¿Cómo? ¿Otro hombre? ¡No es posible!

¡Trata de ser razonable, Orlando! No quiero que sufras, pero así es.

3

¿Razonable? ¡No faltaba más! ¿Quién es este otro hombre?

Te he dicho lo que siento en el corazón. No tengo que explicarte más.

4

¿Qué dices? ¿No importa lo que hemos tenido?

Sólo quiero que sepas que tengo que ser libre para lo que el destino mande. Tú no me lo puedes impedir. Ni tú ni nadie.

5

¡Basta! ¿Cómo he podido ser tan ciego? ¡Este es el precio que he pagado por enamorarme de ti! ¡Pues, no quiero volver a verte jamás!

Comprensión

A. Asociaciones Las fotonovelas y las telenovelas (*soap operas*) tienen muchos temas en común, como el amor, por ejemplo. Haz una lista de seis temas centrales que tú asocias con las telenovelas más populares.

B. ¿Qué pasó? De las siguientes posibilidades, escoge la respuesta más apropiada basándote en la fotonovela *Un amor secreto* que acabas de leer.

1. Natalia le explica a Orlando que no podrá salir con él esta noche porque...
   a. es demasiado tarde y ya no tiene hambre.
   b. ella sabe que él está enamorado de otra mujer.
   c. ha aceptado otra invitación para cenar.
   d. ha trabajado todo el día y no se siente bien.

2. En esta situación, la actitud de Orlando es...
   a. inteligente y razonable.
   b. perezosa y pasiva.
   c. impaciente y apasionada.
   d. tranquila y amistosa.

3. Natalia está preocupada más que nada por...
   a. la reacción de su padre si descubre lo que pasa.
   b. no ser controlada por otra persona.
   c. las opiniones de su amiga Elvira.
   d. el trabajo que tiene que hacer para mañana.

4. En cuanto al temperamento de Orlando, se puede decir que él es un hombre que...
   a. tiene muy poco orgullo.
   b. trata de comprender el punto de vista de otras personas.
   c. se enoja fácilmente cuando no quiere aceptar algo.
   d. quiere tanto a Natalia que no quiere ofenderla.

5. Parece que Natalia quiere que Orlando...
   a. le explique la situación a Marco Antonio.
   b. acepte la idea de su independencia como mujer.
   c. la perdone y vuelva a salir con ella.
   d. conozca al hombre cDE quien está enamorada.

C. ¿Qué pasará? Decide con un(a) compañero(a) qué pasará con Natalia y Orlando después de la escena que has leído en la página 262. Usa cuatro o cinco verbos en el tiempo futuro para resumir el próximo episodio de **Un amor secreto**. Escribe un resumen breve para leer a la clase.

ESTRUCTURA

The subjunctive to express unreality, uncertainty, and doubt

Dudo que Ramón **entienda** la situación política.	*I doubt that Ramón understands the political situation.*
¿Es posible que el tren **llegue** a tiempo?	*Is it possible that the train will arrive on time?*
No es probable que el tren **llegue** a tiempo.	*It's not likely that the train will arrive on time.*
Puede ser que el avión **salga** tarde.	*It could be that the plane will leave late.*
Es increíble que Marisol **tenga** esa actitud.	*It's incredible that Marisol has that attitude.*

As you learned earlier, the subjunctive mood is used to call attention to the impact that willpower or an emotional reaction has on an action or event. Spanish speakers also use the subjunctive to express uncertainty or doubt about people, things, or events and to talk about what is unknown or nonexistent.

1. Whenever a verb or expression in the first half of a sentence (a) expresses doubt about a person, thing, or event, (b) places it within the realm of either possibility or impossibility, or (c) views it as unreal or unknown, the verb in the second half of the sentence is used in the subjunctive. To put it another way, when a person, thing, or event is projected into what could be called "the twilight zone"—where its reality is questioned or negated—the verbs that refer to it are used in the subjunctive mood.

2. Most of the following verbs and expressions that convey doubt, uncertainty, and unreality require the use of the subjunctive. So do expressions of possibility, impossibility, probability, and improbability, whether used with **no** or without it.

Dudo que...	No es verdad...	(No) Es posible...
Es dudoso...	No es cierto...	(No) Es imposible...
Es increíble...	No estoy seguro(a)...	(No) Es probable...
Puede ser...		(No) Es improbable...

Aquí practicamos

D. Verbos Sustituye las palabras en cursiva con las palabras que están entre paréntesis y haz los cambios que sean necesarios.

1. Dudamos que *Carlos* llegue esta noche. (ustedes / ella / tú / el profesor /mis amigas)

2. ¿Es posible que *tus amigos* salgan a las 5:00 de la mañana? (Silvia / tú / ustedes / él /nosotros)

3. No es verdad que *la clase* tenga tarea este fin de semana. (mi hermano / ella / nosotros / yo / ustedes)

4. Es dudoso que *Rafael* hable japonés. (ellas / ustedes / sus padres / la profesora /el empleado)

5. Es increíble que *tus amigos* no tengan música salsa. (Patricia / ustedes / nosotros / mis hermanos / tú)

6. ¿Es posible que *el tren* salga temprano? (nosotros / Marta y Raúl / él / los autobuses / sus amigos)

7. Puede ser que *los estudiantes* vayan a España en abril. (mis padres / yo / la familia / ustedes / nosotros)

8. No es probable que *mi hermano* vea el problema. (ellos / el agente / ella / vosotros / los profesores)

9. No estoy seguro de que *Victoria* sea de Colombia. (ellas / ustedes / él / sus primos / el Sr. Valencia)

10. Es improbable que *ellos* ganen tan poco dinero. (ustedes / el jefe / ellas / Federico / tú)

E. Lo dudo

Eres dudoso(a) de naturaleza. Usa las expresiones entre paréntesis y el subjuntivo para expresar tus dudas y tus incertidumbres sobre las actividades de tus amigos. Sigue el modelo.

> **MODELO**   Miguel es sincero. (dudo)
> *Dudo que Miguel sea sincero.*

1. Pablo entiende bien la tarea. (no es posible)
2. Mario va a la biblioteca todas las noches. (dudo)
3. Isabelina puede acostarse a la 1:00 de la mañana si quiere. (es imposible)
4. Alejandro navega en tabla de vela. (es improbable)
5. Susana es más inteligente que su hermana. (es dudoso)
6. Manuel pasa sus exámenes sin estudiar. (es improbable)
7. Ramón tiene más paciencia que Alberto. (no puede ser)
8. Alfredo pinta muy bien. (no es verdad)

F. ¿Es posible? ¿Es imposible?

Escribe una serie de seis a ocho oraciones sobre el tema de tu vida: tus actividades, tus proyectos, tus gustos, etc. Algunos comentarios pueden ser verdaderos; otros pueden ser exageraciones. Después, comparte tus oraciones con la clase. Tus compañeros de clase van a reaccionar a lo que dices, usando las expresiones **es posible que, es imposible que, dudo que, es probable que, es improbable que,** etc. Sigue los modelos.

> **MODELOS**
>
> **Tú:** *Tengo diez perros y ocho gatos.*
> **Compañero(a):** *No es posible que tengas diez perros y ocho gatos.*
>
> **Tú:** *Voy a casarme a la edad de 18 años.*
> **Compañero(a):** *Es improbable que te cases a la edad de 18 años.*
> o:
> **Compañero(a):** *Dudo que te cases a la edad de 18 años.*

NOTA GRAMATICAL

Creer and no creer with the subjunctive

¿**Crees** que lo **compre** Carmen?	*Do you think Carmen will buy it? (Doubt is implied.)*
No **creemos** que Carmen lo **compre.**	*We don't think Carmen will buy it. (Doubt is implied.)*
¿**Crees** que Carlos **tenga/tendrá** tiempo?	*Do you think Carlos has/will have time? (This is a neutral question, and no doubt is implied.)*
No **creo** que **tenga/tendrá** tiempo.	*I don't think he has/will have time (I fully believe he won't.)*
No **creo** que lo **tenga.**	*I don't think he has it. (I doubt, but am not certain, that he has it.)*
Creo que Carlos lo **tiene/tendrá.**	*I believe Carlos has/will have it. (I fully believe he has it.)*

1. Creer and no creer are used with either the subjunctive or the indicative mood.

2. In a question, **creer** and **no creer** may be used with the subjunctive to cast doubt on the action that follows. They can also be used with the indicative in a question that does not carry doubt.

3. In answer to any question, **creer** is used in the indicative because it expresses the idea of complete certainty. In other words, here it takes on the meaning of what the speaker *believes*, rather than just *thinks* or wonders about something.

4. An answer with **no creer** can be either in the subjunctive if there is a good deal of doubt, or in the indicative (usually in the present or future tense) when there is no such doubt.

G. ¿Están seguros que no?
Cambia las siguientes oraciones para decir que las personas indicadas ya no están seguras de la situación. Sigue el modelo.

> **MODELO**   No creo que Roberto hará su trabajo. Estoy seguro(a) que no.
> *No creo que Roberto haga su trabajo. No estoy seguro(a).*

1. No creo que el tren parará en ese pueblo. Estoy seguro(a) que no.

2. Mi padre no cree que yo podré ganar el dinero. Está seguro que no.

3. Verónica no cree que la película será buena. Está segura que no.

4. Mis hermanos no creen que yo viajaré por México en autobús. Están seguros que no.

5. No creo que los precios subirán este fin de semana. Estoy seguro(a) que no.

6. Los jugadores no creen que perderán el partido el sábado. Están seguros que no.

7. Silvia no cree que abrirán las puertas una hora antes del concierto. Está segura que no.

8. El jefe no cree que los empleados protestarán. Está seguro que no.

H. ¿Qué crees? Responde a las preguntas con tu opinión. Si es negativa, indica la duda en esos casos. Sigue el modelo.

MODELO   ¿Crees que lloverá mañana?
Sí, creo que lloverá. o:
No, no creo que lloverá. o:
No, no creo que llueva.

1. ¿Crees que el agente de viajes hablará con nosotros?
2. ¿Crees que tus padres compren un coche nuevo?
3. ¿Crees que tus primos te visitarán este año?
4. ¿Crees que el (la) profesor(a) saldrá temprano hoy?
5. ¿Crees que sirvan tacos en la cafetería hoy?
6. ¿Crees que tengas tiempo después de la clase para ir al centro?
7. ¿Crees que la música será latina en la fiesta mañana?
8. ¿Crees que el autobús llegará tarde?
9. ¿Crees que nevará mañana?
10. ¿Crees que cancelarán las clases esta tarde?

Reading Strategies

- Using the title to predict content
- Recognizing cognates
- Scanning for specific information

LECTURA CULTURAL

Antes de leer

1. Lee el título del artículo periodístico a continuación para tener una idea del tema general. ¿De qué trata el artículo?

2. Busca las palabras cognadas que se encuentran en la lectura.

3. Ahora, fíjate en la cantidad de nombres de personas y de lugares que aparecen en el texto. Lee algunos en voz alta.

Cela gana el quinto Premio Nóbel de Literatura

El escritor Camilo José Cela Trulock ganó ayer el Premio Nóbel de Literatura, llegando a ser de esta manera el quinto español que recibe el prestigioso honor, después de José Echegaray, Jacinto Benavente, Juan Ramón Jiménez y Vicente Aleixandre.

LA CATIRA
Camilo José Cela (Premio Nóbel 1989)

No. 0410BCT   **$16.95**

Una de las novelas principales de Cela. Novela de la tierra, de su gran permanencia entre agitación y muerte, y su fuente de genuina fertilidad frente a la superpuesta y decadente civilización…y el eje del significado de la obra es que lo espontáneo de la vida es lo más valioso; si a veces resulta destructivo, es también fructífero, por ser elemental y tan rico como la misma tierra. Novela del llano y de la selva, subyugante incursión en el habla, la cotidianidad y el trasfondo mítico de las tierras venezolanas, *La catira* es un ejemplo acabado de la maestría de un gran escritor.

SEIX BARRAL

La Real Academia de Suecia **ha premiado** la obra de Cela con base en "su intensa y rica narrativa que provoca emoción y representa una visión **provocadora** de la vulnerabilidad humana".

El autor de *La familia de Pascual Duarte* y *La colmena,* entre otras novelas, recibió la noticia en su casa en Guadalajara directamente del **embajador sueco** en España. "Estaba escribiendo esta mañana en mi casa cuando me informaron, **mejor dicho,** me estaba vistiendo para ir a Madrid", fueron las palabras del nuevo ganador del Premio Nóbel.

Su nominación tuvo lugar una vez más, y después de dos **desengaños** anteriores cuando su nombre había aparecido con los del argentino Jorge Luis Borges y el inglés Graham Greene. Esta vez tuvo que competir con el escritor chino Bei Dao, el indocaribeño V. S. Naipaul y los mexicanos Carlos Fuentes y Octavio Paz.

"El Nóbel me ha llegado a tiempo, no como el Premio Nacional de Literatura de mi propio país, que me llegó con cuarenta años **de retraso**", dijo Cela con una risa. A su manera, también declaró que, "No iré a recoger el premio a Estocolmo vestido de torero, sino de **frac**". Después Cela observó, "Siento un gran orgullo de ser español. En mi familia hay muchos que no son españoles y tengo por ellos una infinita compasión".

Se despidió el escritor diciendo que no piensa retirarse. Quiere seguir escribiendo "porque el pueblo español es muy importante, mucho más importante que sus **políticos**". Pero todavía no ha dicho Cela si los textos que escribe serán novelas o papeles que **acaben** en la **basura**.

Guía para la lectura

1. Lee la primera oración de cada párrafo e indica lo que ahora sabes del contenido de cada párrafo.
2. Ahora lee los dos últimos párrafos en que Cela hace unos comentarios personales e indica lo que Cela dice sobre...
   a. como irá vestido para recoger su premio.
   b. su nacionalidad.
   c. sus planes para el futuro.

ha premiado *has awarded a prize* **provocadora** *provocative* **embajador sueco** *swedish ambassador* **mejor dicho** *better said* **desengaños** *disappointments* **de retraso** *late, behind schedule* **de frac** *in coattails* **políticos** *politicians* **acaben** *may end up* **basura** *trash*

Comprensión

I. Una entrevista con Cela Trabajando con un(a) compañero(a), imaginen que son periodistas y que van a hacerle una entrevista al ganador del Premio Nóbel. Preparen ocho preguntas que les gustaría *(would like)* hacer y decidan también el orden en que deben preguntarlas.

¡ADELANTE!

¿Cómo? Hazle las siguientes preguntas a un(a) compañero(a). Él (Ella) te contestará usando sólo la expresión sugerida entre paréntesis para expresar su duda o certeza en cada caso. Tú no entiendes lo que dijo y él (ella) tiene que repetir la respuesta, usando el subjuntivo e incluyendo un comentario adicional sobre la situación. Sigan el modelo.

MODELO		
	Tú:	*¿Ana María está enferma hoy? (es posible)*
	Compañero(a):	*Es posible.*
	Tú:	*¿Cómo?*
	Compañero (a):	*Es posible que ella esté enferma. Ayer me dijo que no se sentía muy bien.*

1. ¿Linda va a la fiesta con Leonardo? (no es probable)
2. ¿Juan Carlos sale con la prima de Raúl? (es imposible)
3. ¿Marcos va a invitar a sus padres a la fiesta? (puede ser)
4. ¿Felipe tiene un Mercedes-Benz? (es dudoso)
5. ¿Enrique va a llevar a su hermanito al cine? (es posible)
6. ¿Podemos volver a la casa de Irma después de la película? (no creo)

 ¡Todo es posible! Piensa en tu futuro y escribe un párrafo con la siguiente información. 1) Describas por lo menos seis cosas que es posible que tú hagas o tengas dentro de cinco años. 2) Da varios detalles en cada caso. 3) Explica por qué crees que será posible. Usa las expresiones **es posible**, **es probable** y **puede ser** en tus comentarios.

SEGUNDA ETAPA

- ¿Conoces alguna revista interesante que contenga información sobre nuestro planeta? ¿Los animales? ¿Lugares interesantes? ¿Información científica?

- ¿Cuál es una revista de este tipo?

La revista "Enciclopedia popular"

La **Enciclopedia popular** *es una revista llena de artículos interesantes.*

Una revista que circula en varios países de habla española, y que ahora se vende en los Estados Unidos también, es la interesante y colorida *Enciclopedia popular*, publicada cada mes en Buenos Aires, Argentina. Tal como lo indica su nombre, la revista está llena de numerosos artículos sobre una impresionante variedad de temas.

Ya que el objetivo de esta revista es informar, sorprender y divertir a sus lectores, se presentan entre otras cosas artículos científicos (i.e., los orígenes del universo, los usos de la energía del sol), artículos zoológicos (i.e., las criaturas misteriosas como Pie Grande, serpientes marinas y los dinosaurios) y artículos tecnológicos (i.e., los medios de transporte en el futuro, las computadoras o "cerebros informáticos"). La revista también contiene artículos interesantes sobre la psicología del ser humano (i.e., la violencia en la sociedad), la historia (e.g., la Segunda Guerra Mundial) y sobre las profecías que están por cumplirse.

Todos los artículos, algunos breves y otros de más extensión, están acompañados de brillantes fotografías o de atractivas ilustraciones. Al final de la revista hay una sección de juegos ingeniosos de palabras, dibujos y números que invitan a los lectores a usar el razonamiento así como la imaginación. En fin, *Enciclopedia popular* ofrece una verdadera mina de información y entretenimiento para la persona que quiera leer en español sobre las múltiples realidades de nuestro planeta.

La breve selección que sigue es un ejemplo de la fascinante información que se les ofrece a los lectores interesados en este tipo de revista.

El largo viaje de los dinosaurios

Al haberse retirado las aguas que cubrían las tierras en el Estrecho de Bering, América y Asia se encontraron unidas de nuevo, tal como había ocurrido en épocas anteriores. Este nuevo paso de tierra produjo una intensa emigración de animales pre-históricos, entre ellos, varias especies de dinosaurios que se movilizaron principalmente en dirección a América. Mucho más tarde, grupos migratorios de seres humanos también cruzaron entre Asia y América por este mismo "puente" de Bering. Las aguas volvieron a cubrir el Estrecho y ahora hay una distancia de unas 56 millas entre los dos continentes.

Las consecuencias de esa emigración para los antiguos animales americanos fueron desastrosas. Durante 75 millones de años, en las **llanuras** de América meridional, los **herbívoros**, o los que sólo comían hierbas, habían vivido completamente aislados del resto del mundo. Como no tenían que enfrentarse con grandes carnívoros que los obligaran a una lucha constante por la **supervivencia**, dichos dinosaurios habían **alcanzado** dimensiones gigantescas, aunque sus movimientos eran muy lentos.

Desde el norte, y a través del Estrecho de Bering, empezaron a llegar carnívoros que tenían su origen en el viejo continente de Asia. El resultado fue una verdadera **matanza** en las tierras de América. Casi todos los enormes herbívoros americanos, incapaces de defenderse, fueron eliminados rápidamente por los feroces carnívoros que habían llegado recientemente. Sin el famoso Estrecho de Bering el mundo sería muy diferente de lo que llegó a ser millones de años después.

llanuras *plains*   herbívoros *grass-eating*   carnívoros *meat-eating*   supervivencia *survival*   alcanzado *reached*
matanza *killing*

Comprensión

A. Algo para todos   Con dos compañeros(as), hagan una lista de los temas de artículos que contiene la revista *Enciclopedia popular*. Imaginen que ustedes son directores de la revista y escojan tres categorías y o "tipos principales". Ahora sugieran una idea para un nuevo artículo para estas tres categorías.

B. ¿Comprendiste?   Contesta las siguientes preguntas sobre la revista *Enciclopedia popular*.

1. ¿Qué significa el título de la revista?
2. ¿Dónde se publica *Enciclopedia popular?*
3. ¿Con qué frecuencia se publica esta revista?
4. Según la introducción, ¿cuáles son los objetivos de la revista?
5 ¿Puedes pensar en dos objetivos más que no se mencionan?
6. ¿Cuáles dos de los temas que se incluyen arriba te interesa a ti? ¿Por qué?
7. ¿Cuál es la sección especial que aparece al final de la revista?
8. Además de una variedad de artículos, ¿qué más hay en la revista?

C. Comentarios sobre el artículo   Después de volver a leer el breve artículo "El largo viaje de los dinosaurios," habla de la información que ofrece con un(a) compañero(a). Prepárense los (las) dos para hablar con los otros estudiantes de la clase después de responder a las preguntas en parejas.

1. Con la ayuda de un mapa, explica dónde está el Estrecho de Bering.
2. ¿Qué era el Estrecho de Bering? ¿Qué es hoy?
3. ¿Cómo se formó?
4. ¿Qué empezó a ocurrir una vez que se formó?
5. ¿Con qué se compara el Estrecho?
6. ¿Por cuántos años habían vivido animales prehistóricos en América antes de la llegada de los dinosaurios que cruzaron por el Estrecho de Bering?
7. ¿Qué son herbívoros y carnívoros?
8. ¿De dónde eran los herbívoros? ¿los carnívoros?
9. ¿Cómo eran los herbívoros cuando llegaron los carnívoros?
10. ¿Qué pasó cuando se encontraron los herbívoros con los carnívoros?
11. ¿Por qué ocurrió lo que ocurrió entre los dinosaurios?
12. ¿Tienes interés en los dinosaurios? ¿Por qué sí o por qué no?

Comentarios CULTURALES

La población hispana en los Estados Unidos

Muchas personas no saben que los Estados Unidos ocupa el quinto lugar en el mundo en términos del número de personas que hablan español. Sólo México, España, la Argentina y Colombia tienen una población de habla española más numerosa. Los estudios demográficos recientes indican que más de 25 millones de hispanohablantes viven en los Estados Unidos. Este número ha subido de nueve millones en 1970 y es muy probable que el crecimiento siga en el futuro.

Repaso ♻

D. ¿Qué crees tú? Da tu opinión sobre los siguientes comentarios, usando una expresión como **dudo que, es (im)posible que, es (im)probable que, (no) creo que, estoy seguro(a) que,** etc. Sigue el modelo.

> **MODELO** España es más grande que el estado de Texas.
> *Dudo que España sea más grande que el estado de Texas.*

1. El (La) profesor(a) tiene veinticinco años.
2. En el año 2000 una mujer será presidente de los Estados Unidos.
3. Podemos mandar astronautas al planeta Marte ahora.
4. En general, los muchachos son más atléticos y las muchachas son más intelectuales.
5. Algún día sabremos curar a todas las personas que tengan cáncer.
6. Los jóvenes norteamericanos tienen mucho dinero, por lo general.
7. Vemos demasiada violencia en la televisión norteamericana.
8. Más de 50 millones de personas hablan español en los Estados Unidos.

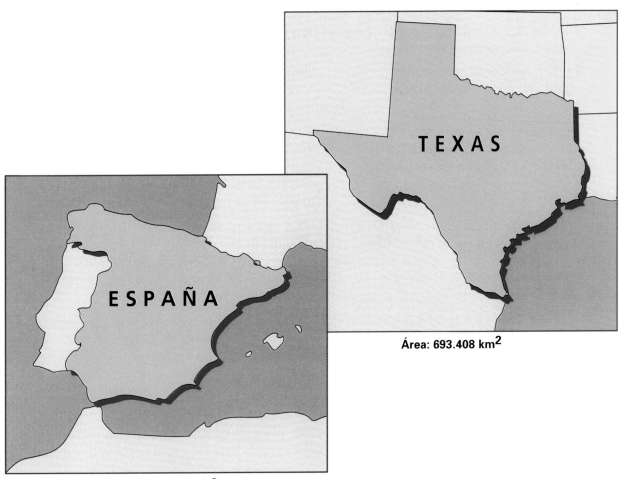

Área: 693.408 km²

Área: 504.750 km²

ESTRUCTURA

The subjunctive with indefinite, nonexistent, or imaginary antecedents

Necesitamos **un empleado** que **hable** sueco.	*We need an employee who speaks Swedish.* (Whoever it may be, we are trying to find a person.)
No conozco a nadie que **hable** sueco.	*I don't know anybody who speaks Swedish.* (I know of no such person.)
¿Hay alguien que **entienda** el problema?	*Is there anyone who understands the problem?* (There may be no such person available.)
¿Busca a alguien que **pueda** ayudarlo?	*Are you looking for someone who may be able to help you?* (It is unclear who that person may be.)

ESTRUCTURA (CONTINUED)

El (La) estudiante que **escriba** la mejor composición ganará el premio.	*The student who writes the best composition will win the prize. (Whoever that student may be, he/she is not yet known.)*
Buscamos una casa que **tenga** cuatro dormitorios, una piscina, muchos árboles —y que no **cueste** mucho dinero.	*We're looking for a house that has four bedrooms, a pool, lots of trees—and that doesn't cost much money. (This is the ideal kind of house that we have in mind, and we would like to find out if such a place exists.)*

1. As you have already learned, when the first part of a sentence questions, doubts, denies, or sees as purely imagined the existence of something or someone, any comment about that thing or person in the second half of the sentence will be in the subjunctive. When talking about an unknown outcome, the use of the subjunctive is often linked with the future— the dimension where things that have not yet happened take place.

2. Remember that the indefinite article is used to mark an unknown thing or person, while the definite article is used with something that is already known. (Also, note that the personal **a** is not used before the indefinite article or a direct object referring to a person who may or may not exist, except for **alguien** or **nadie**.) These are small clues that indicate whether a speaker is talking about something imagined or not and they help determine whether to use the subjunctive or the indicative mood.

3. In order to understand the important difference in meaning between the subjunctive and the indicative in these kinds of situations, notice the differences between the following pairs of sentences:

Subjunctive:
Quiero **un** coche que **corra** rápido.   *My ideal car is one that's fast.*

Indicative:
Quiero **el** coche que **corre** rápido   *I want the fast car that's right over there.*

Subjunctive:
Busco **un** hombre que **sea** piloto   *I don't know if he exists, but I'd like to find him.*

Indicative:
Busco **al** hombre **que** es piloto.   *I know this man, but I don't know where he is.*

Aquí practicamos

E. ¿Existe o no existe? Completa las siguientes oraciones con la forma apropiada de los verbos que están entre paréntesis. Decide si es necesario usar el subjuntivo o el indicativo.

1. Éste es el cuadro de Frida Kahlo que el museo no _____ (tener).

2. No hay ningún jugador aquí que _____ (jugar) al fútbol como Diego Maradona.

3. ¿Hay alguien aquí que _____ (querer) boletos para el concierto de Celia Cruz?

4. Buscamos una persona que _____ (cantar) bien en español y en inglés.

5. José Canseco es el beisbolista que yo _____ (preferir).

6. Ustedes quieren una persona que _____ (escribir) setenta palabras por minuto.

7. Andy García es uno de los actores hispanos que _____ (trabajar) en Hollywood.

8. ¿Hay un cuarto en el Hotel Tropicana que _____ (costar) un poco menos?

9. Buscamos el famoso teatro que _____ (presentar) El Ballet Folklórico de México.

10. Todos los estudiantes que _____ (leer) la novela *Don Quijote* el verano próximo recibirán el premio de un viaje gratis a España.

F. **¿Qué buscas?** Un(a) compañero(a) te menciona algo sobre su vida o su trabajo. Indica que entiendes la situación, haciendo una pregunta con la información entre paréntesis. Sigue el modelo.

> MODELO Compañero(a): *Esta compañía no paga bien. (una compañía / pagar mejor)*
>
> Tú: *Ah, entonces, ¿buscas una compañía que pague mejor?*

1. La película que dan en el cine Variedades es demasiado triste. (una película / ser cómica)

2. Mi amigo Francisco escribe a máquina muy mal. (una persona / escribir bien)

3. No me gusta ese cuadro porque tiene pocos colores. (un cuadro / tener muchos rojos y verdes)

4. Ese programa me parece demasiado político. (un programa / ser más objetivo)

5. Las cintas en esa tienda son muy caras. (unas cintas / costar menos)

6. Ese tren sale demasiado temprano el lunes. (un tren / salir el lunes por la tarde)

7. Mi jefe no entiende la situación. (una persona / entender lo que pasa)

8. Mi tía no sabe usar la nueva computadora. (una persona / saber cómo funciona)

9. El agente de viajes está muy ocupado. (un agente / ayudarte ahora)

10. Ese vuelo no llegará a tiempo para cenar. (un vuelo / llegar a las 5:00)

G. Idealmente... Piensa en un(a) amigo(a) ideal, una película ideal, un trabajo ideal o un viaje ideal. Prepara un párrafo de por lo menos seis oraciones en que describes tu ideal. 1) Describes las cualidades que prefieres. 2) Para cada requisito (*requirement*) que tengas, da tus razones personales. 3) Organiza tus requisitos en orden de prioridad.

En algunas de tus oraciones debes usar verbos en el subjuntivo después de una frase tal como *Un _____ ideal para mí es un _____ que...*, etc. Sigue el modelo.

> MODELO   *Un amigo ideal para mí es un amigo que sea inteligente, etc.*

NOTA GRAMATICAL

The subjunctive with the conjunctions en caso de que, sin que, con tal de que, antes de que, para que, a menos que

Vamos a correr, **en caso de que salga** temprano el tren.	*Let's run, in case the train leaves early.*
El perro no puede salir **sin que** lo **veamos.**	*The dog can't get out without our seeing him.*
Iré al cine **con tal de que** tú pagues.	*I'll go to the movies as long as you pay.*
No pueden llamar **a menos que** les **des** tu número.	*They can't call unless you give your number.*
Elsa habla español en casa **para que** sus hijos lo **aprendan.**	*Elsa speaks Spanish at home so that her children will learn it.*
¿Piensas comer antes **de que lleguemos?**	*Do you plan to eat before we arrive?*

1. There are certain conjunctions in Spanish that are *always* used with the subjunctive. They are *never* used with the indicative because they usually relate one event to another by projecting them into the realm of the unknown or by linking them to an event that may or may not occur.

2. The following conjunctions are always used with the subjunctive: **en caso de que, sin que, con tal de que, antes de que, para que, a menos que.** (Note: the first letter of each of these conjunctions in this order spells the word **ESCAPA,** which may help you to remember them.)

Aquí practicamos

H. Circunstancias Para indicar que todo depende de ciertas circunstancias, cambia los verbos que están entre paréntesis a su forma apropiada del subjuntivo.

1. Yo no pienso salir de viaje a menos que ustedes _____ (llegar, terminar, escribir, regresar, llamar).

2. Mi tía Alicia dice que está preparada en caso de que yo no _____ (volver, llamar, entender, ganar, correr).

3. El jefe siempre lleva el dinero al banco antes de que los empleados _____ (salir, ir, terminar, insistir, venir).

4. Mis padres hacen todo lo posible para que nosotros _____ (aprender, divertirse, estudiar, viajar, entender).

5. Ese empleado siempre se va temprano sin que el jefe lo _____ (permitir, ver, saber, llamar, parar).

6. Todos te ayudaremos con tal de que tú _____ (trabajar, pagar, venir, estar, volver).

I. Todo depende... Trabaja con un(a) compañero(a) de clase para completar las oraciones de una manera original, indicando que la situación depende de algo. Sigan el modelo.

> **MODELO** El editor publica la revista para que la gente...
> *El editor publica la revista para que la gente lea en español.*

1. Dicen que la actriz siempre sale del teatro sin que el público...

2. ¿Quiénes pueden leer esa novela antes de que el profesor...?

3. No quiero comprar la fotonovela a menos que yo...

4. ¿Qué piensas hacer en caso de que tu papá no...?

5. Muchos actores de cine dicen que sólo trabajan para que el público...

6. El (La) novelista espera escribir otra obra con tal de que él (ella)...

NOTA GRAMATICAL

The subjunctive and indicative with **cuando** and **aunque**

Hablaremos con Mario **cuando llame.**	We'll talk with Mario when he calls. (This hasn't happened yet.)
Cuando llegue a México, comeré muchos tacos de pollo.	When I get to Mexico, I'll eat lots of chicken tacos. (The next time I go there, whenever that may be, I will do this.)
Comí muchos tacos **cuando llegué** a México.	I ate lots of tacos when I got to Mexico. (This is what happened that time.)
Siempre como muchos tacos **cuando voy** a México.	I always eat lots of tacos whenever I go to Mexico. (This happens on a regular basis.)

1. The conjunction **cuando** can be used with either the subjunctive or the indicative, according to the idea you want to express. It is a conjunction tied to time. The subjunctive is used in the **que** clause when the verb of the main clause is in the future tense. This next time is implied and there is no certainty that the action will take place.

2. When the verb in the main clause is in the past, however, the indicative is used after **cuando** because the action has already taken place.

3. When the main-clause verb is in the present tense, **cuando** is also followed by a verb in the indicative because it refers to whenever something happens on a regular basis.

Aunque sea inteligente, Vicente no estudia.	*Even though he may be intelligent, Vicente doesn't study.*
Aunque es inteligente, Vicente no estudia.	*Even though he is intelligent, Vicente doesn't study.*
No podré ir, **aunque insistas.**	*I won't be able to go, even though you may insist.*
No podré ir, **aunque insistes.**	*I won't be able to go, even though you are insisting.*

4. **Aunque** is a conjunction that allows for two different meanings, depending on whether it is used with the subjunctive or the indicative. The subjunctive is used after **aunque** when an outcome is seen as indefinite.

5. Used with the indicative, **aunque** conveys the idea that something is an established fact, regardless of the tense that is used in the main clause.

6. Notice that these two conjunctions, like several of the others you have learned, can be used either at the beginning of a sentence, before the main clause, or after it.

Aquí practicamos

J. Premio para un escritor Completa las siguientes oraciones (que todas juntas narran una anécdota) con la forma apropiada del presente del subjuntivo o del indicativo del verbo que está entre paréntesis. La explicación sugerida entre paréntesis puede ser una ayuda en algunos casos.

1. El escritor Fulano siempre acepta cuando alguien le _____ (mandar) una invitación. (La gente lo invita a menudo.)

2. Esta vez, Fulano sonríe cuando _____ (leer) una carta importante sobre un premio literario. (La carta le da la información.)

3. Irá a la ceremonia aunque él no _____ (recibir) el premio. (No sabe si va a recibirlo.)

4. Quiere hacer el viaje aunque nadie _____ (saber) quién va a ganar. (Es seguro que nadie tiene idea en este momento.)

5. Su bella amiga Lola lo acompañará aunque ella _____ (tener) mucho trabajo. (Sabemos que está muy ocupada con un proyecto.)

6. Empezarán las fiestas cuando Fulano y Lola _____ (llegar). (No han llegado todavía.)

7. Aunque todos sus amigos lo _____ (esperar), Fulano llegará un poco tarde. (Todos están esperando ahora.)

8. Fulano siempre hace esto cuando _____ (querer) llamar la atención. (Le gusta llamar la atención.)

9. Estará bien preparado cuando el maestro de ceremonias _____ (decir) su nombre. (Fulano no sabe si lo va a oír.)

10. De pronto, el público dice "¡Bravo!" cuando _____ (oír) el nombre "Lanufo". (Ése es el nombre que el maestro de ceremonias anuncia.)

11. "Está bien", dice Fulano. "Aunque no _____ (ser) mi nombre, tiene todas las letras de mi nombre." (El maestro de ceremonias no dice su nombre.)

12. Aunque Fulano _____ (saber) que no ha ganado el premio esta vez, le dice "¡Felicitaciones!" a Lanufo. (Fulano tiene esta información ahora.)

13. "La próxima vez", Fulano le dice a Lola, "cuando nosotros _____ (ir) a la ceremonia, el premio será para mí. ¡Esta vez sólo perdí por el orden de las letras!" (No han ido todavía a esa ceremonia.)

LECTURA CULTURAL

Reading Strategies
- Using the title to predict content
- Activating prior knowledge
- Scanning for specific information

Antes de leer

1. Lee el título para saber de qué animal trata el poema a continuación.

2. ¿En qué piensas tú cuando ves este animal?

3. ¿Qué es posible que diga el poeta de este animal en sus versos?

El pájaro

Al leer este poema es interesante pensar en la idea de Octavio Paz (México, 1914–) de que el significado de la poesía es el resultado de un encuentro entre el poema y el lector. Es decir, la interpretación viene de la contribución de la persona que lee los versos con la idea de participar en la creación literaria. Así, lo que dice un poema puede ser momentáneo y cambiante.

El pájaro

Un silencio de aire, luz y cielo.
En el silencio transparente
el día **reposaba:**
la transparencia del espacio
era la transparencia del silencio.
La inmóvil luz del cielo **sosegaba**
el crecimiento de las **yerbas.**
Los **bichos** de la tierra, entre las piedras,
bajo una luz idéntica, eran piedras.
El tiempo en el minuto **se saciaba.**
En la quietud **absorta**
se consumía el mediodía.

Y un pájaro cantó, delgada **flecha.**
Pecho de plata herido vibró el cielo,
se movieron las hojas,
las yerbas despertaron...
Y sentí que la muerte era una flecha
que no se sabe quién **dispara**
y en un abrir los ojos nos morimos.

Guía para la lectura

1. Busca las palabras cognadas que se pueden reconocer fácilmente. Hay por lo menos siete.

2. En la poesía la repetición de palabras sirve para hacer énfasis especial, así como para establecer cierta rima. Pensando en esto, haz una lista de las palabras claves que aparecen por lo menos dos veces en el poema. (Hay como seis de estas palabras.)

3. Lee el poema dos veces con cuidado antes de responder a las preguntas que siguen.

reposaba *was resting* **sosegaba** *silenced* **yerbas** *weeds* **bichos** *creatures* **se saciaba** *filled itself up* **absorta** *absorbed* **flecha** *arrow* **dispara** *shoots*

Comprensión

K. ¿Comprendiste? *Responde a las preguntas que siguen para ayudarte a interpretar el poema.*

1. ¿Dónde tienen lugar las escenas que describe Paz?

2. ¿Qué quiere decir el poeta cuando dice que "los bichos de la tierra... eran piedras"? ¿Qué hace que parezcan eso los animales?

3. ¿Cómo pasa el tiempo en el contexto que se describe aquí?

4. ¿Qué le pasó al pájaro? ¿Cómo le pasó esto?

5. ¿A qué conclusión llega el poeta al final del poema? ¿Cómo parece sentirse el poeta al entender este significado?

6. ¿Cuál es el tono general del poema o la actitud del poeta que se comunica en él?

7. ¿Cuáles son algunas de las palabras claves que revelan esta actitud?

8. ¿Qué piensas de la posibilidad de que la voz que dice "sentí que la muerte era una flecha" sea la del pájaro mismo y no la de un observador humano?

9. ¿Qué te hace sentir a ti este poema?

10. ¿Cuál es la parte más importante para ti del poema? ¿Por qué?

L. Palabras claves Al volver a leer el poema "El pájaro", presta atención a las maneras en que el poeta presenta el movimiento y también la inmovilidad. ¿Cuáles son las palabras claves que usa el poeta para hacer esto?

¡ADELANTE!

 Una persona ideal With a classmate discuss your futures and tell each other six qualities you want in an ideal life partner. Begin your remarks with *Una persona ideal para mí es una persona que...* Be sure to use verbs that follow in the subjunctive since this is still a part of your imagination: **salga mucho con nuestros amigos, vaya cada semana a la iglesia, gane mucho dinero...** Then explain why each quality is important to you: **porque me gusta la vida social; es importante que sea religiosa; necesito la seguridad financiera.** Siguen el modelo

> **MODELO** *Una persona ideal para mí es una persona que salga mucho con nuestros amigos porque me gusta la vida social.*

 Mi mini-retrato You have been asked to turn in an autobiographical entry in Spanish for a national publication of *Who's Who in U.S. High Schools.* Your space is strictly limited to no more than ten to twelve sentences. In this condensed description of yourself, include such information as 1) where you've lived and traveled, 2) a person who has influenced you and why, 3) something that you've accomplished, 4) a significant interest of yours, 5) an experience that has helped you understand more about life, 6) a point of view you feel strongly about and, finally, 7) what your hopes are for the future.

EN LÍNEA

Connect with the Spanish-speaking world! Access the *¡Ya verás! Gold* home page for Internet activities related to this chapter.

http://yaveras.heinle.com

VOCABULARIO

Para charlar

Para hablar del mundo de las letras

el argumento
el (la) autor(a)
el (la) cuentista
el cuento
el (la) ensayista
el ensayo
el (la) escritor(a)
la fotonovela
la literatura
la novela
el (la) novelista
la obra
el (la) periodista
el periódico
los personajes
el tema
el poema
el poeta
la poetisa
la revista

Vocabulario general

Para expresar duda, incertidumbre e improbabilidad

Dudo que…
Es dudoso que…
Puede ser que…
No estoy seguro(a) que…
No creo que…
Es increíble que…
No es verdad que…
No es cierto que…
(No) Es posible que…
(No) Es imposible que…
(No) Es probable que…
(No) Es improbable que…

Para expresar resultados imaginarios o dependientes en acciones previas

En caso de que…
Sin que…
Con tal de que…
Antes de que…
Para que…
A menos que…
Aunque…
Cuando…

Sustantivos

el dinosaurio
la duda
la enciclopedia
el (la) estrella (de cine, de televisión)
la incertidumbre
la muerte
el premio

Adjetivos

científico(a)
ideal
literario(a)
tecnológico(a)
zoológico(a)

Otras expresiones

de golpe
¡Felicitaciones!
ganar un premio
llamar la atención
el punto de vista

CAPÍTULO 11

Las raíces de la literatura

La tradición oral, en que una leyenda pasa de una persona a otra, es una raíz importante de la literatura. Las herencias indígenas, españolas y africanas son tres influencias importantes en la literatura latinoamericana contemporánea.

Objectives

- talking about books and literature
- talking about what might happen
- making polite requests

- ¿Qué es una leyenda?

- ¿Son interesantes las leyendas? ¿Por qué sí o por qué no?

- ¿Conoces una leyenda? ¿De qué trata?

Las leyendas prehispánicas y lo maravilloso

*Una leyenda es una narración tradicional que puede entretener
a la gente y enseñarle una lección.*

Desde el comienzo de su historia, a los seres humanos siempre les han fascinado los misterios del universo. Al tratar de explicar el mundo y el origen de los pueblos que viven en él, se usaba el relato oral para contar las aventuras de los dioses y los héroes y, más tarde, las actividades de la gente común y corriente. La narración oral entretenía a la gente y le enseñaba una lección para su vida. De estas tradiciones orales transmitidas durante muchas generaciones nacieron los mitos, las fábulas y las leyendas. Muchos de los relatos orales más populares llegaron a escribirse, en forma de cuentos literarios y todavía se siguen escribiendo.

La leyenda es una narración tradicional que se distingue principalmente por el uso de la imaginación. Lo maravilloso se entremezcla con incidentes, creencias y costumbres de la vida diaria. Los elementos fantásticos pueden ser hechos milagrosos, seres sobrenaturales, misterios o sueños. En todo caso, el objetivo principal de una leyenda es el de señalar cuál es la conducta correcta para el ser humano. Por medio de la leyenda se puede aprender también sobre el carácter y los valores de la gente de otra cultura.

Las dos leyendas en este capítulo son ejemplos de las leyendas de la civilización maya que floreció por muchos siglos antes de la llegada de los españoles en lo que hoy es México y Centroamérica. Fueron adaptadas recientemente de la lengua maya al español por el traductor Domingo Dzul Poot, de Campeche en México.

Leyenda maya -El agua lo trajo, el agua se lo llevó

Tata Bus rezaba a San Isidro, el santo patrón de los animales.

—¡Ay, San Isidro! Por favor, dame tan siquiera una vaca con su **becerro**. Te prometo que yo nunca venderé leche mezclada con agua como lo hace mi **vecino** al que llaman **aguador**.

San Isidro hizo un **milagro** y le concedió su deseo. Tata Bus comenzó a vender leche pura de su vaquita a tres personas. Un día vino una señora y le suplicó:

—Tata Bus, véndeme siquiera medio **calabazo** de leche cada día. Tata Bus dijo que iba a pensarlo. Si le ponía medio calabazo de agua a toda la leche que **ordeñaba**, seguramente no se notaría. De ese modo podría venderle a la señora lo que le pedía. Y así lo hizo. Con el dinero que hizo de **la venta** del medio calabazo diario de agua, compró dos vaquitas más. Todos los días las llevaba al campo a pastar.

Un día, mientras **pastaba** su **ganado**, cayó un torrencial **aguacero**. Tata Bus se dio prisa a llevar de nuevo sus vacas al pueblo. La vaca que le había dado San Isidro cruzó por una hondonada pero las dos que había comprado con el dinero de la venta del medio calabazo de agua se **retrasaron** y **se ahogaron** ahí. Entonces Tata Bus dijo:

—¡Y **qué más da**! ¡El agua me las trajo, el agua se las llevó!

becerro *calf* vecino *neighbor* aguador *someone who cheats by watering down something* ordeñaba *milked* la venta *the sale* pastaba *grazed* ganado *cattle* aguacero *rainstorm* hondonada *ravine* retrasaron *fell behind* se ahogaron *drowned* qué más da *who cares?*

Comprensión

A. Verbos   Con un(a) compañero(a) escriban una definición en español que explique el significado de los siguientes verbos. Después consulten un diccionario para escribir sus definiciones "oficiales", comparándolas con las que ustedes escribieron.

1. rezar
2. mezclar
3. ordeñar
4. pastar
5. darse prisa
6. cruzar
7. retrasarse
8. ahogarse

B. El contenido y su interpretación   Responde a las preguntas sobre la leyenda "El agua lo trajo, el agua se lo llevó".

1. ¿Qué tipo de trabajo hace Tata Bus?
2. ¿Qué tipo de persona es el vecino de Tata Bus? ¿Cómo lo sabemos?
3. ¿Quién es San Isidro?
4. ¿Qué le promete Tata Bus a San Isidro?
5. ¿Cuál es el milagro que hace San Isidro?
6. ¿Qué hace Tata Bus inmediatamente después del milagro?
7. ¿Para qué sirve el calabazo?
8. ¿Qué decidió hacer un día Tata Bus con la leche que le pidió una señora?
9. Después de esto, ¿qué pasó con las vacas de Tata Bus?
10. ¿Qué significa lo que dijo Tata Bus cuando pasó esto con sus vacas?
11. Después de todo, ¿qué tipo de persona es Tata Bus?
12. ¿Cuál es una de las lecciones que enseña esta leyenda?
    ¿Qué otro título podría tener esta leyenda?

C. ¿Qué pasará? Completa las siguientes oraciones usando expresiones como **en caso de que**, **sin que**, **con tal de que**, **antes de que**, **para que**, **a menos que**, **aunque** y **cuando**. Sigue el modelo y usa la imaginación.

> **MODELO** Manuel dice que no irá a México…
> *Manuel dice que no irá a México a menos que yo vaya con él.*

1. Cuando va mi familia a un restaurante, (nombre de alguien) siempre paga la cuenta…

2. Pensamos invitar a (nombre de alguien) a acompañarnos a…

3. No quiero quedarme una semana más en mi trabajo…

4. Llamaré a (nombre de alguien) esta noche…

5. Mañana yo no llegaré a tiempo a la escuela…

6. No le darán el premio de (nombre de un premio) a (nombre de alguien)…

7. (Nombre de alguien) no quiere viajar por avión…

8. Mis padres me comprarán los boletos al concierto de (nombre de alguien)…

9. Terminaré de leer (nombre de un libro, un artículo o una tarea) mañana…

10. Creo que aprenderemos más sobre la literatura…

Chichen Itzá, ruina maya

ESTRUCTURA

The conditional

Roberto **viajaría** contigo.	*Roberto would travel with you*
Me gustaría viajar contigo.	*I would like to travel with you.*
¿No **irían** tus primos con ellos?	*Wouldn't your cousins go with them?*
¿**Venderías** tu bicicleta?	*Would you sell your bicycle?*
Pedro dijo que **llegaría** a las 6:00.	*Pedro said he would arrive at 6:00.*

1. The conditional tense in Spanish is equivalent to the English structure *would* + verb. It simply expresses what would happen if the conditions were right.

2. Another way to think about the conditional is that it is related to the past the way the future is to the present. That is, the conditional refers to the *future* of an action in the past.

Dicen que **volverán** temprano.	*They say they will return early.*
Dijeron que **volverían** temprano.	*They said they would return early.*

3. The conditional tense is very similar to the future tense. It is formed by adding the endings **-ía, -ías, -ía, -íamos, -íais,** and **-ían** to the infinitive, whether it be an **-ar, -er,** or **-ir** verb.

llegar			
yo	llegar**ía**	nosotros(as)	llegar**íamos**
tú	llegar**ías**	vosotros(as)	llegar**íais**
él ella Ud.	llegar**ía**	ellos ellas Uds.	llegar**ían**

ver			
yo	ver**ía**	nosotros(as)	ver**íamos**
tú	ver**ías**	vosotros(as)	ver**íais**
él ella Ud.	ver**ía**	ellos ellas Uds.	ver**ían**

ESTRUCTURA (CONTINUED)

pedir			
yo	pediría	nosotros(as)	pediríamos
tú	pedirías	vosotros(as)	pediríais
él ella Ud.	pediría	ellos ellas Uds.	pedirían

4. The conditional *cannot* be used in Spanish to refer to something that "used to be" the way *would* can be used in English: "When we were kids, we would always go to the movies on Saturdays." (As you have learned, the imperfect tense is used in Spanish to talk about habitual actions in the past.)

Aquí practicamos

D. ¿Qué harían? Sustituye las palabras en cursiva con las palabras que están entre paréntesis y haz los cambios que sean necesarios.

1. *Ella* organizaría una fiesta. (nosotros / yo / Marta y Carlos / tú / ellos)
2. *Tú* dormirías hasta las 8:00. (Uds. / ella / mi hermano / ellos / vosotros)
3. *Él* no comprendería las preguntas. (yo / ellas / tú / nosotros / Ud. / Mario)

E. ¿Qué dijeron que harían? Escribe las siguientes oraciones cambiando el primer verbo al pretérito y el segundo al condicional para hacer una referencia al pasado. Sigue el modelo.

> **MODELO** Dice que escribirá una novela.
> *Dijo que escribiría una novela.*

1. Me dicen que les darán un premio a los tres mejores escritores.
2. Ramón dice que le gusta leer los poemas de Neruda.
3. ¿Dicen ustedes que no irán a la ceremonia?
4. Mi amigo dice que no leerá esa fotonovela.
5. ¿Dices que no escribirás la composición?
6. Los críticos dicen que la gente no entenderá la novela.
7. El editor dice que publicará otra revista en español.
8. ¿Ustedes dicen que no será difícil encontrar a esa autora?
9. Carlos y Marta dicen que verán a muchos escritores en la fiesta.
10. Yo digo que algún día Carlos Fuentes, de México, ganará el Premio Nóbel.

NOTA GRAMATICAL

The conditional of other verbs

As you have learned already, some verbs use a different stem to form the future tense. They use these same stems to form the conditional tense. The endings, however, are the same as for regular verbs (-ía, -ías, -ía, -íamos, -íais, -ían). The most common verbs that do not use the infinitive as the stem to form either the future or the conditional tense are listed here.

decir	dir-	yo diría
haber	habr-	yo habría
hacer	har-	yo haría
poder	podr-	yo podría
poner	pondr-	yo pondría
querer	querr-	yo querría
saber	sabr-	yo sabría
salir	saldr-	yo saldría
tener	tendr-	yo tendría
venir	vendr-	yo vendría

tú dirías, etc.

F. ¿Qué dirían? Sustituye las palabras en cursiva con las palabras entre paréntesis y haz los cambios que sean necesarios.

1. Los escritores dirían que es difícil escribir una novela. (ella / tú / los críticos / mi profesora / el estudiante / vosotras)

2. El lector no tendría paciencia con una obra mal escrita. (yo / mis padres / el público / nosotros / tú / los editores)

3. El poeta podría escribir más versos sobre el tema del amor. (ella / mi hermana / ustedes / los estudiantes / Teresa)

G. Hoy no, pero otro día sí Indica lo que las personas harían otro día porque no pueden hacerlo hoy. Sigue el modelo.

MODELO   ¿Puedes ir al banco hoy?
Hoy no, pero iría al banco otro día.

1. ¿Tu hermana puede llevar a los niños al parque?

2. ¿Piensan estudiar ustedes esta tarde?

3. ¿Vas al cine con nosotros?

4. ¿Carmen puede llamarnos por teléfono?

5. ¿Ud. quiere tomar el tren a Granada?

6. ¿Pueden salir ustedes temprano?

7. ¿Quieres comer en un restaurante elegante?

8. ¿Puedes comprar las bebidas en el supermercado?

9. ¿Espera aprender Marta ese poema?

10. ¿Tienes tiempo libre hoy?

11. ¿Carlos puede venir a casa después?

12. ¿Hay tiempo para ir a la playa?

H. ¿Qué harías tú? Usa la información a continuación para hacerle preguntas a un(a) compañero(a), que después te contestará. Usen el tiempo condicional y sigan el modelo.

> **MODELO**   hacer / después de esa clase
> **Tú:** —¿Qué harías tú después de esa clase?
> **Compañero(a):** —Yo iría (voy, voy a ir, pienso ir) al museo.

1. hacer / después de viajar por México

2. hacer / los fines de semana

3. hacer / en una situación difícil

4. hacer / en la fiesta la próxima vez

5. hacer / en la nueva tienda

6. hacer / en la casa de tus abuelos

7. hacer / el día del cumpleaños de tu papá

8. hacer / el verano que viene

9. hacer / en España

10. hacer / en un concierto de rock

LECTURA CULTURAL

Reading Strategies

- Using the title and the illustrations to predict content
- Scanning for specific information

Antes de leer

1. Lee el título y mira el dibujo en la proxima página para tener una idea del tema de la leyenda. ¿Cuál es el tema general?

2. Ahora busca las palabras glosadas con sus definiciones indicadas para familiarizarte con su significado.

Leyenda maya —La muerte comadre del batab

Junto a un cementerio vivía un **batab** que iba todos los días a varios **entierros**. Le era tan familiar la muerte que ya la sentía como un pariente cercano. Un día el batab estaba preocupado y se preguntó a sí mismo:

—¿Cuándo me tocará morir a mí?

—¡Aquí estoy **compadre!** le dijo la muerte, apareciendo de repente.

Y pensó:

—Bueno sería **comprometer** a la muerte a que fuera mi **comadre,** para que no me llevara pronto.

Parecía un **esqueleto** y llevaba un **moño** rojo en la cabeza, unos aretes y una pulsera.

—¿Para qué me quieres?, le preguntó el batab a la muerte.

—Compadre, ya que tantas ganas tienes de saberlo, mañana en la noche vendré por ti.

—**Eso no se vale**—, respondió el batab. —Es muy poco el tiempo que me das. Ya que aceptaste ser mi comadre, deberías tenerme lástima. Por favor.

—Eso no puede ser, compadre, tengo orden de llevarte mañana mismo.

Al día siguiente, el batab *se disfrazó* para que la muerte no pudiera reconocerlo. Se peló *k'olis*, cortándose todo el pelo, se puso un pañuelo rojo en el cuello y se vistió de manera diferente. Ya no parecía el batab de antes. Luego se fue a una fiesta y ahí se metió en una pelea.

Cuando la muerte llegó, vio que la casa de su compadre estaba cerrada y dijo:

—Pobre de mi compadre, tiene razón. Llevaré a otro en su lugar como me pidió. Voy a esa fiesta de donde se oyen gritos. La muerte se fue a la fiesta y ahí encontró a un k'olis, o un **pelón,** que **metía mucho relajo.** Entonces dijo la muerte:

—Bueno, me llevaré a este k'olis en lugar de mi compadre.

Guía para la lectura

1. Lee la primera mitad de la leyenda y responde a las siguientes preguntas.

   a. ¿Qué hacía el hombre todos los días?

   b. ¿Por qué estaba preocupado el hombre?

   c. ¿Qué sorpresa tuvo el hombre un día?

batab *Mayan word for chief, leader* **entierros** *burials, funerals* **comprometer** *to reach a compromise, to make a deal* **comadre** *close family friend (like a godmother)* **compadre** *close family friend (like a godfather)* **esqueleto** *skeleton* **moño** *bow* **Eso no vale** *That's not fair* **se disfrazó** *dressed in disguise* **k'olis** *Mayan word for a shaved head* **pelón** *someone with a shaved head* **metía mucho relajo** *was causing a lot of trouble*

d. ¿Qué forma tiene la muerte en esta leyenda?

e. ¿Qué le dijo la muerte al hombre cuando éste le pidió más tiempo?

f. ¿Qué hizo el hombre y por qué lo hizo?

2. Lee la segunda mitad de la leyenda y responde a las siguientes preguntas.

a. Cuando la muerte volvió a la casa del hombre, ¿qué descubrió?

b. ¿Qué decidió hacer la muerte cuando descubrió ésto? ¿Adónde fue?

c. ¿Qué pasó al final de la fiesta?

d. ¿Cuáles son las actitudes hacia la muerte que se representan en esta leyenda?

e. ¿Se podría decir que en esta leyenda se refleja cierto sentido de humor o de ironía? ¿Por qué sí o por qué no?

f. ¿Cuál sería una de las lecciones centrales de esta leyenda?

g. ¿Qué otro título se le podría dar a esta leyenda?

Comprensión

I. **Las leyendas** Ahora repasa la otra leyenda al principio de esta etapa (página 287) y responde a estas preguntas generales sobre las dos leyendas que has leído.

1. ¿Cómo se transmitían originalmente estas leyendas?

2. ¿De dónde vienen las leyendas "El agua lo trajo, el agua se lo llevó" y "La muerte, comadre del batab"?

3. ¿En qué lengua se transmitían estas leyendas?

4. ¿Cuáles son las dos palabras de origen maya en una de las leyendas? ¿Qué significan?

5. ¿Cuál es la diferencia principal entre los títulos de las dos leyendas?

6. ¿Cuál es el tono de las leyendas? Es decir, ¿cuál parece ser la actitud del narrador?

7. ¿Cuáles son los elementos en las dos leyendas que se podrían llamar "fantásticos"?

8. ¿Cuántas personas hablan directamente en estas leyendas? ¿Quiénes son?

9. ¿Cuál de las dos leyendas se parece más a una obra de teatro? ¿Por qué?

10. ¿Cómo terminan las dos leyendas?

Dije que sí, pero ahora no puedo. Responde a las preguntas que siguen, indicando que las personas mencionadas dijeron que harían algo, pero que ahora no lo pueden hacer. Sigue el modelo.

MODELO
¿Vas a ir al cine?
Dije que iría, pero ahora no puedo.

1. ¿Piensas salir el miércoles para España?
2. ¿Viajarán ustedes juntos en el avión?
3. ¿Tu novio(a) va a cantar esta noche?
4. ¿El (La) profesor(a) va a estar en la fiesta?
5. ¿Tus primos van a nadar con nosotros?
6. ¿El taxista vendrá a las 11:00 por nosotros?
7. ¿Vas a ayudar a tu amigo(a) esta tarde con sus muebles?
8. ¿Quieren correr ustedes diez kilómetros conmigo mañana?
9. ¿Podrás terminar el proyecto este fin de semana?
10. ¿Tus amigos quieren jugar al tenis hoy?

 En ese caso... Escribe dos cosas que tú o las personas mencionadas harían en las circunstancias indicadas. Sigue el modelo.

MODELO
Ves un coche parado en la carretera con una llanta desinflada (*flat tire*). ¿Qué harías?
Le ayudaría a la persona a cambiar la llanta o llamaría a la policía.

1. Estás en un restaurante cuando alguien grita, "¡Fuego en la cocina!" ¿Qué harías?
2. Tu amigo(a) y tú caminan por la calle cuando empieza a llover. Tú no tienes paraguas, pero él (ella) sí. ¿Qué haría tu amigo(a)?
3. Tienes un dolor de cabeza y le pides aspirinas a tu hermana. ¿Qué haría ella?
4. Tu hermano quiere comprar una bicicleta pero le falta dinero. ¿Qué haría él?

- ¿Quién es don Quijote de La Mancha? ¿Sancho Panza?

- ¿Quién es Miguel de Cervantes?

- En general, ¿qué significan el realismo y el idealismo?

El realismo y el idealismo

Don Quijote y Sancho Panza representan el idealismo y el realismo en una de las novelas más importantes de la literatura española.

Miguel de Cervantes (1547–1616) tomó las **corrientes** del realismo y el idealismo, entre otras, para escribir una de las obras más universales de la literatura: *Las aventuras del ingenioso hidalgo Don Quijote de la Mancha.* Cervantes vivió durante una época de grandes conflictos cuando España tenía el imperio más vasto que ha conocido hasta ahora la historia humana. Por un lado, se proclamaba lo ideal en la gloria de España. Por otro **se negaba** su **grandeza** porque en realidad resultó imposible controlar la administración y la economía de sus extensos territorios en Europa, África, Indonesia y América. Así el pueblo español sentía la tensión eterna entre el realismo y el idealismo. Cervantes reconoció esta tensión y se dedicó a representarla en su creación literaria.

Don Quijote y Sancho Panza

corrientes *currents* **se negaba** *was denied* **grandeza** *greatness*

Los lectores de la famosa novela de Cervantes han hecho innumerables interpretaciones de ella a lo largo de los siglos. La mayoría está de acuerdo en que los dos protagonistas, don Quijote y Sancho Panza, representan **valores** espirituales que nos dan una **amplia** y rica visión de la naturaleza humana y del **destino** del ser humano en general. Don Quijote, el gran idealista, tiene una **fe ciega** en los valores del espíritu como la **bondad**, la **honra**, la **valentía**, la **lealtad** y el amor a la justicia. Está convencido de ser un caballero con la noble misión de reformar el mundo.

Sale en busca de aventuras con la idea de hacer bien a todos para que triunfe la justicia. Sancho, el humilde realista, con su fuerte sentido práctico de las cosas, tiene mucho interés en el materialismo. Es un **labrador sencillo** y **grosero** que siempre tiene hambre y sed. Decide acompañar a don Quijote en sus aventuras porque espera ser un hombre rico y famoso cuando vuelva a su casa.

**Miguel de Cervantes Saavedra
(1547–1616)**

---

valores *values*   **amplia** *broad*   **destino** *destiny, fate*   **fe ciega** *blind faith*   **bondad** *kindness*   **honra** *honor*
valentía *courage*   **lealtad** *loyalty*   **labrador sencillo** *simple farmhand, peasant*   **grosero** *vulgar*

Don Quijote —Nuestro héroe

En un lugar de la Mancha, de cuyo nombre no quiero acordarme, no hace mucho tiempo que vivía un **hidalgo** pobre. Tenía en su casa un **ama de casa** que pasaba de cuarenta años, y una sobrina que no llegaba a los veinte. La edad de nuestro hidalgo era de cincuenta años; era fuerte, delgado, muy activo y amigo de la **caza**. Los momentos que no tenía nada que hacer (que eran la mayoría del año), se dedicaba a leer libros de caballerías con tanta afición y gusto que olvidó casi completamente el ejercicio de la caza, y aun la administración de su hacienda. Llegaron a tanto su curiosidad y locura en esto, que vendió muchas tierras para comprar libros de caballerías para leer, y así llevó a su casa muchos libros de esta clase.

Los quatro libros del Vir tuoso cauallero Amadís de Gaula: Complidos.

Tuvo muchas disputas con el **cura** de su lugar, y con maestro Nicolás, el barbero del mismo pueblo, sobre cuál había sido mejor caballero, Palmerín de Inglaterra o Amadís de Gaula, y sobre otras cuestiones semejantes que trataban de los personajes y episodios de los libros de caballerías. Se aplicó tanto a su lectura que pasaba todo el tiempo, día y noche, leyendo. Se llenó la cabeza de todas aquellas locuras que leía en los libros, tanto de **encantamientos** como de disputas, batallas, duelos, heridas, amores, infortunios y absurdos imposibles. Tuvieron tal efecto sobre su imaginación que le parecían verdad todas aquellas invenciones que leía, y para él no había otra historia más cierta en el mundo.

Como ya había perdido su **juicio**, le pareció necesario, para aumentar su gloria y para servir a su nación, hacerse **caballero andante**, e irse por todo el mundo con sus **armas** y caballo a buscar aventuras. Pensaba dedicarse a hacer todo lo que había leído que los caballeros andantes hacían, destruyendo todo tipo de deshonor y poniéndose en circunstancias y peligros, donde, terminándolos, obtendría eterna gloria y fama. Lo primero que hizo fue limpiar unas armas que habían sido de sus bisabuelos. Las limpió y las reparó lo mejor que pudo, pero vio que tenían una gran falta, y era que no tenían **celada**; más con su habilidad hizo una celada de **cartón**. Para probar si era fuerte, sacó su **espada** y le dio dos golpes con los que deshizo en un momento la que había hecho en una semana. Volvió a hacerla de nuevo y quedó tan satisfecho de ella, que sin probar su firmeza la consideró finísima celada.

---

hidalgo *nobleman*　**ama de casa** *housekeeper*　**caza** *hunting*　**cura** *priest*　**encantamientos** *magic spells*　**juicio** *sanity*
caballero andante *knight errant*　**armas** *weapon*　**bisabuelos** *great-grandparents*　**celada** *helmet*　**cartón** *cardboard*
espada *sword*

Comentarios CULTURALES

La popularidad de El Quijote

Las aventuras del ingenioso hidalgo Don Quijote de la Mancha es una de las creaciones literarias más populares en la historia de la literatura. Después de la **Biblia** es una de las obras más publicadas y más traducidas del mundo. Es interesante notar también que el vocabulario que usa Cervantes es uno de los más extensos de la historia literaria. Como ejemplo, en comparación con las 6.000 palabras que contiene la versión inglesa de la **Biblia (King James)**, Cervantes usa unas 8.200 palabras distintas en **El Quijote.**

EL INGENIOSO HIDALGO DON QVIXOTE DE LA MANCHA.

Compuesto por Miguel de Ceruantes Saauedra.

DIRIGIDO AL DVQVE DE BEIAR. Marques de Gibraleon, Conde de Benalcaçar, y Bañares, Vizconde de la Puebla de Alcozer, Señor de las villas de Capilla, Curiel, y Burguillos.

Año, 1605.

CON PRIVILEGIO, EN MADRID Por Iuan de la Cuesta.

Vendese en casa de Francisco de Robles, librero del Rey nío señor

Comprensión

A. Estudio de palabras Con un(a) compañero(a) escriban una definición que ustedes creen que explique mejor el significado de las siguientes palabras. Después consulten un diccionario para escribir sus definiciones "oficiales", comparándolas con las que ustedes escribieron.

1. el realismo
2. el idealismo
3. la sátira
4. el espíritu
5. la justicia
6. el materialismo

B. Verdadero o falso Decide si las siguientes oraciones son verdaderas o falsas. Corrige las falsas de acuerdo con la información que acabas de leer en la introducción a la etapa.

1. Cervantes escribió "la novela por excelencia" porque pudo combinar genialmente el realismo y el idealismo.
2. En su novela clásica Cervantes presenta una visión universal de cómo se sienten y cómo actúan los seres humanos en general.
3. En la época de Cervantes, España tenía un lugar de poca importancia en el mundo.
4. Los críticos han hecho sólo dos o tres interpretaciones de esta obra.
5. Don Quijote cree que es posible mejorar las cosas.
6. Don Quijote tiene mucho interés en la comida y la bebida.
7. A Sancho le interesa la manera más directa y eficiente de hacer las cosas.
8. Sancho Panza casi siempre piensa en cómo puede ayudar a la gente.

C. ¿Comprendiste? Escoge la frase que mejor describa el propósito del narrador del texto que acabas de leer.

1. dar una serie de opiniones personales sobre los viejos locos
2. narrar una secuencia de eventos importantes en la historia española
3. describir el temperamento de un protagonista interesante
4. convencer a los lectores que vale la pena leer libros de caballerías

D. Cuestionario Responde en español a las siguientes preguntas sobre la lectura en la página 299.

1. ¿Quiénes vivían con el hidalgo en su casa?
2. ¿Cuántos años tenía don Quijote?
3. ¿Cómo era físicamente?

4. ¿Cómo pasaba don Quijote la mayoría de su tiempo?

5. ¿Cómo lo afectó esta actividad?

6. ¿Cuál era el tema de las disputas entre don Quijote, el cura y el barbero?

7. ¿Qué decidió hacer don Quijote por fin? ¿Por qué tomó esta decisión?

8. Después de limpiar las armas, ¿qué descubrió don Quijote que necesitaba?

9. ¿Cómo resolvió el protagonista su problema?

Repaso ♻

E. ¿Qué consejo (advice) darías? El ama de casa de don Quijote te habla de los problemas que tiene con don Quijote y Sancho Panza. Usa la información entre paréntesis para indicar lo que harías tú en tal caso (*in such a case*). Sigue el modelo.

> **MODELO** Me canso de recoger los libros de caballerías que don Quijote lleva a la casa. (ponerlos en la biblioteca de la casa)
> *Yo los pondría en la biblioteca de la casa.*

1. Nunca tenemos dinero porque don Quijote lo usa para comprar libros. (pedirle a don Quijote cierta cantidad de dinero cada semana)

2. Me molestan las disputas que tiene don Quijote en la casa con el cura y el barbero. (salir de la casa cuando las tienen)

3. Don Quijote pasa el día y la noche leyendo y no quiere comer cuando es hora. (dejar la comida a su lado en la biblioteca)

4. A Sancho le gusta demasiado el vino. (abrir sólo una botella cuando visita a don Quijote)

5. La sobrina de don Quijote dice que su tío está un poco loco. (decir lo mismo)

6. Necesito unos días de descanso pero no quiero dejar solo a don Quijote. (pedir la ayuda de la sobrina)

7. Don Quijote va a limpiar todas las armas viejas en la sala. (ayudarle a llevar las armas al establo)

8. Sancho siempre pierde dinero en la taberna del pueblo. (no preocuparse y aceptar que es su dinero)

9. Don Quijote tiene la barba demasiado larga. (hacer una cita para él con el barbero)

10. Me pongo nerviosa cuando don Quijote dice que va a viajar con Sancho. (aceptar que don Quijote no va a cambiar)

ESTRUCTURA

Special uses of the conditional tense

¿Cuántos años **tendría** ese escritor?	*I wonder how old that writer was? (How old could that writer have been?)*
Tendría unos setenta años.	*He was probably about seventy years old.*
¿Quién **sería** esa persona?	*I wonder who that person was? (Who could that person have been?)*
¿Te **gustaría ir** conmigo?	*Would you like to go with me?*
¿**Tendría** Ud. tiempo para ayudarme?	*Would you have time to help me?*

1. Just as the future tense may be used in Spanish to wonder about an action or a situation related to the present, the conditional tense is also used to make a guess about something in the past. This special use of the conditional always takes the form of a question. A response in the conditional indicates speculation, rather than certainty, about something.

2. Another common use of the conditional tense is to express politeness in a statement or to soften a request, much as the phrases *I would like to . . .* or *would you mind . . .* do in English.

Aquí practicamos

F. Me pregunto... Las siguientes oraciones en el presente expresan hechos (*facts*) seguros. Cámbialas a preguntas en el condicional para expresar la probabilidad o la duda de la acción en el pasado. Sigue el modelo.

> **MODELO**   El tren sale a tiempo.
> *¿El tren saldría a tiempo?*

1. El tren llega más tarde.
2. Juan come en el restaurante de la estación.
3. Pago con un cheque viajero.
4. Sirven el desayuno en el tren.
5. Hay muchos pasajeros ingleses.
6. Este tren es puntual.
7. Los trenes paran en ese pueblo.
8. Los ingleses van a Málaga.
9. Mi padre tiene problemas con las maletas.
10. Después del viaje a Sevilla estamos cansados.

G. ¿Quién sabe por qué?   Responde a las siguientes preguntas, expresando incertidumbre o conjetura (*conjecture*) sobre el pasado. Usa la información entre paréntesis en tu respuesta. Sigue el modelo.

> **MODELO**   ¿Por qué no aceptó ese autor el premio literario? (estar / muy enojado)
> *Estaría muy enojado.*

1. ¿Cuántos años tenía el escritor cuando murió? (tener / ochenta años)
2. ¿Quiénes vinieron para hablar de la novela? (venir / los que la leyeron)
3. ¿Sabes quién llamó por teléfono durante la ceremonia? (ser / el presidente)
4. ¿Qué dijo el maestro de ceremonias? (decir / lo que siempre dice)
5. ¿Por qué no caminaron todos por el parque después de la reunión? (hacer / mucho frío)
6. ¿Cómo regresaron los escritores al hotel a la medianoche? (tomar / un taxi)
7. ¿Cuánto costó ese libro tan viejo de Cervantes? (costar / unos 300 dólares)
8. ¿Cómo pagó el comité por el premio si no tenía fondos? (pagar / con contribuciones de los socios *(members)*
9. ¿Por qué puso la escritora el libro en su maleta? (poner / para no dejarlo en el cuarto del hotel)
10. ¿A qué hora llegaron los jueces anoche? (ser / las 3:00 de la mañana)

H. La cortesía es importante   Cambia las oraciones a una forma más cortés (*courteous*). Sigue el modelo.

> **MODELO**   ¿Puedes ayudarme con el coche?
> *¿Podrías ayudarme con el coche?*

1. ¿Puedo usar tu raqueta esta tarde?
2. ¿Tiene usted tiempo para ir conmigo?
3. Ella no debe hablar de esa manera.
4. Prefiero ver otra película.
5. ¿Me puede decir usted qué hora es?
6. ¿Les gusta a tus padres viajar en tren?
7. No es posible hacer eso.
8. Tendré más interés en otra ocasión.
9. No es ninguna molestia.
10. ¿Me da usted la oportunidad de trabajar aquí este verano?
11. Es posible hablar con el jefe mañana.
12. Puedes hablarme de tu problema.

Reading Strategies

- Using the title and the photos to predict content
- Activating back-ground knowledge
- Scanning for specific information

Antes de leer

1. Mira la foto en la página 307 y el título de la lectura. Lee la breve introducción para tener una idea del contenido y responde a la siguiente pregunta: En la imaginación de don Quijote, ¿qué es el molino de viento?

2. Piensa en una palabra sinónima para las que aparecen en la lista. Usa un diccionario cuando sea necesario.

   a. enorme

   b. una batalla

   c. precipitarse

   d. la furia

   e. el asno

   f. un encantador

   g. la derrota

   h. la enemistad

Don Quijote —Los molinos de viento

Hay muchos molinos de viento *en La Mancha, la región donde don Quijote tuvo muchas de sus aventuras. En un episodio de la famosa novela de Cervantes, el héroe ataca un molino con su lanza, creyendo que es en realidad un enorme gigante. La gente de muchos pueblos de La Mancha insiste hoy en día que su pueblo es el lugar donde nació don Quijote.*

Don Quijote y Sancho iban caminando por el Campo de Montiel cuando dentro de poco descubrieron treinta o cuarenta molinos de viento que había en aquel campo. Cuando don Quijote los vio, dijo a su **escudero:** —La fortuna **está guiando** nuestras cosas mejor de lo que podemos desear; porque ves allí, amigo Sancho Panza, treinta o pocos más enormes **gigantes**, con quienes pienso hacer batalla y quitarles a todos la vida.

—¿Qué gigantes? —dijo Sancho Panza.

—Aquellos que allí ves, —respondió su **amo**, —de los brazos largos, que los tienen algunos de casi dos **leguas**.

—Mire **vuestra merced**, —respondió Sancho, —que aquellos que allí parecen ser gigantes son molinos de viento, y lo que en ellos parecen brazos son las **aspas**, que, cuando el viento las mueve, hacen andar la piedra del molino.

—Bien parece, —respondió don Quijote, —que **no estás versado** en las aventuras: ellos son gigantes; y si tienes miedo, quítate de ahí porque voy a entrar con ellos en feroz batalla.

Y diciendo esto, **picó con la espuela** a su caballo Rocinante, sin prestar atención a los gritos que su escudero Sancho le daba, diciéndole que, sin duda alguna, eran molinos de viento, y no gigantes, aquéllos que iba a atacar. Pero él estaba tan convencido de que eran gigantes, que no oía los gritos de su escudero Sancho, ni se dio cuenta, aunque estaba muy cerca, de lo que eran; al contrario, iba diciendo en voz alta:

—¡**No huyáis, cobardes** y viles criaturas, porque un solo caballero es el que os ataca!

Se levantó en este momento un poco de viento, y las grandes aspas comenzaron a moverse. Cuando vio esto, don Quijote dijo: —Pues aunque mováis todos los brazos juntos, me lo pagaréis.

Y diciendo esto, después de dedicarse de todo corazón a su señora Dulcinea, pidiéndole su ayuda en tan peligroso momento, **se precipitó** a todo el galope de Rocinante, y atacó con la lanza al primer molino que estaba delante. El viento movió el molino con tanta furia, que hizo pedazos la lanza, llevándose detrás de sí al caballo y al caballero, que **fueron rodando** por el campo. Fue a ayudarle Sancho Panza a todo el correr de su **asno**, y cuando llegó, descubrió que no podía moverse.

—¡**Válgame Dios**! —dijo Sancho, —¿por qué no miró bien vuestra merced lo que hacía? ¿No le dije que eran molinos de viento y no gigantes?

—**Calla**, amigo Sancho, —respondió don Quijote; —que las cosas de la guerra más que otras están sujetas a continua transformación. Por eso yo pienso que el **encantador** Fristón que me robó los libros, ha cambiado estos gigantes en molinos para quitarme la gloria de su **derrota**; tal es la enemistad que me tiene; pero al fin, al fin, poco podrán hacer sus **malas artes** contra la bondad de mi espada.

—Amén, —respondió Sancho Panza; y ayudándole a levantarse, volvió a subir sobre Rocinante. Y hablando de la pasada aventura, siguieron el camino.

Guía para la lectura

1. Ahora lee el texto en las páginas 305–306 y después completa las siguientes frases de acuerdo con lo que se narra en él.

   a. Don Quijote y Sancho iban caminando por el campo cuando dentro de poco descubrieron allí…

   b. Don Quijote pensaba hacer batalla, diciéndole a Sancho que lo que veían eran…

   c. Al oír esto, Sancho respondió que…

   d. Sin prestar atención a su escudero, don Quijote picó con la espuela a Rocinante y…

   e. En ese momento un viento fuerte…

   f. Sancho corrió para ayudar a don Quijote pero cuando llegó…

   g. La explicación de esta aventura que ofreció don Quijote fue que…

2. Lee el pasaje otra vez y responde a las preguntas sobre el contenido.

   a. ¿Cuántos molinos de viento había en el campo?

   b. ¿Qué creía don Quijote que eran los molinos?

   c. ¿Qué dijo don Quijote que haría con los molinos?

   d. ¿Cómo reaccionó Sancho cuando oyó lo que don Quijote pensaba?

   e. A pesar de los gritos de Sancho, ¿qué hizo don Quijote?

   f. ¿Qué pasó cuando el viento empezó a mover las aspas (arms) del molino?

   g. ¿Cómo explicó don Quijote lo que había pasado?

   h. ¿Crees tú que es mejor ser como don Quijote o como Sancho Panza? ¿Por qué?

Molinos de viento, La Mancha, España

molinos de viento *windmills*   escudero *shield bearer*   está guiando *is guiding*   gigantes *giants* amo *master*   leguas *leagues (a measured length)*   vuestra merced *Your Grace*   aspas *blades (of windmill)*   no estás versado *you're not well-informed*   picó con la espuela *he dug in his spurs*   No huyáis, cobardes *Don't flee, cowards*   se precipitó *he hurled himself*   fueron rodando *went rolling* asno *donkey*   ¡Válgame Dios! *Good heavens!*   Calla *Be quiet*   encantador *magician*   derrota *destruction*   enemistad *ill-will*   malas artes *evil arts*

Comprensión

I. Cuestionario Trabajando con un(a) compañero(a) y basándote en la lectura, preparen seis preguntas sobre el incidente de los molinos para don Quijote y seis para Sancho. Después un(a) estudiante hará el papel de don Quijote para contestar las preguntas que le hace el (la) entrevistador(a), y el otro estudiante hará el papel de Sancho para contestar las preguntas que le tocan a este personaje.

¡ADELANTE!

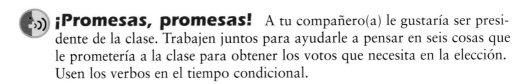

¡Promesas, promesas! A tu compañero(a) le gustaría ser presidente de la clase. Trabajen juntos para ayudarle a pensar en seis cosas que le prometería a la clase para obtener los votos que necesita en la elección. Usen los verbos en el tiempo condicional.

¿Qué le pasaría a don Quijote hoy? Using the conditional tense, write a description of an imaginary visit by don Quijote to your city or town today. What would it be like? What would he do? How would people react? What would happen? Refer back to the **Lectura** on page 299 if you need to remember some details about him. Comment on how he would react to certain people, to a particular situation, to some object or device, etc., that would be unknown to a person from the 17th century who is visiting the 20th century.

Preparación

- ¿Puedes nombrar algunos países latinoamericanos donde es evidente la influencia afro-hispanoamericana? ¿Se nota esta influencia en los Estados Unidos también? ¿Cómo?

- ¿Conoces a algunos cantantes de origen afro-hispanoamericano? ¿Quiénes son?

- ¿Crees que la música "rap" es un ejemplo de la poesía? ¿Por qué sí o por qué no?

La influencia afro-hispanoamericana

En esta etapa vas a leer unas obras que representan la cultura afro-hispanoamericano.

A principios del siglo XX hubo un gran interés artístico en explorar la realidad total del africano y su impacto en el mundo, especialmente en las Américas donde es uno de los componentes raciales básicos de muchos países. En Europa, la representación del alma negra llegó a ser importante en la pintura, el teatro y la música. Los países de habla española donde se manifiesta más el interés en captar la realidad total del negro, —sus sentimientos, sus creencias y su música— son Cuba, Puerto Rico y la República Dominicana.

Entre los poetas más conocidos están el puertorriqueño Luis Palés Matos (el primero en publicar poemas de tema negro en las Américas), el cubano Nicolás Guillén (famoso por la musicalidad de sus versos así como por la protesta contra la opresión y la desigualdad) y el dominicano Manuel del Cabral (cuyos versos expresan un profundo amor por lo africano y la importancia de la solidaridad humana).

La historia afro-hispanoamericana es central en las novelas del cubano Alejo Carpentier en que examina las raíces del mundo americano a través de las realidades, los mitos y el folklore del negro del Caribe. Otra máxima autoridad del folklore afro-cubano es Lydia Cabrera que incorpora leyendas africanas en sus cuentos.

En fin, estos escritores, y muchos de sus contemporáneos, están muy conscientes de la presencia africana en América desde la llegada de los europeos hasta hoy en día. En su poesía, novelas y cuentos representan las importantes contribuciones de origen africano a la cultura moderna en varios campos, así como el espíritu vital del negro en la formación de la multiplicidad étnica de América.

Nicolás Guillén

Balada de los dos abuelos

Nicolás Guillén

Sombras que sólo yo veo,
me **escoltan** mis dos abuelos.
Lanza con punta de **hueso**,
tambor de cuero y madera:
mi abuelo negro.
Gorguera en el cuello ancho,
gris **armadura guerrera**;
mi abuelo blanco.

Pie desnudo, torso **pétreo**
los de mi negro;
púpilas de vidrio antárctico
las de mi blanco.

África de **selvas** húmedas
y de **gordos gongos sordos**...
—¡Me muero!
(Dice mi abuelo negro).
Aguaprieta de **caimanes**,
verdes mañanas de **cocos**...
—¡Me canso!
(Dice mi abuelo blanco).
Oh **velas** de **amargo** viento,
galeón **ardiendo** en oro...
—¡Me muero!
(Dice mi abuelo negro).
¡Oh costas de cuello virgen
engañadas de abalorios... !
—¡Me canso!
(Dice mi abuelo blanco).
¡Oh puro sol **repujado**,
preso en el **aro** del trópico;
oh luna redonda y limpia
sobre el sueño de los **monos**!

¡**Qué de** barcos, qué de barcos!
¡Qué de negros, qué de negros!
¡Qué largo **fulgor** de cañas!
¡Qué **látigo** el del **negrero**!
Piedra de llanto y de sangre,
venas y ojos **entreabiertos**,
y **madrugadas** vacías,

escoltan *escort, accompany* hueso *bone* tambor *drum* Gorguera *Throat piece of (armor)* armadura guerrera *suit of armor* Pétreo *hard as a rock* selvas *jungles* gordos gongos sordos *thick muted gongs* Aguaprieta *Dark water* caimanes *alligator* cocos *coconuts* velas *sails* amargo *bitter* ardiendo *burning* abalorios *glass beads* repujado *embossed* aro *hoop ring* monos *monkeys* Qué de *How many* fulgor *shining* látigo *whip* negrero *slavedriver* entreabierto *half open* madrugadas *dawns*

y **atardeceres** de **ingenio**,
y una gran voz, fuerte voz
despedazando el silencio.
¡Qué de barcos, qué de barcos,
qué de negros!

Sombras que sólo yo veo,
me escoltan mis dos abuelos.

Don Federico me grita, y
Taita Facundo calla;
los dos en la noche sueñan,
y andan, andan.
Yo los **junto**.

¡Federico! ¡Facundo!
Los dos se abrazan.
Los dos **suspiran**. Los dos
las fuertes cabezas **alzan**;
los dos del mismo tamaño,
bajo las estrellas altas;
los dos del mismo **tamaño**,
ansia negra y ansia blanca,
los dos del mismo tamaño,
gritan, sueñan, lloran, cantan.
Sueñan, lloran, cantan.
Lloran, cantan.
¡Cantan!

atardeceres *dusks*   ingenio *sugar mill*   despedazando *shattering*   Taita *father or grandfather (coll.)*
junto *combine, mix, bring together*   suspiran *sigh*   alzan *lift up, raise*   tamaño *size*   ansia *intense desire*

Comprensión

A. Vocabulario   Decide cuál definición es la más apropiada para las palabras a la izquierda.

1. selva	a. animal con cola larga que vive en los árboles
2. coco	b. el comienzo del día
3. látigo	c. bosque de gran extensión
4. tambor	d. fruto de un árbol de la familia de las palmas
5. caimán	e. cuerda que se usa para golpear o castigar
6. mono	f. proyección obscura de un cuerpo
7. llanto	g. reptil parecido al cocodrilo
8. madrugada	h. instrumento musical de percusión
9. sombra	i. pieza protectora hecha de acero
10. armadura	j. efusión de lágrimas

B. El contenido Responde a las preguntas sobre el contenido del poema en las páginas 311 a 312.

1. Según el poeta, ¿quiénes lo acompañan siempre?
2. ¿Con qué compara el poeta a las dos figuras?
3. ¿Qué nombres les da el poeta a los dos hombres?
4. ¿Cuál es la diferencia principal entre los dos hombres?
5. ¿En qué se parecen los dos?
6. ¿Qué dice cada hombre en varias ocasiones?
7. ¿Cuál de los dos hombres sufrió más, según el poeta?
8. ¿Le importa más al poeta uno de los hombres que el otro? ¿Por qué sí o por qué no?
9. Al final del poema, ¿qué hacen los dos hombres?
10. Pensando en el tono general del poema, ¿cómo parece sentirse el poeta en cuanto a sus parientes?

C. La forma y el estilo Escoge la respuesta más apropiada sobre la forma y el estilo del poema.

1. La rima general de los versos depende más que nada de los sonidos de...
   a. las vocales **i** y **e**.
   b. las vocales **a** y **o**.
   c. las vocales **e** y **u**.
2. Los signos de exclamación en varios de los versos sirven para expresar...
   a. cierta paz interior.
   b. una actitud imparcial.
   c. la fuerte pasión.
3. La repetición es una técnica que Guillén usa para...
   a. enfatizar imágenes y sonidos.
   b. complicar el poema.
   c. enseñar vocabulario.
4. Según el tono general del poema, la actitud del narrador es...
   a. nerviosa y contradictoria.
   b. apasionada y orgullosa.
   c. intelectual y contemplativa.
5. Por lo general, el vocabulario que usa el poeta es...
   a. concreto y descriptivo.
   b. refinado y abstracto.
   c. objetivo y filosófico.

Repaso

D. ¡Qué cortés eres! Tus "padres" españoles te corrigen cuando usas expresiones que no son apropiadas para la situación. Ellos usan el condicional para darte un ejemplo de una manera de hablar más cortés con el uso del condicional. Un(a) compañero(a) va a tomar el papel de uno(a) de tus "padres" españoles y va a corregirte las frases dadas a continuación. Sigan el modelo.

> **MODELO**   **Tú:** *Prefiero hablar con ustedes.*
> **Tu compañero(a):** *Es mejor decir "Preferiría hablar con ustedes". Es más cortés.*

1. Prefiero hablar con el Sr. Suárez.
2. ¿Pueden darme su dirección?
3. ¿Sabes dónde queda la estación de tren?
4. Deben pedirle un favor.
5. ¿Tiene usted tiempo para hablar con él?
6. Estoy contento de llamarlo por teléfono.
7. ¿Pueden cenar con nosotros esta noche?
8. A mi hermana y a mí nos gusta ir con ustedes.
9. ¿Le interesa a usted ver una película de aventuras?
10. ¿Puede traerme la cuenta?

ESTRUCTURA

The imperfect subjunctive and actions in the past

Pablo **quiere** que yo **estudie.**	*Pablo wants me to study.*
Pablo **quería** que yo **estudiara.**	*Pablo wanted me to study.*
El editor **recomienda** que **compremos** el libro.	*The editor recommends that we buy the book.*
El editor **recomendó** que **compráramos** el libro.	*The editor recommended that we buy the book.*
La profesora siempre **pide** que su mejor estudiante **escriba** un ensayo crítico.	*The professor always asks that her best student write a critical essay.*
La profesora siempre **pedía** que su mejor estudiante **escribiera** un ensayo crítico.	*The professor always used to ask that her best student write a critical essay.*

1. If the verb in a sentence's main clause is in the present tense and is one that requires the use of the subjunctive in the dependent clause, then the verb in the second clause should be in the *present subjunctive*.

2. If the verb in a sentence's main clause is in the preterite or imperfect tense and is one that requires the use of the subjunctive in the dependent clause, then the verb in the second clause should be in the *imperfect subjunctive*.

ESTRUCTURA (continued)

3. This is an automatic sequencing that does not always translate word-for-word into English.

4. The imperfect subjunctive of all verbs (-**ar**, -**er**, and -**ir**) is formed by taking the **ustedes** form of the preterite, removing the -**ron** ending and adding the following endings.

-ra	-ramos
-ras	-rais
-ra	-ran

Note that the **nosotros** form of this tense has a written accent on the vowel before the -**r** (**llamáramos, pudiéramos, pidiéramos**).

llamar			
Pretérito: llamaron, llama-			
yo	llama**ra**	nosotros(as)	llama**ramos**
tú	llama**ras**	vosotros(as)	llama**rais**
él ella Ud.	llama**ra**	ellos ellas Uds.	llama**ran**

poder (ue)			
Pretérito: pudieron, pudie-			
yo	pudie**ra**	nosotros(as)	pudié**ramos**
tú	pudie**ras**	vosotros(as)	pudie**rais**
él ella Ud.	pudie**ra**	ellos ellas Uds.	pudie**ran**

pedir (i,i)			
Pretérito: pidieron, pidie-			
yo	pidie**ra**	nosotros(as)	pidié**ramos**
tú	pidie**ras**	vosotros(as)	pidie**rais**
él ella Ud.	pidie**ra**	ellos ellas Uds.	pidie**ran**

Aquí practicamos

E. Verbos Sustituye las palabras en letra cursiva con las palabras que están entre paréntesis y haz los cambios que sean necesarios.

1. La semana pasada pedí que *ustedes* compraran esas novelas. (tú / ellas / usted / Mario y Reynaldo / el profesor / vosotros)

2. Era posible que *el escritor* llegara a la hora anunciada. (los poetas / nosotros / mi novio / los libros / mi abuelo / ella)

3. Siempre nos daba gusto que un *latinoamericano* ganara un premio. (tú / Carlos y Esteban / tío Pepe / los niños / ustedes / vosotras)

4. El profesor recomendó que *el estudiante* escribiera algo cada día. (yo / mi primo / nosotros / tú / Elvira / ellos)

5. Me alegró mucho que *ustedes* entendieran la explicación de la novela ayer. (ellos / José y Mara / mis amigos / nosotros / la estudiante / tú)

6. Era increíble que *los estudiantes* leyeran tantas novelas. (nosotros / yo / ustedes / don Quijote / mi padre / tú)

7. La profesora quería que *nosotros* estudiáramos dos horas por día. (él / Joaquín y Paco / mi hermano / tú / vosotros / ellas)

8. Los españoles esperaban que *su candidato* recibiera el Premio Nóbel de Literatura. (la novelista / los poetas / el dramaturgo / Camilo José Cela / nosotros)

F. ¿Era necesario? Para cada espacio en blanco, da la forma apropiada del imperfecto del subjuntivo del verbo que está entre paréntesis.

1. En el poema de Guillén el narrador preguntaba si era necesario que un hombre _____ (tratar) a otro hombre como esclavo.

2. Qué lástima que el abuelo del narrador _____ (tener) que trabajar tanto.

3. En esa época mucha gente creía que era imposible que sus naciones _____ (cambiar) el sistema económico.

4. Al narrador le molestaba que su abuelo blanco _____ (golpear) a su abuelo negro.

5. Daba pena que los africanos _____ (sufrir) tanto.

6. ¿Había esperanza de que algún día _____ (estar) libre su abuelo?

7. El poeta esperaba que nosotros _____ (entender) que todos los hombres son iguales en este mundo.

G. Pidió que... Explícale a un(a) compañero(a) que no pudo ir a la clase de literatura ayer lo que el (la) profesor(a) pidió que ustedes hicieran de tarea. Usa los verbos de la Columna A con la forma apropiada del imperfecto del subjuntivo, escogiendo del vocabulario de la Columna B para completar la información. Sigue el modelo.

Ayer el (la) profesor(a) pidió que nosotros... (escribir)

Ayer el (la) profesora pidió que nosotros escribiéramos un poema.

A	B
hacer	la novela
leer	la composición
estudiar	un poema
empezar	el cuento
escribir	el tema central
corregir	el cuarto capítulo
discutir	350 palabras
terminar	la tarea
analizar	5 páginas
aprender	10 versos

H. Le recomendé que...

Trabaja con un(a) compañero(a) y escriban de seis a ocho recomendaciones que le hicieron recientemente a un(a) estudiante de intercambio de Colombia que les pidió consejos en preparación para su visita de seis meses a los Estados Unidos. Traten de usar verbos en el imperfecto del subjuntivo en su lista. Sigan el modelo.

Le recomendé que trajera una mochila.

LECTURA CULTURAL

Antes de leer

1. Mira el título de la lectura en la página 318. ¿Qué idea general te da del contenido?

2. Piensa en algunas figuras históricas que se han transformado en figuras legendarias de tu propia cultura. ¿Quiénes son?

3. En general, ¿qué tienen en común las figuras legendarias de cualquier cultura?

4. Busca los nombres de todos los animales que se encuentran en el texto en las páginas 318 a 319.

Reading Strategies

- Using the title to predict content
- Activating background knowledge
- Scanning for specific information

Alejo Carpentier (Cuba, 1904–1980) era un novelista que tenía interés en la búsqueda de las raíces mitológicas americanas en el mundo mágico de la población negra del Caribe. Quería comprender los signos secretos que forman parte de las costumbres y tradiciones de la raza africana, como sus ceremonias religiosas, la música y el baile, y sus fórmulas de encantamiento. El reino de este mundo es una fabulosa novela que presenta hechos históricos que se vuelven leyendas en la imaginación del pueblo. Una de esas leyendas es la de Mackandal, una figura heroica del siglo XVIII en La Española, la antigua isla donde se establecieron las naciones de la República Dominicana y el Haití.

El reino de este mundo —Los extraordinarios poderes de Mackandal

El **manco** Mackandal, hecho un **houngán** del rito Radá, tenía poderes extraordinarios por varias caídas en posesión de dioses mayores. **Dotado** de suprema autoridad por los **Mandatarios** de la otra orilla, había proclamado crear un gran imperio de negros libres en Santo Domingo. Se movilizaron todos los hombres disponibles de la corona española para **dar caza** a Mackandal. Millares de esclavos lo seguían y lo defendían de los enemigos cuyos ataques **se espaciaban**.

Varios meses habían pasado sin que se supiera nada del manco. Algunos creían que se hubiera refugiado al centro del país, en la Gran Meseta, allá donde los negros **bailaban fandangos de castañuelas**. Otros afirmaban que el houngán, llevado en una **goleta,** estaba operando en la región de Jacmel, donde muchos hombres que habían muerto trabajaban la tierra, mientras no tuvieran oportunidad de probar la sal. Sin embargo, los esclavos se mostraban de un desafiante buen humor. Nunca habían golpeado los tambores con más fuerza los encargados de rimar el **apisonamiento** de maíz o el corte de las cañas. De noche, en sus barracas y viviendas, los negros se comunicaban, con gran **regocijo**, las más raras noticias: una iguana verde se había calentado el **lomo** en el techo del secadero de tabaco; alguien había visto volar, a medio día, una mariposa nocturna; un perro grande, de **erizada pelambre**, había atravesado la casa, a todo correr, llevándose un **pernil de venado;** un alcatraz **había largado los piojos** —tan lejos del mar— **al sacudir** sus alas sobre el **emparrado del traspatio.**

Todos sabían que la iguana verde, la mariposa nocturna, el perro desconocido, el **alcatraz inverosímil,** no eran sino simples **disfraces.** Dotado del poder de transformarse en animal de **pezuña**, en ave, pez o insecto, Mackandal visitaba continuamente las haciendas de la Llanura para **vigilar** a sus fieles y saber si todavía confiaban en su regreso. De metamorfosis en metamorfosis, el manco estaba en todas partes, habiendo recobrado su integridad corpórea al vestir trajes de animales. Con alas un día, con **agallas** al otro, galopando o **arrastrándose, se había adueñado** del curso de los ríos subterráneos, de las cavernas de la costa, de las **copas de los árboles,** y reinaba ya sobre la isla entera.

Ahora, sus poderes no tenían límites. Lo mismo podía **domar** a un caballo que descansar en el frescor de un **aljibe, posarse en las ligeras de un aromo** o **colarse por el ojo de una cerradura.** Los perros no le ladraban; mudaba de sombra según conviniera. Por obra suya, a una negra le nació un niño con cara de **jabalí.** De noche se aparecía en los caminos bajo el pelo de un **chivo** negro **con ascuas en los cuernos.** Un día daría la señal del gran levantamiento, y los Señores de Allá, encabezados por Damballah, por el Amo de los Caminos y por Ogún de los Hierros, traerían el rayo y el trueno, para **desencadenar** el ciclón que completaría la obra de los hombres.

Guía para la Lectura

1. Lee la primera oración de cada uno de los cuatro párrafos en las páginas 319 a 319 y completa las siguientes oraciones con las dos palabras más apropiadas que se encuentran en el texto.

   a. Los dioses le dieron a Mackandal _____.

   b. Hacía _____ que no se tenía información sobre Mackandal.

   c. Ciertos animales eran _____ para Mackandal.

   d. Mackandal era tan importante que sus poderes no_____.

2. Ahora lee el pasaje y después decide cuáles de las siguientes oraciones se refieren más a la realidad de la historia y cuáles se refieren más a la fantasía de la leyenda.

   a. Mackandal era un líder importante de origen africano.

   b. Los españoles mandaron que se capturara a Mackandal.

   c. Era posible que Mackandal se transformara en varios animales.

   d. Para Mackandal era importante que los esclavos formaran un imperio de negros libres.

   e. Mackandal solo tenía un brazo.

   f. Los dioses le dieron poderes extraordinarios a Mackandal.

   g. Alguien había visto a Mackandal volar en la forma de un pájaro.

   h. Los negros se comunicaban por medio de los tambores.

   i. Los esclavos hicieron todo lo posible para que Mackandal se escapara de sus enemigos.

   j. En una ocasión a una mujer le nació un hijo que se parecía a un jabalí.

manco *one-armed man* **houngán** *leader (word of African origin)* **Dotado** *Gifted, blessed* **Mandatorios** *High Authorities* **dar caza** *hunt down* **se espaciaban** *to spread out* **bailaban fandangos de castañuelas** *danced with castanets* **goleta** *schooner ship* **apisonamiento** *crushing, grinding* **regocijo** *delight* **lomo** *back (of an animal)* **erizada pelambre** *fur standing on end* **pernil de venado** *leg of a deer* **había largado los piojos** *had gotten rid of its fleas* **al sacudir** *upon shaking* **emparrado del traspatio** *vine arbor of the backyard* **alcatraz inverosímil** *unusual pelican* **disfraces** *disguises* **pezuña** *hoof* **vigilar** *to watch over* **agallas** *fish gills* **arrastrándose** *slithering himself along* **se había adueñado** *he had become master* **copas de los árboles** *treetops* **domar** *to train* **aljibe** *pool, water tank* **posarse en las ligeras de un aromo** *to land gently on the light branches of a sweet-smelling myrrh-tree* **colarse por el ojo de una cerradura** *to slip through a keyhole* **jabalí** *wild boar*

Antes de leer

1. Lee el título para saber el tema del poema a continuación. ¿Sobre qué crees que trata?
2. Ahora busca los cognados que aparecen en los versos del poema.
3. ¿Qué palabras encuentras que son interesantes por su sonido "musical"?

Luis Palés Matos (Puerto Rico, 1899–1959) fue el primer poeta en publicar poesía de tema negro en las Américas. Una de sus inspiraciones era el paisaje tropical de su querida isla. En sus versos incorpora ritmos de la música y las danzas de origen africano. Su poesía tiene un tono de protesta y rebeldía por las condiciones que sufre la gente del Caribe. Le interesa establecer la solidaridad entre los afro-hispanoamericanos de toda la región.

Danza negra

Calabó y bambú.
Bambú y calabó.
El gran Cocoroco dice: tu-cu-tú.
La gran Cocoroca dice: to-co-tó.
Es el sol de hierro que arde en Tombuctú.
Es la danza negra de Fernando Póo.
El cerdo en el fango gruñe: pru-pru-prú.
El sapo en la charca sueña: cro-cro-cró.
Calabó y bambú.
Bambú y calabó.

Rompen los junjunes en furiosa ú.
Los gongos trepidan con profunda ó.
Es la raza negra que ondulando va
en el ritmo gordo del mariyandá.
Llegan los botucos a la fiesta ya.
Danza que te danza la negra se da.

Calabó y bambú.
Bambú y calabó.
El gran Cocoroco dice: tu-cu-tú.
La gran Cocoroca dice: to-co-tó.
Pasan tierras rojas, islas de betún.
Haití, Martinica, Congo, Camerún.
las papiamentosas antillas del ron
y las patualesas islas del volcán,
que en el grave son
del canto se dan.

Calabó y bambú.
Bambú y calabó.
Es el sol de hierro que arde en Tombuctú.
Es la danza negra de Fernando Póo.
El alma africana que vibrando está
en el ritmo gordo del mariyandá.

Calabó y bambú.
Bambú y calabó.
El gran Cocoroco dice: tu-cu-tú.
La gran Cocoroca dice: to-co-tó.

Guía para la lectura

Ahora lee el poema sin preocuparte por las palabras que no entiendas.
Usa el contexto y las palabras que sí sabes para formar tus impresiones
generales. Después responde a las siguientes preguntas sobre el contenido.

1. ¿Qué animales se mencionan?

2. ¿Qué nombres de lugares menciona el poeta? (Hay cinco.)

3. ¿Qué palabras crees que se refieren a instrumentos musicales?

4. Más que nada, ¿de qué trata este poema en términos generales? ¿Cómo
lo sabemos?

Comprensión

K. En parejas Trabajando en pareja con otro(a) estudiante, discute y escribe una respuesta de tres o cuatro oraciones a esta pregunta: ¿Por qué creen Uds. que los esclavos africanos del Caribe crearon la leyenda de Mackandal?

J. La forma y el estilo Lee el poema "Danza negra" en las páginas 320 y 321 una vez más y responde a las siguientes preguntas sobre su forma.

1. ¿Cuáles vocales tienen más énfasis para establecer el ritmo del poema?
2. ¿Qué palabras usa el poeta para representar los sonidos que hacen los animales?
3. ¿Cuáles palabras parecen ser de origen africano?
4. ¿Hay repetición en los versos? ¿Dónde?
5. ¿Cómo describirías el tono general del poema?
6. ¿Se parece un poco este poema a la música "*rap*"? ¿Por qué sí o por qué no?

¡ADELANTE!

Un mundo legendario Imagina con un(a) compañero(a) que los (las) dos hicieron un viaje a un mundo legendario donde era posible que ocurriera cualquier cosa. Describan algunas cosas que hicieron o que pasaron durante ese viaje, usando las formas correctas del imperfecto del subjuntivo después de tales frases como **En este mundo legendario que visitamos era posible que...** , **un rey quería que...** , **nuestros poderes extraordinarios permitieron que...** . Sigan el modelo.

MODELO   *En este mundo legendario que visitamos era posible que voláramos de un lugar a otro, que habláramos lenguas que no conocíamos, que tuviéramos la forma de cualquier animal, que nadáramos al fondo del mar, etc.*

Una aventura con una criatura mágica Escribe tres o cuatro párrafos sobre una aventura imaginaria que tuviste con una criatura mágica. En el primer párrafo describe cómo era esta criatura (tamaño, apariencia, color, características). En los párrafos que siguen cuenta lo que pasó con esta criatura y lo que era posible que tú y la criatura imaginaria hicieran juntos. Usa tales frases como **era posible/imposible que...**, **era probable/improbable que...**, **era necesario que...**, **no se permitía que...**, **nos ordenaron que...**, **no podíamos creer que...**, etc. que requieren el uso de las formas correctas del imperfecto del subjuntivo. Completa las oraciones con tus propias ideas, imágenes e información.

VOCABULARIO

Temas y contextos

Para hablar más del arte y la literatura

Sustantivos

las corrientes (artísticas)
la creación
el (la) crítico(a)
el (la) dramaturgo
la escultura
el folklore
el idealismo
la historia (literaria)
la leyenda
novelas de caballerías
la obra teatral
la pintura
el (la) protagonista
el realismo
la rima
la sátira

Verbos

analizar
desarrollar(se)
publicar
reflejar
representar
traducir
trazar

Para hablar del mundo imaginario

Busco una persona que sepa…
Deseo vivir en una casa que tenga…
¿Hay alguien que sea…?
No hay nadie que pueda…
Quiero un coche que sea…
Un(a) amigo(a) ideal es una persona que sea…

Vocabulario general

Sustantivos

el amor
el asno
la batalla
el becerro
los bisabuelos
el caballero
el caimán
el (la) chivo(a)
la cultura
la dama
la desigualdad
el destino
la dignidad
el (la) esclavo(a)
el esqueleto
el ganado
el gigante
el héroe
la honra
la iguana
la justicia
el labrador
la lealtad
la libertad
el milagro
el molino
la nobleza
la opresión
la patria
el pez

la raíz
el tambor
la vaca
la valentía
los valores

Verbos	**Adjetivos**	**Otras palabras y expresiones**
ahogarse	amplio(a)	la fe ciega
analizar	eterno(a)	
añadir	étnico(a)	
corregir (i, i)	fiel	
mezclar	grosero(a)	
negar (ie)	idealista	
prometer	individualista	
retrasar(se)	legendario(a)	
rezar	profundo(a)	
transmitir	racial	
	realista	
	sencillo(a)	
	trágico(a)	
	universal	

CAPÍTULO 12

El mundo de la fantasía

El quetzal, —aunque su cuerpo es pequeño, tiene una hermosa cola de increíble extensión. Según las leyendas, si alguien encontrara uno de estos pájaros, gozaría de buena suerte toda la vida.

Objectives

- talking about books and literature
- speculating about what might be in the future under certain circumstances
- supporting an opinion

Preparación

- ¿Crees que es posible que la realidad contenga elementos misteriosos que son difíciles de explicar?

- ¿Conoces el término **realismo mágico?**

- ¿Sueñas mucho cuando duermes? ¿Recuerdas tus sueños?

- ¿Crees que los sueños son importantes? ¿divertidos?

El realismo mágico

Gabriel García Márquez es uno de los escritores latinoamericanos más conocidos en el mundo. Gano el Premio Nóbel de literatura en 1982.

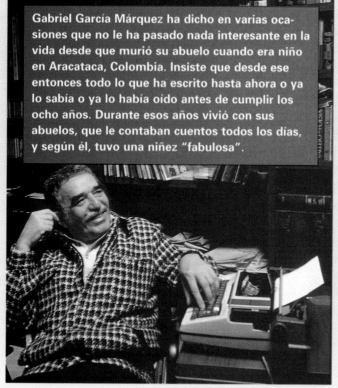

Gabriel García Márquez ha dicho en varias ocasiones que no le ha pasado nada interesante en la vida desde que murió su abuelo cuando era niño en Aracataca, Colombia. Insiste que desde ese entonces todo lo que ha escrito hasta ahora o ya lo sabía o ya lo había oído antes de cumplir los ocho años. Durante esos años vivió con sus abuelos, que le contaban cuentos todos los días, y según él, tuvo una niñez "fabulosa".

La originalidad y el uso de la imaginación en la literatura hispanoamericana contemporánea le han dado fama en todas partes del mundo. La popularidad de esta literatura, en especial la de la novela, **tiene mucho que ver con** "el realismo **mágico**" que existe independientemente de la explicación racional. Para un escritor mágicorrealista sería una distorsión de la realidad si sólo la presentara desde un punto de vista completamente lógico o intelectual. Lo que intenta expresar es la emoción de la realidad sin eliminar su dimensión misteriosa o "mágica".

Gabriel García Márquez

tiene mucho que ver con *has a lot to do with*   **mágico** *magical*

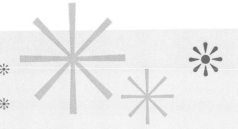

Uno de los objetivos del realismo mágico es hacer una combinación de lo real y de lo mágico para representar una nueva dimensión. Un **hecho** en sí es real y podría tener una explicación lógica, pero lo que interesa más es una explicación **mítica**. Esta explicación está basada en las **creencias** populares, en las leyendas, y en los sueños colectivos de la gente. Por ejemplo, en una descripción de una mujer que **se ahoga** en un **pozo**, la explicación sería que era que el pozo la necesitaba porque quería transformarla en una serpiente. Como dijo Miguel Ángel Asturias, los escritores que incluyen el realismo mágico en sus obras "viven con sus personajes en un mundo en que no hay fronteras entre lo real y lo fantástico, en que un hecho cualquiera —cuando lo **cuentan— se vuelve** parte de un algo **extraterreno**. Lo que es hijo de la fantasía cobra realidad en la mentalidad de las gentes."[1]

Entre los escritores hispanoamericanos de nuestra época que incluyen en su obra muchos aspectos variables de la realidad está Gabriel García Márquez. Algunos críticos lo han comparado con Miguel de Cervantes.

Aunque los separan casi cuatro siglos, los dos han sabido **renovar** el arte de **contar** —y lo han hecho con un gran sentido del humor. Además, los dos consideran lo real y lo sobrenatural como parte del mismo mundo de la realidad. *Cien años de soledad y Las aventuras del ingenioso hidalgo Don Quijote de la Mancha* son excelentes ejemplos de cómo representar la realidad en sus varias dimensiones a lo largo de una narración llena de claridad, crítica social y **ridiculeces** cómicas.

El pueblo en que tiene lugar lo que pasa en *Cien años de soledad* se llama "Macondo". Este pueblo ficticio está basado en la realidad que conoce García Márquez desde niño. Es una recreación de los aspectos geográficos, históricos, sociales y políticos de Colombia. Al trazar la vida y la fantasía de seis generaciones de la familia Buendía, el autor lleva Macondo a una dimensión universal. Este pueblo podría representar a América Latina, y en otro nivel, a todo el mundo. En la realidad que crea García Márquez, todo **cabe** dentro de lo posible. Allí todo es verdad y todo es **mentira** a la vez.

En *Cien años de soledad* García Márquez pasa fácilmente de lo cómico a lo trágico para ilustrar las maneras en que los seres humanos viven. Su técnica preferida es la exageración. Lo extraordinario se vuelve parte de la vida diaria como si fuera algo ordinario, como cuando un cura empieza a subir al cielo después de beber una taza de chocolate bien fuerte. Lo trivial se vuelve algo fabuloso, como el **bloque de hielo** que la gente insiste en llamar un diamante enorme. Por medio del humor, el autor humaniza a los muchos personajes que representan todas las facetas de la sociedad. Usa la sátira para divertir así como para llamar atención a las injusticias de un sistema político corrupto y violento, dejando que los lectores se imaginen cómo se podría mejorar la situación.

[1] From "Quince preguntas a M. A. Asturias", "*Revolución*". 17 de agosto, 1959, p. 23.

hecho *fact* **mítica** *mythical* **creencias** *beliefs* **se ahoga** *drowns* **pozo** *well* **cuentan** *they tell a story*
se vuelve *becomes* **extraterreno** *from another world* **cobra** *takes on* **renovar** *renew* **contar** *storytelling*
ridiculeces *silly incidents* **cabe** *fits* **mentira** *a lie* **bloque de hielo** *ice block* **diamante** *diamond*

Comprensión

A. Significados Adivina el significado de las siguientes palabras que aparecen en la lectura. Indica que palabras en inglés de la lista de la derecha corresponden a la(s) palabra(s) de español de la izquierda.

1. la explicación
2. la distorsión
3. incluir
4. la frontera
5. la crítica
6. el nivel

a. *criticism*
b. *level*
c. *distortion*
d. *to include*
e. *explanation*
f. *border*

B. Palabras claves Decide cuál de las cuatro posibilidades explica mejor las frases o nombres en cursiva que aparecen en la lectura.

1. *el realismo mágico:*
   a. explicaciones racionales
   b. hechos históricos
   c. la dimensión misteriosa
   d. injusticias sociales

2. *Gabriel García Márquez*
   a. romántico
   b. realista
   c. mágicorrealista
   d. existencialista

3. *la sátira:*
   a. mantiene una actitud objetiva
   b. critica la sociedad
   c. usa muchos adjetivos
   d. es respetuosa y reverente

4. *Macondo:*
   a. un pueblo cerca de Bogotá
   b. el nombre de una familia colombiana importante
   c. una compañía bananera
   d. un pueblo imaginario

5. *creencias populares:*
   a. personajes interesantes
   b. leyendas y mitos
   c. las facetas de la sociedad
   d. el chocolate y el hielo

6. *Cervantes y García Márquez:*
   a. vivieron en Colombia
   b. demuestran poco interés en lo fabuloso
   c. renovaron el arte de contar
   d. se limitan a los hechos en su obra

C. ¿Comprendiste?

Basándote en la lectura (páginas 327 a 328) responde a las preguntas que siguen sobre el realismo mágico, García Márquez y el pueblo ficticio de Macondo.

1. ¿Cuál es la característica principal del realismo mágico?
2. ¿Qué importancia tienen los mitos para los escritores del realismo mágico?
3. ¿Quién es Gabriel García Márquez?
4. ¿Qué cosa dice García Márquez de su niñez en la información que acompaña la foto?
5. ¿Con qué otro gran escritor ha sido comparado García Márquez? ¿Qué tienen los dos en común?
6. ¿Qué representa Macondo en la obra de García Márquez?
7. ¿Cuál es una de las técnicas preferidas que usa García Márquez? ¿Cuál es un ejemplo de esta técnica?
8. ¿Para qué usa García Márquez el humor en su obra?
9. ¿Te gustaría visitar el pueblo de *Cien años de soledad?* ¿Por qué sí o por qué no?
10. ¿Conoces a algún escritor o alguna escritora que escriba en inglés que se pueda comparar con García Márquez? ¿Quién es?

Repaso

D. Casi todo era posible en Macondo.

Para cada espacio en blanco da la forma apropiada del imperfecto del subjuntivo del verbo entre paréntesis.

1. Era posible que un bloque de hielo _____ (ser) un enorme diamante.
2. Era posible que una persona _____ (vivir) más de cien años.
3. No era imposible que un ángel _____ (visitar) a una pareja pobre del pueblo.
4. Era posible que los muertos _____ (hablar) con los vivos.
5. Era posible que una niña _____ (volverse) una araña por desobedecer a sus padres.
6. No era imposible que una bella mujer _____ (elevarse) al cielo.
7. Era posible que _____ (llover) más de cuatro años sin parar.
8. Era posible que un hombre _____ (viajar) en una alfombra que vuela.

9. No era imposible que un coronel _____ (perder) treinta y dos batallas.

10. Era posible que unos niños _____ (encontrar) un gigante ahogado (*drowned*) en la playa.

11. Era posible que un hombre no _____ (dormir) por el ruido de las estrellas.

12. No era imposible que las mariposas siempre _____ (acompañar) a un muchacho.

ESTRUCTURA

The imperfect subjunctive and si clauses

Compraríamos ese coche rojo si **tuviéramos** más dinero.	We would buy that red car if we had more money.
Estaría contento si me **escribieras**.	I would be happy if you wrote to me.
Si perdieras ese reloj, sería una lástima.	If you were to lose that watch, it would be a shame.
Pasaría por ti si me **esperaras**.	I would stop by for you if you were to wait for me.

1. The conjunction **si**, meaning *if* in Spanish, is used to set up a situation contrary to fact. The statement that immediately follows **si** indicates that you are talking about something hypothetical (that doesn't exist or is unlikely to happen). As you have seen, this statement can occur at either the beginning or end of a sentence.

2. The statement that follows **si** also indicates that you are imagining what might possibly happen under certain conditions. You can always tell that the projection is into "the twilight zone" from the use of the conditional tense in the main clause of this kind of sentence. The conditional tense sets up what would happen if the hypothetical situation were to occur.

3. Whenever the conditional tense appears in the main clause, any verb used after **si** in the dependent clause will always be in the imperfect (past) subjunctive form in Spanish, not in the indicative.

4. Notice that there are several ways in English to translate a contrary-to-fact clause like **Si aceptaras la invitación...** All of the following are used: *If you were to accept the invitation . . . , If you accepted the invitation . . . , and If you would accept the invitation . . .*

Aquí practicamos

E. Si fuera posible... Sustituye las palabras en cursiva con las palabras entre paréntesis y haz los cambios que sean necesarios con los verbos en la cláusula con si.

1. Carlos iría si *ustedes* lo invitaran. (nosotros / yo / ella / sus tíos / el profesor)

2. ¿Podrías terminar el proyecto si *yo* te ayudara? (tus amigos / tu padre / ellas / Esteban y Miguel / nosotros)

3. Si *mis padres* le dieran más dinero, mi hermano compraría esa bicicleta. (yo / nosotros / sus abuelos / su jefe / tú)

4. Ellos llegarían a tiempo si *yo* pudiera llevarlos en coche. (el señor Moya / Gloria y Marilú / nosotros / su primo / tú)

5. Si *Roberto* tuviera tiempo, pasaríamos por Madrid. (ustedes / yo / tú / nosotros / él)

6. El servicio mejoraría si *yo* le dijera algo al jefe. (tú / ustedes / alguien / mis padres / nosotros)

7. El mesero traería más tacos si *tú* se los pidieras. (yo / nosotros / José / ellas / todos ustedes)

8. Estaría muy contento(a) si *mi novia(o)* me escribiera más. (ustedes / tú / mis amigos / mi abuela / ellas)

F. No va a pasar... pero si pasara...

Indica lo que podría pasar bajo ciertas circunstancias, usando el imperfecto del subjuntivo en la cláusula con **si** y el tiempo condicional en la otra cláusula. Sigue el modelo.

> **MODELO**   No tengo dinero, pero si lo _____ (tener), yo _____ (comprar) ese coche.
> *No tengo dinero, pero si lo tuviera, yo compraría ese coche.*

1. No van a invitarlo, pero si ellos lo _____ (invitar), Ramón _____ (ir) a México.

2. No puedo salir a las 3:00, pero si yo _____ (poder), ustedes _____ (poder) ir conmigo.

3. No podemos terminar la composición, pero si la profesora nos _____ (dar) más tiempo, nosotros la _____ (terminar).

4. No tengo dinero, pero si mi papá me _____ (dar) más, yo no _____ (tener) problemas.

5. Ese hotel es muy caro, y si ustedes _____ (ir) a otro, ustedes _____ (pagar) menos.

6. No sabemos quién va a la fiesta, pero si Cristina y Raquel _____ (estar), todo el mundo _____ (estar) contento.

7. Mi tío Pepe dice que no le gusta el arte abstracto, pero si alguien le _____ (vender) un cuadro famoso, él lo _____ (comprar) para su oficina.

8. Al médico no le gusta viajar por avión, pero si él _____ (saber) que su abuela está enferma, creo que eso lo _____ (convencer) que debe hacerlo.

G. Imagínate...

Completa las siguientes oraciones según tus propias opiniones, usando la forma apropiada del imperfecto del subjuntivo. Sigue el modelo.

> **MODELO**   Yo estaría muy triste si...
> *Yo estaría muy triste si tuviera que asistir a otra escuela.*

1. Yo te llamaría por teléfono a la una de la mañana si...

2. Creo que el (la) profesor(a) te invitaría a la cena si...

3. El tren saldría a tiempo si...

4. Mis padres estarían muy contentos si...

5. Me gustaría leer la novela **Don Quijote** si...

6. ¿Trabajarías diez horas por día si... ?

7. Yo me enojaría mucho si...

8. ¿Qué dirías si... ?

9. Yo no sé lo que haría si...

10. ¿Cómo reaccionarían tus amigos si... ?

LECTURA CULTURAL

Antes de leer

1. Lee el título e indica las cosas en que te hace pensar en el hielo.

2. A García Márquez le gusta usar adjetivos descriptivos dramáticos. Busca las siguientes frases en los tres párrafos de la lectura en las páginas 334 a 335.

   ¿Qué descripciones son ejemplos de exageración subjetiva y cuáles no lo son? Usa el diccionario si es necesario.

   a. piedras... blancas y enormes como huevos prehistóricos
   b. la feria de los gitanos
   c. la portentosa novedad
   d. un anillo de cobre en la nariz
   e. un bloque transparente
   f. infinitas agujas internas
   g. una explicación inmediata
   h. el diamante más grande del mundo
   i. el corazón se le hinchaba de temor
   j. la prodigiosa experiencia
   k. el pequeño José Arcadio
   l. el gran invento de nuestro tiempo

Cien años de soledad —El bloque de hielo

"...a la orilla de un río de aguas cristalinas que corrían por unas piedras pulidas..."

Gabriel García Márquez (Colombia, 1928–) es uno de los escritores más conocidos en el mundo. Se ganó el Premio Nóbel de Literatura en 1982 por su extensa obra literaria que incluye la novela Cien años de soledad *(1967), que se ha traducido a muchas lenguas. Hoy en día circula por el mundo entero como una de las novelas contemporáneas más leídas.*

Muchos años después, frente al **pelotón de fusilamiento**, el coronel Aureliano Buendía recordaría aquella tarde remota en que su padre lo llevó a conocer el hielo. Macondo era entonces una **aldea** de veinte casas de **barro** y caña construidas a la **orilla** de un río de aguas cristalinas que corrían por unas piedras **pulidas**, blancas y enormes como

pelotón de fusilamiento *firing squad*   **aldea** *little village, hamlet*   **barro** *clay*   **orilla** *edge*   **pulidas** *polished*

huevos prehistóricos. El mundo era tan reciente que muchas cosas no tenían nombre, y para mencionarlas se tenía que **señalar** con el dedo.

El día que fueron a la **feria** de los **gitanos**, su padre los llevaba a él y a su hermano de cada mano para no perderlos en el **tumulto**. Habían insistido en ir a conocer la **portentosa novedad** de los **sabios** de Egipto, anunciada a la entrada de una **carpa** que, según decían, había sido del rey Salomón. Tanto insistieron los niños, que José Arcadio Buendía pagó los treinta **reales,** y los llevó hasta el centro de la carpa, donde había un gigante de torso **peludo** y cabeza **rapada**, con un **anillo** de cobre en la nariz, cuidando un **cofre** de pirata. Cuando el gigante lo abrió, el cofre dejó escapar un **aliento** glacial. Dentro sólo había un bloque transparente, con **infinitas agujas internas** en las cuales **se despedazaba** en estrellas de colores la claridad del **crepúsculo.** Preocupado, porque sabía que los niños esperaban una explicación inmediata, José Arcadio Buendía **murmuró:**

—Es el diamante más grande del mundo.

—No —corrigió el gitano. —Es hielo.

José Arcadio Buendía, sin entender, extendió la mano hacia el bloque, pero el gigante se la quitó: —Cinco reales más para tocarlo —dijo. José Arcadio Buendía los pagó, y entonces puso la mano sobre el hielo, y la dejó puesta por varios minutos, mientras el corazón **se le hinchaba** de temor y de alegría al contacto del misterioso objeto. Sin saber qué decir, pagó otros diez reales por los hijos; así ellos podrían vivir también la **prodigiosa** experiencia. El pequeño José Arcadio se negó a tocarlo. Aureliano, en cambio, dio un paso hacia adelante, puso la mano y la retiró inmediatamente. —¡Está **hirviendo!** —exclamó con miedo. Pero su padre no le prestó atención. **Asombrado** por la evidencia del **prodigio,** pagó otros cinco reales, y con la mano puesta en el bloque, como si estuviera expresando un testimonio sobre el texto **sagrado,** exclamó:

—Éste es el gran **invento** de nuestro tiempo.

señalar *to point* **feria** *fair* **gitanos** *gypsies* **tumulto** *tumult* **portentosa novedad** *extraordinary novelty* **sabios** *wisemen, sages* **carpa** *tent* **reales** *unit of money* **peludo** *hairy* **rapada** *shaved* **anillo** *ring* **cofre** *large trunk or chest* **aliento** *rush of air, breath* **infinitas agujas internas** *countless internal needles* **se despedazaba** *was breaking up* **crepúsculos** *twilight* **murmuró** *murmured* **se le hinchaba** *was swelling up* **prodigiosa** *marvelous* **hirviendo** *boiling* **Asombrado** *Amazed* **prodigio** *wonderous object* **sagrado** *sacred* **invento** *invention*

Guía para la lectura

1. Lee el primer párrafo y decide cuál es su tema central.

   a. la relación entre un padre y su hijo

   b. la muerte de un coronel

   c. los recuerdos de otra época

2. Después de leer el segundo párrafo, decide de qué trata en general.

   a. la aventura de un pirata de Egipto

   b. lo que había en una carpa de una feria

   c. cómo se perdieron dos niños

3. Ahora lee el tercer párrafo e indica cuál es la idea principal.

   a. las reacciones al ver el hielo por primera vez

   b. el miedo que la gente le tiene a un gigante

   c. los precios de varios objetos en una tienda

Comprensión

H. ¿Qué pasó? Pon las siguientes acciones en el orden cronológico en que se describen en la lectura que acabas de leer.

1. El padre dijo que era un diamante.

2. Un gigante de torso peludo abrió un cofre de pirata.

3. Uno de los niños también puso la mano sobre el hielo.

4. El gigante dijo que el bloque era hielo.

5. Dentro del cofre había un bloque transparente.

6. Un día un hombre llevó a sus hijos a la feria de los gitanos.

7. El padre curioso puso la mano sobre el bloque.

8. El padre y los niños entraron en una carpa.

I. Cuestionario Responde a las siguientes preguntas sobre la lectura en las páginas 334 a 335.

1. ¿Cómo era Macondo cuando el coronel Aureliano Buendía y su hermano eran niños?
2. ¿Adónde querían el pequeño Aureliano y su hermano que los llevara su padre cuando estaban en la feria?
3. Cuando los tres entraron en la carpa, ¿qué vieron primero? Describe todo lo que vieron.
4. ¿Qué había dentro del cofre?
5. ¿Qué explicación dio el padre de lo que vio en el cofre?
6. ¿Cómo reaccionó el padre cuando tocó el objeto que estaba en el cofre?
7. ¿Qué dijo Aureliano después de tocar el objeto?
8. ¿Te gustó esta lectura? ¿Por qué sí o por qué no?

¡ADELANTE!

¡Lotería! Habla con un(a) compañero(a) de clase de las cosas que cada uno(a) haría si ganara la lotería. Menciona por lo menos seis cosas de las siguientes categorías: 1) cosas que comprarías para ti mismo, 2) cosas que comprarías para tus parientes o tus amigos 3) cosas que harías para ti mismo 4) cosas que harías para tus parientes o tus amigos, 5) cosas que harías para la sociedad 6) cosas que harías para economizar. Empieza cada oración con **Si ganara un millón de dólares....**

Consejos y sugerencias Imagine that you are the advice columnist for your school newspaper and that someone has asked for your advice and suggestions about living the healthiest life possible. Write a response, giving advice about: 1) diet, 2) exercise, 3) relaxation, and 4) general attitude. Use expressions such as **Aconsejo que... , Sugiero que... , Es mejor que...**, as well as **Si pudiera... , Si tuviera... , Si fuera... ,** etc.

SEGUNDA ETAPA

Preparación

- ¿Cómo defines tú la palabra **fantasía?**

- ¿Crees que los sueños forman parte de una realidad más grande?

- ¿Recuerdas algún sueño que hayas tenido alguna vez o varias veces en tu vida? ¿Te pareció extraño, misterioso, divertido, absurdo o qué?

- ¿Crees que los sueños revelan algo sobre nosotros? ¿Qué?

La fantasía y el sueño

En esta etapa van encontrar unas lecturas cortas que mezclan la fantasía con la realidad.

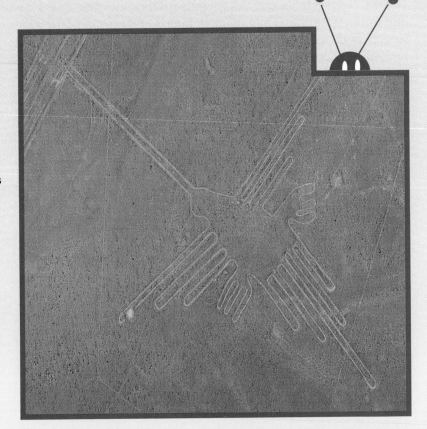

En los altiplanos del Perú se ven estas rayas (lines) **o diseños** (designs) **antiguos con una extensión de muchos kilómetros. Nadie sabe cuándo ni cómo aparecieron** (appeared). **Las leyendas dicen que los dioses pusieron las marcas allí para ayudarles a volver a la tierra más fácilmente. Algunas personas creen que son pistas de aterrizaje** (landing strips) **para los objetos voladores no identificados** (UFOs) **de seres extraterrestres de otros planetas. ¿Quién sabe?**

Enrique Anderson Imbert (Argentina, 1910–) ha escrito cuentos fantásticos y lo que él llama "casos" —una especie de micro-texto que contiene la esencia mínima de un relato. Un caso se podría definir como una cápsula narrativa que contiene principio, mitad y fin y que cuenta algo imaginativo e irónico.

Alas

Yo practicaba entonces la medicina, en Humahuaca. Una tarde me trajeron un niño con la cabeza herida: se había caído por el precipicio de un **cerro**. Cuando, para examinarlo, le quité el poncho, vi dos **alas**. Las miré: estaban **sanas**. Cuando el niño pudo hablar le pregunté:

—¿Por qué no **volaste**, mi hijo, cuando empezaste a caer?

—¿Volar? —me dijo. —¿Volar, para que la gente se ría de mí?

Las dulces memorias

El viejo Manuel le pidió al Ángel que lo hiciera niño. ¡Eran tan dulces sus memorias de la niñez!

El Ángel lo hizo niño.

Ahora Manuelito no tiene memorias.

El hombre-mosca

Muchas veces Leonidas había visto **moscas** caminando por el **techo**. Pero la cosa ocurrió el miércoles 17, a las cinco de la tarde. Vio esa mosca y descubrió su vocación. Leonidas lo abandonó todo. **Trepó** por las paredes y ya no habló más. **Recorría** toda la casa, por el techo. Para comer, bajaba y andaba sobre las rodillas y manos.

cerro *hill*   **alas** *wings*   **sanas** *unhurt*   **volaste** *you fly*   **moscas** *houseflies*   **techo** *ceiling*
trepó *He climbed*   **recorría** *He would run through*

Cortesía de Dios

Hoy yo estaba descansando, en mi **rincón** oscuro, cuando oí pasos que se acercaban. ¡Otro que descubría dónde estaba **escondido** y venía a adorarme! ¿En qué tendría que **metamorfosearme** esta vez? Miré hacia el **pasillo** y vi a la pobre criatura. Era peludo, caminaba en dos pies, en sus ojos **hundidos** había miedo, esperanza, amor y su **hocico** parecía sonreír. Entonces, por cortesía, me levanté, adopté la forma de un gran chimpancé y fui a conocerlo.

El príncipe

Cuando nació el príncipe hicieron una gran fiesta nacional. Bailes, fuegos artificiales, **revuelos de campanas, disparos de cañón...**

Con tanto ruido el recién nacido murió.

La pierna dormida

Esa mañana, cuando se despertó, Félix se miró las piernas, abiertas sobre la cama, y, ya listo para levantarse, se dijo —¿Y si dejara la pierna izquierda aquí? —Meditó un instante. —No, imposible; si pongo la derecha en el suelo, estoy seguro que va a **arrastrar** la izquierda, que **lleva pegada**. ¡Ea! Hagamos la prueba.— Y todo salió bien. Se fue al baño, saltando en un solo pie, mientras la pierna izquierda siguió dormida sobre las **sábanas**.

rincón *corner*   escondido *hidden*   metamorfosearme *change my shape*   pasillo *hallway*   hundidos *sunken*
hocico *snout*   revuelos de campanas *tolling of bells*   disparos de cañón *cannon shots*   ruido *noise*   arrastrar
to drag   lleva pegada *which is attached to it*   sábanas *sheets*

Comprensión

A. Categorías   Trabajando con un(a) compañero(a) de clase, escribe en una hoja de papel una lista de las palabras que se usan en los **casos** (páginas 339 a 340) de acuerdo con las categorías a continuación: **las personas, partes del cuerpo, los objetos, los nombres.**

B. ¿Comprendiste?   Responde a las siguientes preguntas sobre los **casos** que leíste en las páginas 339 a 340.

1. ¿Cuáles son dos o tres características que todos los **casos** tienen en común?

2. ¿En qué **caso** hay una metamorfosis, o un cambio de forma?

3. ¿En qué **casos** aparecen seres que no son humanos?

4. ¿Cuál de los **casos** te parece más realista? ¿Por qué?

5. ¿En qué **caso** es más evidente el uso del realismo mágico? ¿Por qué?

6. ¿Cuál de los **casos** te parece más cómico? ¿Por qué?

7. ¿Cuál es el **caso** más extraño? ¿Por qué?

8 Hay tres **casos** en que se usa el subjuntivo. ¿Cuáles son? ¿Por qué se usa el subjuntivo en estos **casos**?

C. Títulos creativos   Lee otra vez los **casos** y con un(a) compañero(a) escriban un nuevo título, igual de breve o más largo, para cada **caso**. Piensen en su contenido y usen la imaginación.

Repaso ♻

D. Si pudieras escoger...   Indica lo que harías en las situaciones que siguen. Sigue el modelo.

> **MODELO**   Si pudieras escoger, ¿viajarías solo(a) o con un grupo grande?
> *Estoy seguro(a) que viajaría solo(a).*

1. Si fueras de vacaciones a España, ¿quién organizaría el viaje? ¿Tú o un agente de viajes?

2. Si pudieras escoger, ¿viajarías por el país en tren o por avión?

3. Si tu pagaras los billetes, ¿comprarías plazas de primera o segunda clase?

4. ¿Y si tus padres pagaran los billetes?

5. Si tuvieras que decidir, ¿llegarías a la estación temprano o a la hora exacta?

6. Si fuera tu responsabilidad, ¿llevarías una maleta o dos?

7. Si te sirvieran comida durante el viaje, ¿comerías pescado o pollo?

8. Si uno de los pasajeros fumara cerca de ti, ¿cambiarías de asiento o no?

9. Si el tren o el avión llegara tarde, ¿hablarías con el conductor/el piloto o no dirías nada?

10. Si pudieras escoger, ¿irías de la estación o del aeropuerto en taxi o en metro?

ESTRUCTURA

The indicative and si clauses

Compraremos ese coche rojo si tenemos el dinero.	*We will buy that red car if we have the money.*
Estaré contento si me escribes.	*I will be happy if you write to me.*
Si pierdes ese reloj, será una lástima.	*If you lose that watch, it will be a shame.*
Pasaré por ti si me esperas.	*I will stop by for you if you wait for me.*

1. Earlier in the chapter you learned to use **si** with the past subjunctive and the conditional tense. **Si** can also be used with the indicative mood to express the idea of an assumption.

2. When the verb in the main clause is in the indicative (usually in the present or future tense), the verb in the **si** clause will always be in the present tense. The indicative is used after **si** because the speaker is not saying anything contrary-to-fact or impossible, but rather is assuming that something will take place. Notice the difference in meaning between the following sentences:

Si él **trabajara** mucho, **aprendería** mucho.	*If he were to work hard (which he doesn't and isn't very likely to), he would learn a lot.*
Si él **trabaja** mucho, **aprenderá** mucho.	*If he works hard (the assumption is that he can and is likely to), he will learn a lot.*

Aquí practicamos

E. Vamos a suponer (to assume)... Las siguientes oraciones presentan condiciones poco posibles o contrarias a la realidad. Cámbialas a oraciones que expresen una suposición (*assumption*) y haz los cambios que sean necesarios. Sigue el modelo.

> **MODELO** Haría el viaje si tuviera el dinero.
> *Haré el viaje si tengo el dinero.*

1. Esa escritora escribiría otra novela si tuviera tiempo.
2. Si yo leyera esa obra, ¿entendería mejor el temperamento español?
3. Si pudiéramos, iríamos a la galería mañana.
4. Si nos invitaran, aceptaríamos con gusto.
5. Carlos llegaría a la ceremonia a tiempo si saliera a las 5:00.
6. Dicen que le darían el premio si la nombraran a ella otra vez.
7. El pintor podría terminar el cuadro si tuviera más luz.
8. Iríamos a la librería ahora si no estuviera cerrada.
9. ¿Cuánto pagarían ustedes por un libro si fuera del siglo XVII?
10. ¿Escribirías la carta si te lo pidiera la profesora?
11. La casa editorial no vendería tantos libros si subieran los precios.
12. Entenderíamos la lectura si aprendiéramos más vocabulario.

F. Consecuencias Trabaja con un(a) compañero(a) de clase para completar las oraciones, indicando lo que suponen que serán las consecuencias de la acción previa. Sigue el modelo.

> **MODELO** Si esperas media hora…
> *Si esperas media hora, iremos juntos al museo.*

1. Si salimos de la escuela a tiempo…
2. Si no tengo tarea esta tarde…
3. Si el autobús no llega…
4. Si no quieres ir al cine…
5. Si el disco compacto que yo quiero cuesta demasiado dinero…
6. Si no estudias para el examen…
7. Si quieres comprar un coche…
8. Si vamos al centro el sábado próximo…
9. Si viajas este verano…
10. Si no comprendo la lección…
11. Si tenemos tiempo…
12. Si puedo vender mi bicicleta…
13. Si aprendo bien el español…
14. Si terminamos el trabajo temprano…

G. Suposiciones Trabaja con un(a) compañero(a) de clase. Completa las oraciones con la suposición que tú quieras hacer y explica cuál es la suposición que se asocia con lo que has dicho. Tu compañero(a) te contestará, usando el mismo verbo en el tiempo futuro para indicarte que lo que tú supones sí pasará. Sigan el modelo.

> **MODELO** Te podré ayudar si…
> **Tú:** *Te podré ayudar si me llamas. Supongo que me vas a llamar.*
> **Compañero(a):** *Claro que sí. Te llamaré.*

1. Sabré el número del vuelo si…
2. Iré al cine con tus primos si…
3. Mi padre dice que podré usar el coche si…
4. Compraré los boletos para el concierto si…
5. Terminaré toda la novela si…
6. El tren llegará temprano si…
7. Iremos a México el verano próximo si…
8. Estaré muy contento(a) si…
9. Tendrás tiempo para estudiar si…
10. Yo pagaré la cuenta si…
11. Podremos explicar el problema si…
12. No tendremos dificultades con la tarea si…

NOTA GRAMATICAL

The imperfect subjunctive and the sequence of tenses

Pablo **quiere** que yo lo **ayude**.
Pablo **quería** que yo lo **ayudara**.

Pablo wants me to help him.
Pablo wanted me to help him

El médico **recomienda** que
comamos pescado.

The doctor recommends that we eat fish.

El médico **recomendó** que
comiéramos pescado.

The doctor recommended that we eat fish.

Mi abuela siempre **pide** que mi
mamá le **sirva** sopa de pollo.

*My grandmother always asks that my mother
serve her chicken soup (to her.)*

Mi abuela siempre **pedía** que mi
mamá le **sirviera** sopa de pollo.

*My grandmother always used to ask that my
mother serve chicken soup to her.*

1. You have already learned that the subjunctive mood is always used in situations involving a) transfer of will, b) emotional reactions, and c) the uncertain or unreal ("the twilight zone"). Another matter related to the use of the subjunctive involves the sequence of tenses in two-part sentences with a verb in each part.

2. If the present-tense verb in a sentence's main clause calls for the use of the subjunctive in the **que** clause, the verb in the **que** clause will be in the present subjunctive.

3. If the preterite or imperfect-tense verb in the main clause calls for the use of the subjunctive in the **que** clause, the verb in the **que** clause will be in the imperfect (past) subjunctive.

4. This is an automatic sequencing that does not always translate word-for-word into English.

Aquí practicamos

H. Verbos Sustituye las palabras en cursiva con las palabras que están entre paréntesis y haz los cambios que sean necesarios en las oraciones.

1. La semana pasada pedí que *ustedes* compraran los boletos. (tú / ellas / usted / Mario y Reynaldo / el profesor / mi padre)

2. Era posible que el *tren* llegara a la hora anunciada. (el avión / los estudiantes / el autobús / los taxis / mi abuelo / ella)

3. Siempre nos daba lástima que *nuestro equipo* perdiera el partido. (tú / Carlos y Esteban / tío Pepe / los niños / ustedes / nosotras)

4. El médico recomendó que *el paciente* tomara dos pastillas por día. (yo / mi papá / nosotros / Elvira / ustedes)

5. Me molestó mucho que *ustedes* no entendieran la explicación ayer.
   (ellos / Alicia y Carla / mis padres / nosotros / la profesora / tu hermana)

6. Cada semana la entrenadora ordenaba que *las jugadoras* corrieran 20 kilómetros. (nosotros / yo / ustedes / el capitán / ella / tú)

7. La profesora quería que *nosotros* estudiáramos dos horas por día.
   (él / Joaquín y Paco / mi hermano / los muchachos / ellas / nosotros)

I. Las cosas de la niñez (childhood) Trabaja con un(a) compañero(a) de clase para hablar de su niñez, completando las siguientes oraciones. Presten atención al imperfecto del subjuntivo. Sigan el modelo.

> **MODELO** mis padres siempre pedían que yo…
> *Cuando era pequeño(a), mis padres siempre pedían que yo me acostara temprano.*

1. mis padres no permitían que yo…

2. no era posible que…

3. me molestaba mucho que mi hermano(a)…

4. era probable que yo…

5. un día me pareció muy extraño que…

6. yo siempre dudaba que…

7. mi hermano(a) nunca quería que yo…

8. sentía yo mucho que no…

9. mi papá me pidió una vez que yo…

10. me parecía increíble que mis padres…

J. Le recomendamos que… Trabaja con un(a) compañero(a) para hacer una lista de unas recomendaciones que le han hecho recientemente a un(a) estudiante que quiere visitar tu ciudad (pueblo). Esta persona nunca ha visitado tu región y necesita información turística. Dividan su lista entre las siguientes categorías: 1) ropa, 2) lugares para visitar, 3) cosas para ver, 4) cosas para hacer, 5) dónde comer y 6) cosas para evitar. Ordenen sus recomendaciones en cada categoría de acuerdo con su importancia, comenzando con el más importante. Usen **Le recomendamos que…** con cada sugerencia. Traten de incluir en su lista de seis a ocho verbos en el imperfecto del subjuntivo. Es posible que después le lean la lista a la clase.

Antes de leer

1. Lee el título para determinar de qué trata la lectura. ¿Crees que es posible recordar los detalles de lo que soñamos? ¿Por qué sí o por qué no?

2. Fíjate en el tiempo verbal en que se narra el pasaje en la página 347. ¿Cuál es el efecto de usar este tiempo y no otro, como el pasado, por ejemplo?

3. El autor presta mucha atención en este pasaje a la visualización de las cosas, casi como si estuviera usando una cámara cinematográfica. Haz una lista de por lo menos diez de las cosas que el hombre ve. Usa el diccionario si es necesario.

Julio Cortázar

Julio Cortázar (Argentina, 1914–1984) escribió cuentos y novelas en los que expresó la idea de que la realidad se conoce por medio de las excepciones a las **leyes** *—no por el estudio de las leyes. Hay muchas cosas irracionales y absurdas que de repente* **interrumpen** *el orden y el sistema de nuestra vida. Para acercarnos a la realidad, creía Cortázar, debemos prestar atención a los elementos inesperados porque forman una parte importante de ella. En el pasaje breve que sigue, Cortázar presenta "El* **esbozo** *de un sueño" para llamar atención a las imágenes que produce este tipo de conocimiento.*

El esbozo de un sueño

De repente siente el hombre el gran deseo de ver a su tío y se da prisa al caminar por las calles **retorcidas** y **empinadas**, que parecen querer alejarlo de la vieja casa ancestral. Después de andar por mucho tiempo (pero es como si tuviera los zapatos pegados al suelo), ve la puerta y oye vagamente ladrar a un perro. En el momento de subir los cuatro viejos **peldaños**, y cuando extiende la mano hacia el **llamador**, que es otra mano que **aprieta** una esfera de bronce, los dedos del llamador se mueven, primero el más pequeño y poco a poco los otros dedos, que van **soltando** interminablemente la bola de bronce. La bola cae como si fuera de plumas, **rebota** sin ruido y le salta hasta el pecho, pero ahora es una gorda **araña** negra. Se la quita desesperadamente con la mano, y en ese instante se abre la puerta: el tío está de pie, sonriendo sin expresión, como si esperara sonriendo desde hace mucho tiempo antes detrás de la puerta cerrada. Dice algunas frases como si fueran preparadas. "Ahora tengo yo que contestar…", "Ahora él va a decir…". Y todo ocurre exactamente así. Ahora están en una habitación brillantemente iluminada, el tío saca cigarros envueltos en papel de plata y le ofrece uno. Largo rato busca los fósforos, pero en toda la casa no hay fósforos ni fuego de ninguna especie. No pueden **encender** los cigarros, el tío parece estar ansioso de que la visita termine, y por fin hay una confusa despedida en un pasillo lleno de largos cajones medio abiertos, y donde **apenas** hay lugar para moverse dentro de ellos.

Al salir de la casa, el hombre sabe que no debe mirar hacia atrás, porque… No sabe más que eso, pero lo sabe, y se retira rápidamente con los ojos fijos en el fondo de la calle. Poco a poco empieza a sentirse más **aliviado.** Cuando llega a su casa está tan cansado que se acuesta en seguida, casi sin desvestirse. Entonces sueña que está en un bonito parque y que pasa todo el día **remando** en el lago con su novia y comiendo chorizo en el restaurante "Nuevo Toro".

leyes *laws* interrumpen *interrupt* esbozo *outline* retorcidas *winding* empinadas *steep* peldaños *stone steps* llamador *doorknocker* aprieta *it squeezes* soltando *letting go of* rebota *it bounces* araña *spider* encender *light up* apenas *hardly* aliviado *relieved* remando *rowing*

Guía para la lectura

1. Lee la lectura e identifica las oraciones que contienen las siguientes cláusulas con **si**. Fíjate en su contexto para ayudarte a decidir lo que estas cláusulas quieren decir. Indica como ayudan a crear el ambiente de los sueños.

   a. pero es como si tuviera los zapatos pegados al suelo

   b. la bola cae como si fuera de plumas

   c. como si esperara sonriendo desde hace mucho tiempo antes

   d. dice algunas frases como si fueran preparadas

2. Lee las siguientes preguntas sobre el contenido del pasaje. Ahora lee el texto otra vez y responde a las preguntas.

   a. ¿Cuál es el gran deseo que siente el hombre?

   b. Cuando el hombre llega a la puerta y extiende la mano hacia el llamador, ¿qué pasa con el llamador?

   c. ¿Qué ocurre cuando la bola del llamador cae?

   d. ¿Quién abre la puerta por fin?

   e. ¿Qué es lo extraño de la conversación que tienen el hombre y su tío?

   f. ¿Qué pasa cuando el tío trata de encender los cigarros?

   g. Al despedirse de su tío, ¿qué nota el hombre que hay en el pasillo?

   h. ¿Cómo se siente el hombre después de salir de la casa de su tío?

   i. ¿Qué hace el hombre al llegar a su casa?

   j. ¿Qué sueña el hombre al final?

   k. Después de leer esta lectura, ¿qué crees tú que Cortázar quiere decir sobre la realidad?

Comprensión

K. ¿Comprendiste?
Responde a las siguientes preguntas sobre la estructura y la interpretación del texto de Cortázar en la página 347.

1. ¿Cambiaría la lectura si se dividiera en tres o cuatro párrafos en lugar de dos? ¿Por qué sí o por qué no?
2. ¿Cómo describirías el ambiente que el autor crea en el primer párrafo?
3. ¿Cuál es el ambiente que Cortázar describe en el segundo párrafo?
4. ¿Es posible saber cuántos sueños se describen en este breve pasaje? ¿Por qué sí o por qué no?
5. ¿Qué interpretación podrías hacer de lo que pasó en la casa del tío? ¿Qué podrían significar algunas de las imágenes asociadas con la casa?

¡ADELANTE!

 Si tuviera la oportunidad... Indica algunas cosas interesantes que quisieras hacer o tener en la vida. Si quieres, usa la imaginación para inventar algo extraordinario. Considera una variedad de posibilidades para organizar tus ideas: si tú tuvieras el tiempo, el dinero, el talento, la influencia o poderes mágicos. Prepara por lo menos cinco frases, mencionándolas en orden de su importancia para ti y usando los verbos en el condicional. Sigue el modelo.

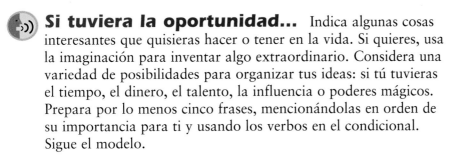

MODELO   *Si tuviera el talento tocaría el saxofón en todos los clubes de jazz de Europa.*

Mi novela Write a brief description of the novel you would write if you had the time and talent. Use the conditional tense in your comments, which should include some information about 1) the theme, 2) the main characters, and 3) the general plot line you would have in the book. Begin your description with **Si tuviera el tiempo y el talento, escribiría una novela sobre...**

Preparación

- ¿Cómo es una familia típica para ti?

- Piensa en uno de los programas en televisión sobre la familia. ¿Cómo son las personas de la familia que se presenta?

- ¿Puedes pensar en algún incidente cómico o extraño que forma parte de la historia de tu familia?

- ¿Quién es una de las personas más inolvidables de tu familia? ¿Por qué es inolvidable?

Los mundos fantásticos del hogar

En esta etapa van a leer unas lecturas escritas por dos escritoras latinoamericanas de hoy.

Isabel Allende

Isabel Allende (Chile, 1942–) es una de las novelistas que siempre aparece en la lista de los mejores escritores contemporáneos de habla española. Ha publicado varias novelas, incluyendo *La casa de los espíritus* (1982), *De amor y de sombra* (1984) y *Eva Luna* (1987), y una colección de cuentos, *Los cuentos de Eva Luna* (1990). Su primera obra, de donde viene la selección que sigue, se considera la mejor que ha escrito hasta ahora. En esta novela presenta la vida de varias generaciones de una familia chilena por medio del prisma del realismo mágico. Sus fuertes personajes femeninos son inolvidables como mujeres de carne y hueso, como espíritus y como símbolos de la reforma general que la sociedad necesita si la vida va a mejorar para todos.

La casa de los espíritus: La niña Clara y su perro Barrabás

La niña Clara **se hizo cargo del** perrito enfermo. Lo sacó de la canasta, lo abrazó a su pecho y con el cuidado de misionera le dio agua en el **hocico hinchado** y **reseco**. Clara **se convirtió** en una madre para el animal, dudoso privilegio que nadie quería disputarle. Un par de días más tarde, su padre Severo **se fijó en** la criatura que su hija llevaba en los brazos.

—¿Qué es eso? —preguntó.

—Barrabás —dijo Clara.

—Déselo al jardinero, para que lo lleve de esta casa. Puede contagiarnos con alguna enfermedad —ordenó Severo.

—Es mío, papá. Si me lo quita, le prometo que dejaré de **respirar** y me moriré.

Se quedó en la casa. Al poco tiempo corría por todas partes **devorándose** las cortinas, las alfombras y las patas de los muebles. Se recuperó de su enfermedad con gran rapidez y empezó a **crecer**. Cuando lo bañaron por primera vez, se descubrió que era negro, de cabeza cuadrada, patas muy largas y pelo corto. La Nana quería cortarle la cola, diciendo que así parecería perro fino, pero Clara se enojó tanto que tuvo un ataque de asma y nadie volvió a mencionar la idea. Barrabás se quedó con la cola entera. Con el tiempo ésta llegó a tener el **largo** de un palo de golf y sus movimientos descontrolables **barrían** las porcelanas de las mesas y rompían las lámparas.

---

se hizo cargo del *took charge of*   **hocico hinchado** *swollen muzzle*   **reseco** *dried out*   **se convirtió en** *became*   **se fijó en** *noticed*   **respirar** *to breathe*   **devorándose** *devouring*   **crecer** *to grow*   **largo** *length*   **barrían** *swept*

Era de **raza** desconocida. No tenía nada en común con los perros que andaban por la calle y mucho menos con los de pura raza de algunas familias aristocráticas. El veterinario no supo decir cuál era su origen, y Clara supuso que era de la China, porque había llegado en el equipaje de su tío que había visitado ese lejano país. Tenía una ilimitada capacidad de crecimiento. A los seis meses era del tamaño de una **oveja** y al año tenía las proporciones de un **potrillo**. La familia estaba desesperada y se preguntaba hasta qué tamaño crecería.

Dudo que sea realmente un perro —decía Nívea. Cuando observaba sus **pezuñas** de **cocodrilo** y sus dientes **afilados**, sentía en su corazón de madre que la bestia podía quitarle la cabeza a un adulto de una **mordida** y con mayor razón a cualquiera de sus niños.

Pero Barrabás no daba muestras de ninguna ferocidad; por el contrario. Jugaba como un gatito. Dormía en los brazos de Clara, dentro de su cama, con la cabeza en

la almohada de plumas y **tapado** hasta el cuello porque le daba frío, pero después cuando ya no cabía en la cama, se acostaba en el suelo a su lado, con su hocico de caballo **apoyado en** la mano de la niña. Nunca lo oyeron ladrar ni **gruñir**. Era negro y silencioso como una **pantera**, le gustaban el jamón y los dulces de fruta y cada vez que alguien visitaba la casa y olvidaban **encerrarlo**, entraba tranquilamente al comedor y daba una vuelta a la mesa, tomando **con delicadeza** sus **bocadillos** preferidos de los platos. Nadie hacía nada para impedírselo.

raza *breed*   oveja *sheep*   potrillo *colt*   pezuñas *hooves*   cocodrilo *crocodile*   afilados *sharp*   mordida *bite*   tapado *covered up*   apoyado en *leaned against*   gruñir *growl*   pantera *panther*   encerrarlo *lock him up*   con delicadeza *delicately*   bocadillos *snacks*

Comprensión

A. **¿Cómo es Barrabás?** Prepara una lista de las características de este perro extraordinario basándote en la lectura en las páginas 351 a 352

Piensa en las siguientes categorías: su apariencia física, su temperamento, sus hábitos y gustos.

B. **Cuestionario** Responde en español a las siguientes preguntas sobre la lectura.

1. Cuando llegó el perrito a la casa, ¿cómo lo trató la niña Clara?
2. ¿Qué pensaba su padre Severo del animal?
3. ¿Qué dijo Clara que haría si Barrabás no pudiera quedarse con ella?
4. ¿Qué descubrieron cuando bañaron al perro?
5. ¿Qué quería la Nana hacer con la cola?
6. ¿Cómo reaccionó Clara a esta idea?
7. ¿Cómo era su cola?
8. Describe cómo creció Barrabás.
9. ¿Por qué estaba preocupada Nívea, la madre de Clara?
10. ¿Cómo era el temperamento del perro?
11. ¿Dónde dormía Barrabás?
12. ¿Qué hacía el perro a la hora de la comida cuando no lo encerraban?
13. ¿Te gustaría tener un perro como Barrabás? ¿Por qué sí o por qué no?

C. **Un diálogo entre Clara y su padre** Trabajando con un(a) compañero(a) de clase, imaginen una conversación entre Clara y su padre. ¿Cómo sería un intercambio entre ellos con Barrabás como el centro del conflicto? Escriban juntos un diálogo de unas 10 a 12 líneas, preparándose para después leérselo a la clase.

D. Si fueras rico(a)... Usa la información que sigue para hacerle preguntas a un(a) compañero(a) sobre lo que él (ella) haría si fuera rico(a). Usa los verbos en el condicional. Sigue el modelo.

> **MODELO**   dónde / vivir
>
> **Tú:**   *¿Dónde vivirías si fueras rico(a)?*
> **Compañero (a):**   *—Viviría en California (en Nueva York, en España, etc.).*

1. dónde / vivir
2. qué / (ropa) llevar
3. qué / comer
4. con quién / salir
5. adónde / viajar
6. qué coche / comprar
7. cuánto dinero / tener
8. qué / hacer con tu tiempo

E. Cuando seas rico(a)... Tu compañero(a) es más optimista que tú. Por eso, él (ella) supone que va a ser rico(a) algún día. Usa la información que sigue para hacerle preguntas sobre lo que él (ella) hará cuando sea rico(a). Usa los verbos en el futuro. Sigan el modelo.

> **MODELO**   dónde / vivir
>
> **Tú:**   *¿Dónde vivirás cuando seas rico(a)?*
> **Compañero (a):**   *—Viviré en California (en Nueva York, en España, etc.).*

1. dónde / vivir
2. qué / (ropa) llevar
3. qué / comer
4. con quién / salir
5. adónde / viajar
6. qué coche / comprar
7. cuánto dinero / tener
8. qué / hacer con tu tiempo

ESTRUCTURA

More about the subjunctive and the sequence of tenses

En este caso, el director **pedirá** que los escritores **acepten** su idea.	*In this case, the director will ask that the writers accept his idea.*
En este caso, el director **ha pedido** que los escritores **acepten** su idea.	*In this case, the director has asked that the writers accept his idea.*
En este caso, el director **pediría** que los escritores **aceptaran** su idea.	*In this case, the director would ask that the writers accept his idea.*
En este caso, el director **había pedido** que los escritores **aceptaran** su idea.	*In this case, the director had asked that the writers accept his idea.*

ESTRUCTURA (continued)

1. If the future-tense verb or the present perfect-tense verb (to have done something) in the main clause requires the use of the subjunctive in the **que** clause, the verb in that dependent **que** clause will be in the present subjunctive. Note that in both instances, the present subjunctive refers to future action.

2. If the conditional-tense verb or the past perfect-tense verb (had done something) in the main clause requires the use of the subjunctive in the **que** clause, the verb in that dependent **que** clause will be in the imperfect subjunctive.

3. This is an automatic sequencing in Spanish that does not always translate word-for-word into English.

Aquí practicamos

F. Verbos Sustituye las palabras en cursiva con las palabras que están entre paréntesis y haz los cambios que sean necesarios en la oración. Presta atención a la secuencia de los tiempos verbales.

1. La maestra recomendará que *Carlos* mande el poema al concurso literario. (nosotros / tú / el mejor alumno / ellos / ella / yo)

2. No será posible que *ustedes* hablen con el novelista mañana. (el profesor / los estudiantes / ella / tú / Mariano y Mercedes / nosotros)

3. Yo había querido que *los amigos* ayudaran con el proyecto. (Carlos / cinco estudiantes / Gloria y Ana / el maestro / tú / ustedes)

4. Sería una lástima que *el presidente* del club no estuviera aquí para la ceremonia. (los mejores escritores / mi hermana / los profesores / él / ellas / tú)

5. El poeta ha pedido que *nosotros* leamos su poema en voz alta. (Consuelo / Eduardo y Jaime / la señora / otra persona / el autor / ellos)

6. ¿Preferirías que sólo *José* fuera a la conferencia? (nosotras / yo / ella / cinco estudiantes / la escritora / los padres)

G. ¿Qué más?
Completa las oraciones siguientes con la información que quieras añadir. Presta atención a la secuencia de los tiempos verbales y al uso del subjuntivo. Sigue el modelo.

> **MODELO**   No será posible que...
> *No será posible que nosotros salgamos temprano hoy.*

1. No será necesario que...
2. La profesora había pedido que...
3. Nosotros sentiríamos mucho que...
4. Mis padres insistirían en que...
5. El presidente del club había querido que...
6. Para mejorar la situación, yo sugeriría que...
7. La profesora explicará el poema para que...
8. Mis amigos y yo vamos a pedir que...
9. Será mejor que todos los estudiantes...
10. Me alegraría mucho de que...

H. ¿Qué recomendarías?
Trabajando con un(a) compañero(a), dile lo que tú recomendarías que hiciera una persona interesada en ser una novelista famoso(a). Haz seis recomendaciones. Después escucha lo que él (ella) recomendaría. Entonces, trabajen juntos para poner las recomendaciones en orden de su utilidad.

LECTURA CULTURAL

Antes de leer

1. Lee el título de la lectura en la página 357. ¿Qué idea da del contenido general del texto?
2. Ahora lee la breve introducción para saber algo del libro de donde viene la lectura y para responder a las siguientes preguntas.
   a. ¿Qué tipo de libro es *Como agua para chocolate?*
   b. ¿Cómo se llama la autora de la obra?
   c. ¿Qué ha ayudado a hacer famosa esta obra?
3. Lee los párrafos en las páginas 357 a 358 para encontrar sólo las palabras que tengan que ver con la comida y los ingredientes. Trabaja con un(a) compañero(a) para hacer una lista. (Hay como doce ingredientes, especies o alimentos.)
4. Ahora lee la primera oración de cada párrafo para tener una idea más específica del contenido del texto. Di de qué parece tratar cada párrafo.

Como agua para chocolate —Las cebollas y el nacimiento de Tita

Laura Esquivel (México, 1950–) es la autora de un libro de gran venta en su país así como en el mundo. Su extraordinaria novela tiene el título completo de *Como agua para chocolate: Novela de entregas mensuales con recetas, amores y remedios caseros.*

Es una novela sabrosa, romántica y divertida, tanto por sus coloridas descripciones de la comida como por sus gráficas escenas de la tumultuosa vida de una familia mexicana a principios del siglo. La talentosa escritora no sólo les enseña a los lectores cómo se prepara la comida sino que les abre el apetito para que sigan leyendo y leyendo sobre las aventuras tragicómicas de una serie de personajes inolvidables. La obra ha sido traducida a varias lenguas. La versión fílmica de la novela ha tenido un éxito internacional fenomenal, ganando varios premios para Laura Esquivel, incluyendo el mejor guión, escrito por ella misma.

Laura Esquivel

Manera de hacerse:

La cebolla tiene que estar finamente **picada**. Les sugiero ponerse un pequeño trozo de cebolla en la **mollera** con el fin de evitar el molesto **lagrimeo** que se produce cuando uno la está cortando. Lo malo de llorar cuando una pica cebolla no es el simple hecho de llorar, sino que a veces uno empieza, como quien dice, se pica, y ya no puede parar. No sé si a ustedes les ha pasado pero a mí la mera verdad sí. Infinidad de veces. Mamá decía que era porque yo soy igual de sensible a la cebolla que Tita, mi tía abuela.

Dicen que Tita era tan sensible que desde que estaba en el **vientre** de mi bisabuela lloraba y lloraba cuando ésta picaba cebolla. Su llanto era tan fuerte que Nacha, la cocinera de la casa, que era medio **sorda**, lo escuchaba sin esforzarse. Un día los **sollozos** fueron tan fuertes que provocaron que el **parto** se adelantara. Y sin que mi bisabuela pudiera **decir ni pío**, Tita llegó a este mundo prematuramente, sobre la mesa de la cocina, entre los olores de una sopa de **fideos** que se estaba cocinando, los del **tomillo**, el laurel, el cilantro, el de la leche **hervida**, el de los **ajos** y, por supuesto, el de la cebolla. Como se imaginarán, la tradicional **nalgada** no fue necesaria pues Tita nació llorando de antemano, tal vez porque ella sabía que su **oráculo** determinaba que en esta vida le estaba negado el matrimonio. Contaba Nacha que Tita fue literalmente empujada a este mundo por un torrente impresionante de lágrimas que se desbordaron sobre la mesa y el piso de la cocina.

picada *chopped* **mollera** *crown of the head* **lagrimeo** *a flood of tears* **vientre** *womb* **sorda** *deaf* **sollozos** *sobbings* **parto** *delivery (of a baby)* **decir ni pío** *to utter a peep* **fideos** *noodles* **tomillo** *thyme* **hervida** *boiled* **ajos** *garlic* **nalgada** *spanking* **oráculo** *prophecy, prediction*

Enero: Tortas de Navidad

Ingredientes:
1 lata de sardinas
1/2 de chorizo
1 cebolla
orégano
1 lata de chiles serranos
10 teleras

En la tarde, ya cuando el susto había pasado y el agua, gracias al efecto de los rayos del sol, se había evaporado, Nacha barrió el residuo de las lágrimas que había quedado sobre el piso. Con esta sal rellenó un **costal** de cinco kilos que utilizaron para cocinar por bastante tiempo. Este **inusitado** nacimiento determinó el hecho de que Tita sintiera un inmenso amor por la cocina y que la mayor parte de su vida la pasara en ella, prácticamente desde que nació, pues cuando contaba con dos días de edad, su padre, o sea mi bisabuelo, murió de un ataque del corazón. A Mamá Elena, de la impresión, se le fue la leche y se vieron en un verdadero **lío** para calmar el hambre de la niña. Nacha se ofreció a hacerse cargo de la alimentación de Tita. Mamá Elena aceptó con agrado la sugerencia pues bastante tenía ya con la tristeza y la enorme responsabilidad de manejar correctamente el rancho.

Por tanto, desde ese día, Tita se mudó a la cocina y entre **atoles** y tés creció de lo más sana y **rozagante**. Es de explicarse entonces el que se le haya desarrollado un sexto sentido en todo lo que a comida se refiere. Por ejemplo, sus hábitos alimenticios estaban condicionados al horario de la cocina: cuando en la mañana Tita olía que los frijoles ya estaban cocidos, o cuando a medio día sentía que el agua ya estaba lista para **desplumar** a las gallinas, o cuando en la tarde **se horneaba** el pan para la cocina, ella sabía que había llegado la hora de pedir sus alimentos.

Algunas veces lloraba **de balde**, como cuando Nacha picaba cebolla, pero como las dos sabían la razón de esas lágrimas, no se tomaban en serio. Inclusive se convertían en motivo de diversión, a tal grado que durante su niñez Tita no diferenciaba bien las lágrimas de la risa de las del llanto. Para ella reír era una manera de llorar.

De igual forma Tita confundía el gozo del vivir con el de comer. No era fácil para una persona que conoció la vida a través de la cocina entender el mundo exterior. Ese gigantesco mundo que empezaba de la puerta de la cocina hacia el interior de la casa, porque el mundo que **colindaba** con la puerta trasera de la cocina y que daba al patio y a la **huerta**, sí le pertenecía a Tita por completo, lo dominaba.

---

costal *sack*   **inusitado** *unusual*   **lío** *bind, mess, hassle*   **atoles** *cornflour porridge*   **rozagante** *showy, haughty*   **desplumar** *pluck off*   **se horneaba** *baked*   **de balde** *in vain*   **colindaba** *bordered, was next to*   **huerta** *vegetable garden*

Guía para la lectura

Ahora lee el texto completo y responde a estas preguntas sobre su contenido.

1. ¿Cuál es la relación de Tita con la persona que narra la historia?
2. ¿Quién es Nacha?
3. ¿Qué cosa extraordinaria le pasaba a la niña cuando todavía estaba en el vientre de su madre?
4. ¿Dónde nació Tita?
5. ¿Por qué no le dieron "la nalgada" a la recién nacida?
6. ¿Qué produjo los fuertes llantos de la pequeñita?
7. ¿Por qué se decidió que Nacha cuidaría y alimentaría a la niña?
8. ¿Cuál es el detalle importante que se menciona en cuanto a la posibilidad de que Tita se case en el futuro?
9. ¿Cuál fue la consecuencia principal en Tita de su inusitado nacimiento?
10. ¿Por qué a veces no tomaba en serio Nacha los llantos de la niña?
11. Cuando llegó a ser más madura, ¿qué confundía Tita?
12. Aunque no entendía mucho del mundo exterior, ¿qué conocía por completo Tita?

Comprensión

I. Cuestionario Ahora lee las siguientes preguntas antes de volver a leer la lectura. Luego, responde a las preguntas comentando sobre el uso de la lengua y las técnicas literarias.

1. ¿Cuál es el punto de vista de esta narración? Es decir, ¿con quién se asocia la perspectiva narrativa que se presenta en el texto?

2. ¿Cuál es el tono de la narración o la actitud predominante que comunica la persona que narra?

3. ¿A quién parece que se le está contando esta historia? ¿Cómo lo sabes?

4. ¿Cuál es el tema central del pasaje?

5. ¿Cuáles son algunos ejemplos de la exageración que contribuyen al ambiente del realismo mágico?

6. ¿Cuál es el efecto de hacer tantas referencias a la comida?

¡ADELANTE!

Será posible en el mundo del futuro Hablando con un(a) compañero(a) de clase, piensen en seis o siete cosas interesantes que pasarán en el futuro, empleando la frase **Será posible que...** y usando los verbos con la forma apropiada del subjuntivo. Para cada cosa que mencionas, explica el cambio y decide si la vida sería mejor o peor. Algunas categorías a considerar son: el transporte, la comunicación, la educación, la medicina y las relaciones entre los pueblos diferentes. Es importante usar la imaginación en este ejercicio. Sigue el modelo.

> **MODELO**   *Será posible que encontremos una cura para el cáncer. La vida sería mejor.*

Una carrera ideal sería una que... Piensa en lo que te gustaría hacer en el futuro, en el tipo de trabajo o en la carrera que te gustaría tener para ganarte la vida. Escribe una breve composición de tres o cuatro párrafos. Algunas cualidades a considerar son: 1) una oficina en un lugar agradable, 2) colegas simpáticos, 3) responsabilidades interesantes, 4) un buen salario, 5) la oportunidad de usar el español y 6) la posibilidad de viajar o de aventura. Indica la importancia de cada cualidad que mencionas. Emplea la forma apropiada del imperfecto del subjuntivo con los verbos que decidas usar. Comienza con la frase **Una carrera ideal sería una que...**

VOCABULARIO

Para charlar

Para hablar de condiciones irreales y hacer hipótesis

Si tuviera tiempo, iría…

Para expresar supocisiones

Si tengo tiempo, iré…

Vocabulario general

Sustantivos

el ángel
una araña
el barro
las campanas
la carpa
el cocodrilo
la cola
las creencias
el crepúsculo
el diamante
los diseños
el esbozo
la fantasía
la feria
la fusión
un hecho
el hogar
la imaginación
el invento
las leyes
el llanto
la mezcla
los mitos
una mordida
una mosca
una oveja
una pantera
los poderes
un potrillo
el príncipe
la raza
un rincón
el ruido

el (la) sabio(a)
el sueño
la técnica

Verbos

aparecer
caber
crecer
desaparecer
elevar
encender (ie)
encerrar
incluir
ladrar
murmurar
recorrer
renovar
respirar
señalar
soñar (ue)
volver(se) (ue)

Adjetivos

extraterreno(a)
hinchado(a)
mítico(a)
reseco(a)
mágico(a)
misterioso(a)
sobrenatural

Otras palabras y expresiones

contar un cuento (una historia,
   un sueño, etc.)
convertirse en
de carne y hueso
hacerse cargo de
tener que ver con

Conversemos un rato

A. Después de graduarme Role-play the following situation with two other students.

1. You are talking with two good friends about your plans after you finish high school. Have one person choose to go to college, another choose to enter the working world immediately and the third choose to travel.

   a. Student A talks about colleges he or she plans to apply to. Include details on why these colleges are appealing and where they are located. Also talk about any restricting factors such as the possibility of not being admitted, or not having enough money. Let your classmates suggest ways of resolving those problems.

   b. Student B talks about what type of job he or she would like to pursue and where this job would be located. Include any details that are important to you, such as the commute, the salary, if there's travel involved. The other students should encourage Student B to be as detailed as possible.

   c. Student C talks about where he or she would like to travel after graduation. Mention why this place appeals to you and what you might need to do to prepare for your trip. Also describe what type of transportation you would use if you were to go.

B. Un deseo realizado Role-play the following scenario with a classmate.

1. You enter a contest in which your greatest wish will be granted. The winner, however, is determined by an interview with the sponsor. The sponsor will determine whose explanation is most persuasive.

   a. The sponsor asks what you want and what you would do if this wish were granted.

   b. You explain your wish and what you would do if it were granted.

   c. The sponsor likes your answer best and grants your wish!

Taller de escritores

Reseña (review) **de un libro** Escoge un libro que hayas leído. Vas a escribir una reseña para dar tu opinión sobre la obra.

> "Uno de mis libros favorito es *Pigs in Heaven* por Barbara Kingsolver. El libro trata de una mujer que se llama Taylor Greer, y su niña adoptada, Turtle. Como Turtle es indígena y Taylor no lo es, parece que las autoridades vayan a obligarla a devolver a Turtle a su tribu (*tribe*)..."

Writing Strategy
• Free-writing

A. Reflexión Escribe durante unos cinco minutos todas las ideas que se te ocurran sobre la obra que hayas escrogido. Luego, examina lo que has escrito y elige las ideas que vas a usar. Luego escribe cinco minutos más para extenderlas. Para una reseña no olvides de escribir sobre el significado de la obra.

B. Primer borrador Escribe la primera versión del informe o reseña, basado en la lista de ideas.

C. Revisión con un(a) compañero(a) Intercambia tu redacción con un(a) compañero(a) de clase. Lee y comenta la redacción de tu compañero(a). Usa estas preguntas como guía (guide): ¿Qué te gusta más de la redacción de tu compañero(a)? ¿Qué sección es más interesante? ¿Es apropiada para los compañeros de clase y tu maestro(a)? ¿Incluye toda la información necesaria para el propósito? ¿Qué otros detalles debe incluir la redacción?

D. Versión final Revisa en casa tu primer borrador. Usa los cambios sugeridos por tu compañero(a) y haz cualquier cambio que quieras. Revisa el contenido y luego la gramática, la ortografía, incluyendo los acentos ortográficos y la punctuación. Trae a la clase esta versión final.

E. Carpeta Tu profesor(a) puede incluir la versión final en tu carpeta, colocarla en el tablero de anuncios o usarla para la evaluación de tu progreso.

Conexión con el diccionario

Using a Spanish/English Dictionary

Up until now you have been using a variety of strategies to guess the meanings of new words. There will be times, however, when you will want to look up a word in the dictionary. This lesson will acquaint you with the basic uses of a Spanish/English dictionary.

A good bilingual dictionary contains a considerable amount of information for each word listed. Each dictionary entry includes information about the pronunciation of the word, whether it is more frequently used in certain parts of the Spanish-speaking world than in others, and whether there is any idiomatic usage of the word. Consider, the many uses of the verb *to get* in English.

Mary got a scholarship.	Mary obtuvo una beca.
Robert got a good grade on the test.	Robert sacó una buena nota en el examen.
My brother got a good job.	Mi hermano consiguió buen trabajo.
She got on the bus at the corner.	Ella se subió al autobús en la esquina.
He got off the train in Sevilla.	Él se bajó del tren en Sevilla.
She got angry and left.	Ella se enojó y se fue.
My brother got sick last night.	Mi hermano se enfermó anoche.
My aunt got married last week.	Mi tía se casó la semana pasada.

As you can see in the sentences above, each of these uses of the verb *to get* has a different translation in Spanish. A common tendency is to pick the first word you find under a listing, and use it without checking to make sure that it is the best word for the context you have in mind. Before deciding which word you want to use, however, look at all the words under that listing. Try to determine which one coincides with your meaning.

Look at the word *swallow* and its possible uses in the following sentences.

Give me a swallow of that milk.	Dame un **trago** de esa leche.
The swallows return to San Juan Capistrano every spring.	Las **golondrias** vuelven a San Juan Capistrano cada primavera.
He swallowed the medicine.	Él se **tragó** la medicina.

In the first two examples the word is used as a noun and in the last one as a verb. How do you decide which of the entries best fits your context?

PARTS OF SPEECH

adj	adjective
adv	adverb
art	article
conj	conjunction
nf	noun feminine
nm	noun masculine
prep	preposition
pro	pronoun
v	verb
vref	reflexive verb

Dictionary Entries Becoming familiar with a typical dictionary entry and the information conveyed by the symbols that accompany it can help you decide which word to use. Below is a guide to some of the more common abbreviations you will find when you look up words in a dictionary.

Regions of the Spanish-speaking world

Some words are more common in certain parts of the Spanish-speaking world than in others. Note that Spain (Esp) and Latin America (LAm) are the two main divisions. Latin America, however, is divided into five sub-regions: Mexico (Mex), Andean (And), Caribbean (Carib), Southern Cone (Cono Sur), and Central America (CAm). Note the countries that fall within each of the five sub-regions.

Mex	**Mexico**
And	**Andean:** Bolivia, Colombia, Ecuador, Peru
Carib	**Caribbean:** Cuba, Dominican Republic, Puerto Rico, Venezuela
Cono Sur	**Southern Cone:** Argentina, Chile, Paraguay, Uruguay
CAm	**Central America:** Costa Rica, El Salvador, Guatemala, Honduras, Nicaragua, Panama

A. Dictionary Activities

On a separate piece of paper, test your understanding of the reading.

1. What can you tell from the Spanish equivalents for the word *bean* as shown here?

> **bean** **1.** *nm* frijol; **2.** *nf (Carib)* habichuela; **3.** *nf (Esp)* judía; **4.** *nm (Cono Sur)* poroto.

2. Think about the various uses of the word *fly* in English and match the uses with the definitions in the box.

   There is a fly in my soup.

   Fly-fishing is my father's hobby.

   I am in a hurry and have to fly.

   When I go from Pittsburgh to Albuquerque, I usually fly.

   When I go to Spain I fly into Barajas Airport.

   The ostrich is a bird that cannot fly.

   They fly the flag every day.

   Jim is going to fly his own plane to New York next week.

   He likes to fly kites when it's windy.

> **fly** **1.** *nf* mosca; **2.** *(fly-fishing)* pescar a mosca; **3.** *v* volar; **4.** *(travel by plane)* ir en avión; **5.** *(to fly into L.A. International Airport)* llegar a Los Ángeles en avión; **6.** *(rush)* salir de prisa; **7.** *(to fly a plane) (LAm)* pilotear, *(Esp)* dirigir; **8.** *(to fly a flag)* izar una bandera.

3. Look up the following words in a Spanish/English dictionary. Pay special attention to the symbols and the information in parentheses that accompany each word. Which word in Spanish best corresponds to each? Why?

   1. bolt v
   2. inside n
   3. value v (to think highly of)
   4. hum n
   5. date n (to have a date with someone)
   6. hope n
   7. iron v
   8. palm n (the tree)
   9. rest v
   10. show v

Looking up words in Spanish You are familiar with the differences between the Spanish and English alphabets. One of the differences is a basic one since it concerns alphabetical order in Spanish. Use a dictionary to look up these words: **chocolate, llama, ñandú**. Read the complete entry for each one, and write down some of the information such as gender and part of speech that is included for these words.

If you had trouble finding the words, it might be because in dictionaries published before 1994, there were separate entries for CH and LL. When these letters occur in the middle of words, they may be hard to find. **Niña** , for example, is listed after all the words that begin with **nin-**; and **leche** will be found after all the words that begin with **lec-**; and **calle** will be found after all the words that begin with **cal-**. Until you become used to these differences in alphabetical order between Spanish and English, you may sometimes think that a word you are looking for is not in your dictionary.

There is actually a fourth letter in the Spanish alphabet that does not occur in English: **rr**. When the alphabet is recited, **rr** occurs after **r**, but since no words in Spanish begin with **rr**, there is no separate section for it in the dictionary.

When you look up a word, always pay attention to the grammatical information in the entry. Do you know what part of speech **chocolate** is? In Spanish, **chocolate** can only be a noun whereas in English it can also be used as an adjective. Information of this kind can help you interpret a word in a reading passage.

B. Applying what you've learned

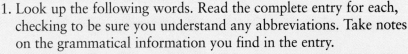

1. Look up the following words. Read the complete entry for each, checking to be sure you understand any abbreviations. Take notes on the grammatical information you find in the entry.

   a. ñoño   c. degollar   e. pañuelo

   b. alcachofa   d. cigüeña   f. colcha

2. Write these words in Spanish alphabetical order. Then check your order by looking for them in a dictionary.

   a. cartón   c. carácter   e. carro

   b. carrera d.   d. carpintero   f. caro

3. Look up the following words in a Spanish/English dictionary but pay special attention to the symbols that accompany each word.

   a. cura nf   c. corte nf   e. pez nf

   b. capital nm   d. papa nm   f. vocal nf

Vistas
de los países hispanos

Nicaragua

Capital: Managua

Ciudades principales: León, Granada, Jinotega, Matagalpa, Chinandega, Masaya

Población: 4.275.000

Idiomas: español, misktio

Area territorial: 129.494 km^2

Clima: calido y húmedo en la costa oriental; templado en las tierras altas, cálido y seco en la costa occidental

Moneda: córdoba

EXPLORA

Find out more about Nicaragua! Access the **Nuestros vecinos** page on the *¡Ya verás! Gold* web site for a list of URLs.

http://yaveras.heinle.com/vecinos.htm

Panamá

Capital: Ciudad de Panamá

Ciudades principales: Colón, David

Población: 2.611.000

Idiomas: español, inglés, varias lenguas indígenas

Área territorial: 78.000 km^2

Clima: tropical, lluvioso

Moneda: balboa y dólar

EXPLORA

Find out more about Panama!
Access the **Nuestros vecinos** page on the
¡Ya verás! *Gold* web site for a list of URLs.

http://yaveras.heinle.com/vecinos.htm

En la comunidad

¡Bienvenidos a La Plaza!

"Mi nombre es Carlos de Martini; soy venezolano y vine a este país hace 20 años. Estudié arte y comunicaciones porque quería ser periodista. Después de graduarme conseguí un trabajo en el Canal 5 en un programa de televisión llamado **Aquí** que trataba sobre temas de interés para la comunidad latina del área de Boston. Después empecé a trabajar como profesor bilingüe, colaborando al mismo tiempo como profesor voluntario en un programa que ayudaba a jóvenes latinos a producir sus propios videos. Parte del programa consistía en visitar a las estaciones televisoras locales para solicitar ayuda técnica. Así fue como llegamos al Canal 2, a hablar con la productora del programa de televisión **La Plaza**. Me ofreció trabajo como asistente de producción, del cual pasé a productor de serie después de unos cuantos años. **La Plaza** crea aproximadamente la mitad de los 13 programas requeridos, y el resto **se escoge** de entre los cientos de programas y documentales bilingües que nos envían de otras partes. Aunque los programas de **La Plaza** tratan sobre la comunidad latina, **están diseñados** también para atraer cualquier tipo de audiencia. Nuestros programas, que han ganado varios premios, llegan a las escuelas, a las universidades, y a las agencias de gobierno en todo el país. **"De aquí y allá"**, uno de nuestros programas que trata de los problemas de identidad que tienen los hijos de padres latinos en Estados Unidos, recibió el New England Emmy Award. También hemos recibido el Golden Eagle Award y hemos recibido premios en el New York Film Festival."

¡Ahora inténtalo tú!

Eres el productor de un programa multicultural en un canal de televisión. Entrevista a dos hispanohablantes y pregúntales qué tema les interesa y por qué. Si no puedes entrevistar a hispanohablantes, busca un periódico en español y escoge un artículo que serviría como el tema de un nuevo programa de televisión. Después de decidir cual será el tema del programa piensa en cómo lo vas a hacer. ¿Cuántas personas participarán? ¿Quiénes serán? ¿Habrá participación de la audiencia? ¿Cómo podrás crear un programa que es perfectamente bilingüe?

se escoge *are chosen*   están diseñados *are designed*

Reading Strategies

The chapter references in parentheses indicate the **Encuentros culturales** (Chapters 1-6) and the Lectura sections (Chapters 7-12) in which the strategies are used.

Predicting/Previewing

When you predict, you draw on what you already know about a topic, person, or event. Using what you already know helps you make a logical prediction which, in turn, helps you to focus on the material you are reading. You make a prediction, and then you read to check if your prediction is correct. Previewing is looking over the whole reading before you start to read it. This will help you get a sense of what the reading may be about before you begin to read it. The following reading strategies covered in your textbook are related to predicting and previewing.

Activating background and/or prior knowledge

Recalling what you already know or have personally experienced about the reading's topic (Chapter 5, Chapters 8-12)

Examining format for content clues

Looking closely at the shape, size, general makeup, and organization of the reading to determine the kind of text it is (for example, an advertisement, a brochure, or a calendar or a description, a comparison, or a narration) and using that knowledge to predict the kinds of information it will include (Chapters 2 & 3, Chapter 5)

Scanning for specific information

Searching quickly for some particular piece(s) of information in the reading such as names, dates, and numbers (Chapter 1, Chapters 3-12)

Skimming for the gist

Rapidly running your eyes over the reading to see what the overall topic and ideas are and to determine what kind of text it is (Chapter 4)

Using the title and the photos, artwork, and/or illustrations to predict meaning and/or content

In combination with the title, examining the pictures and/or graphic elements that accompany or make up the reading to make logical guesses about what the text will be about (Chapter 1, Chapters 5-9, Chapter 11)

Using the title to predict meaning and/or content

Looking at the reading's title and making logical guesses about what the text will be about (Chapters 2 & 3, Chapters 10-12)

Cognate Recognition

Cognates are words that are spelled similarly in two languages and share the same meaning. For example, the Spanish words hospital, universidad, and moderno are cognates of the English words **hospital, university,** and **modern.** There are cognates, however, whose meanings are not what they at first appear to be. For instance, lectura in Spanish means reading, not lecture. This type of word is called a false cognate. Looking for cognates and being aware of false cognates will help you understand more easily what you read.

Recognizing cognates

Purposely searching the reading for Spanish words that look like English words and using them to guess at meaning (Chapters 3 & 4, Chapter 6, Chapter 10, Chapter 11)

Other Helpful Strategies

Identifying the main idea
Reading a text or parts of a text (for example, a paragraph) and pausing to decide which idea is the most important (Chapter 12)

Using context to guess meaning

Figuring out the meanings of unknown words and/or expressions by keeping in mind the reading's topic and by using the language you do know in the same sentence or the surrounding sentences as clues (Chapter 2, Chapter 8, Chapters 11 & 12)

Writing Strategies

*The unit references in parentheses indicate the **Taller de escritores** section in which the strategy is used.*

Automatic writing *(Unit 3)*

Free-writing *(Unit 4)*

List writing *(Unit 1, Unit 2)*

Making an outline *(Unit 2)*

Glossary of functions

The numbers in parentheses refer to the chapter in which the word or phrase may be found.

Talking about clothing

Hace juego con... *(1)*
Luce bien. *(1)*
    mal. *(1)*
Te queda chico. *(1)*
        grande. *(1)*
        mal. *(1)*
        muy bien. *(1)*
¿Puede mostrarme...? *(1)*
Voy a probármelo. *(1)*

Talking about materials and designs of clothing

de algodón *(1)*
de cuero *(1)*
de lana *(1)*
de lunares *(1)*
de mezclilla *(1)*
de poliéster *(1)*
de rayas *(1)*
de seda *(1)*

Asking for a table in a restaurant

Quisiera   }   una mesa para... personas,
Quisiéramos }   por favor. *(2)*

Ordering food

¿Qué quisiera pedir como aperitivo? *(2)*
                      sopa? *(2)*
¿Qué quisieran pedir como entrada? *(2)*
                      postre? *(2)*

Como { aperitivo / sopa / entrada / postre quisiera... *(2)*

Expressing hunger

¡Estoy que me muero de hambre! *(2)*
Tengo tanta hambre que me podría comer un toro. *(2)*

Indicating preferences

Tengo ganas de comer... *(2)*
Yo quisiera comer... *(2)*
Me encanta la comida china (griega, italiana, francesa, etc.). *(2)*
Se come bien en este restaurante. *(2)*

Asking for the check

La cuenta, por favor. *(2)*
¿Podría traernos la cuenta, por favor? *(2)*
Quisiera   } la cuenta, por favor. *(2)*
Quisiéramos }

Commenting on the taste of food

¿Qué tal está(n)...? *(3)*
Está muy rico(a). *(3)*
Están muy ricos(as). *(3)*
¡Está riquísimo(a)! *(3)*
¡Están riquísimos(as)! *(3)*
¡Qué rico(a) está...! *(3)*
¡Qué ricos(as) están...! *(3)*
Está (un poco, muy, algo, bien) picante. *(3)*
                            dulce. *(3)*
                            salado(a). *(3)*
                            sabroso(a). *(3)*

No tiene(n) sabor. *(3)*

Talking about states and conditions

Está abierto(a). *(3)*
    aburrido(a). *(3)*
    alegre. *(3)*
    caliente. *(3)*
    cansado(a). *(3)*
    cerrado(a). *(3)*
    contento(a). *(3)*
    enfermo(a). *(3)*
    frío(a). *(3)*
    furioso(a). *(3)*
    limpio(a). *(3)*
    lleno(a). *(3)*
    mojado(a). *(3)*
    nervioso(a). *(3)*
    ocupado(a). *(3)*
    preocupado(a). *(3)*
    seco(a). *(3)*
    sucio(a). *(3)*
    triste. *(3)*
    vacío(a). *(3)*

Inviting or making a suggestion

¿Estás libre? (4)
¿Podría + (infinitivo) con nosotros? (4)
¿Por qué no + (verbo)? (4)
¿Qué tal si...? (4)
¿Quieres + (infinitivo)? (4)
Quiero invitarte a + (infinitivo). (4)
Te invito a + (infinitivo). (4)
Tengo una idea. Vamos a + (infinitivo). (4)

Accepting an invitation

Acepto con gusto. (4)
¡Buena idea! (4)
¡Claro que sí! Sería un placer. (4)
¡Cómo no! ¡Estupendo! (4)
De acuerdo. (4)
Me encantaría. (4)
Me parece bien. (4)

Refusing an invitation

Lo siento, pero no puedo. (4)
Es una lástima, pero no será posible. (4)
Me gustaría, pero no estoy libre. (4)
Me da pena, pero no estoy libre. (4)
Muchas gracias, pero ya tengo planes. (4)

Making a phone call

¿Aló? (4)
¿Bueno? (4)
¿Diga? (4)
Hola. (4)
¿De parte de quién? (4)
Dígale que llamó (nombre), por favor. (4)
¿Quién habla, por favor? (4)
Habla (nombre). (4)
Soy (nombre). (4)
¿Está (nombre)? (4)
Quisiera hablar con (nombre). (4)
Un momento, por favor. (4)
Te lo (la) paso. (4)
Lo siento, no está. (4)
¿Puedo dejarle un recado? (4)
¿Podría decirle que...? (4)

Por favor, dígale (dile) que lo (la) llamó (nombre). (4)
Tiene un número equivocado. (4)

Making a reservation/buying a train ticket

¿Me da una plaza de segunda clase, por favor? (5)
Necesito una plaza de primera clase, por favor. (5)
Quisiera reservar una plaza. (5)
Quisiera una plaza en la sección de no fumar. (5)
¿Sería posible reservar una plaza en el tren de (hora)? (5)
Una plaza de ida y vuelta, por favor. (5)
¿A qué hora llega el tren de...? (5)
¿A qué hora sale el próximo tren para...? (5)
¿Cómo se llega al andén...? ¿Queda de este lado? ¿Queda del otro lado? (5)
¿De qué andén sale el tren para...? (5)
¿Dónde está el vagón número...? (5)
¿El tren llegará retrasado / adelantado / a tiempo? (5)
¿El tren llegará tarde / temprano / a tiempo? (5)

Making an itinerary

¿Cuánto tarda el viaje de... a...? (6)
¿Cuánto tiempo se necesita para ir a...? (6)
¿En cuánto tiempo se hace el viaje de... a...? (6)
Se necesita(n)... (6)
Son... horas de viaje de... a... (en coche). (6)
Se hace el viaje de... a... en... horas. (6)

Claiming lost baggage

¿Ha perdido su maleta (bolsa, valija, maletín)? (6)
Sí, la (lo) he dejado en el avión. (6)
Sí, la (lo) facturé pero no he podido encontrarla(lo). (6)
¿En qué avión? ¿En qué vuelo? (6)
(Línea aérea), vuelo (número). (6)
¿De qué color es la maleta? (6)
¿De qué material es? (6)
Es (color). Es de tela (cuero, plástico). (6)
¿De qué tamaño es? (6)
Es grande (pequeño). (6)
¿Lleva la maleta alguna identificación? (6)
Lleva una etiqueta con mi nombre y dirección. (6)
¿Qué contiene la maleta? (6)
¿Qué lleva en la maleta? (6)
Contiene... (6)

Expressing emotions and reactions

Es bueno que... (9)
Es malo que... (9)
Es mejor que... (9)
Estoy contento(a) de que... (9)
Me alegro de que... (9)
¡Qué bueno que...! (9)
¡Qué lástima que...! (9)
¡Qué maravilla que...! (9)
¡Qué pena que...! (9)
¡Qué raro que...! (9)
¡Qué vergüenza que...! (9)
Siento que... (9)
Temo que... (9)

Expressing doubt, uncertainty and improbability

Dudo... (10)
Es dudoso... (10)
Puede ser... (10)
No estar seguro(a)... (10)
No creo que... (10)
¿Crees que...? (10)
Es increíble... (10)
No es verdad... (10)
No es cierto... (10)
(No) Es posible... (10)
(No) Es imposible... (10)
(No) Es probable... (10)
(No) Es improbable... (10)

Referring to outcomes that are imagined or that depend upon previous action

En caso de que... (10)
Sin que... (10)
Con tal de que... (10)
Antes de que... (10)
Para que... (10)
A menos que... (10)
Cuando... (10)
Aunque... (10)

Talking about the world of the imagination and unreality

Busco una persona que sepa... (11)
Quiero un coche que sea... (11)
Deseo vivir en una casa que tenga... (11)
No hay nadie que pueda... (11)
¿Hay alguien que sea...? (11)
Un(a) amigo(a) ideal es una persona que sea... (11)

Talking about conditions contrary to fact and making hypotheses

Si tuviera tiempo, iría... (12)

Expressing assumptions

Si tengo tiempo, iré... (12)

Verb Charts

SIMPLE TENSES

Infinitive	Present Indicative	Imperfect	Preterite	Future	Conditional	Present Subjunctive	Imperfect Subjunctive	Commands
hablar to speak	hablo	hablaba	hablé	hablaré	hablaría	hable	hablara	
	hablas	hablabas	hablaste	hablarás	hablarías	hables	hablaras	habla (no hables)
	habla	hablaba	habló	hablará	hablaría	hable	hablara	hable
	hablamos	hablábamos	hablamos	hablaremos	hablaríamos	hablemos	habláramos	
	habláis	hablabais	hablasteis	hablaréis	hablaríais	habléis	hablarais	hablad (no habléis)
	hablan	hablaban	hablaron	hablarán	hablarían	hablen	hablaran	hablen
aprender to learn	aprendo	aprendía	aprendí	aprenderé	aprendería	aprenda	aprendiera	
	aprendes	aprendías	aprendiste	aprenderás	aprenderías	aprendas	aprendieras	aprende (no aprendas)
	aprende	aprendía	aprendió	aprenderá	aprendería	aprenda	aprendiera	aprenda
	aprendemos	aprendíamos	aprendimos	aprenderemos	aprenderíamos	aprendamos	aprendiéramos	aprended
	aprendéis	aprendíais	aprendisteis	aprenderéis	aprenderíais	aprendáis	aprendierais	(no aprendáis)
	aprenden	aprendían	aprendieron	aprenderán	aprenderían	aprendan	aprendieran	aprendan
vivir to live	vivo	vivía	viví	viviré	viviría	viva	viviera	
	vives	vivías	viviste	vivirás	vivirías	vivas	vivieras	vive (no vivas)
	vive	vivía	vivió	vivirá	viviría	viva	viviera	viva
	vivimos	vivíamos	vivimos	viviremos	viviríamos	vivamos	viviéramos	
	vivís	vivíais	vivisteis	viviréis	viviríais	viváis	vivierais	vivid (no viváis)
	viven	vivían	vivieron	vivirán	vivirían	vivan	vivieran	vivan

COMPOUND TENSES

Present progressive	estoy / estás / está	estamos / estáis / están		hablando	aprendiendo viviendo
Present perfect indicative	he / has / ha	hemos / habéis / han		hablado	aprendido vivido
Past perfect indicative	había / habías / había	habíamos / habíais / habían		hablado	aprendido vivido

Stem-Changing Verbs

SIMPLE TENSES

Present Participle / Past Participle	Present Indicative	Imperfect	Preterite	Future	Conditional	Present Subjunctive	Imperfect Subjunctive	Commands
pensar *to think* e → ie pensando pensado	pienso	pensaba	pensé	pensaré	pensaría	piense	pensara	piensa
	piensas	pensabas	pensaste	pensarás	pensarías	pienses	pensaras	no pienses
	piensa	pensaba	pensó	pensará	pensaría	piense	pensara	piense
	pensamos	pensábamos	pensamos	pensaremos	pensaríamos	pensemos	pensáramos	pensad
	pensáis	pensabais	pensasteis	pensaréis	pensaríais	penséis	pensarais	no penséis
	piensan	pensaban	pensaron	pensarán	pensarían	piensen	pensaran	piensen
acostarse *to go to bed* o → ue acostándose acostado	me acuesto	me acostaba	me acosté	me acostaré	me acostaría	me acueste	me acostara	acuéstate
	te acuestas	te acostabas	te acostaste	te acostarás	te acostarías	te acuestes	te acostaras	no te acuestes
	se acuesta	se acostaba	se acostó	se acostará	se acostaría	se acueste	se acostara	acuéstese
	nos acostamos	nos acostábamos	nos acostamos	nos acostaremos	nos acostaríamos	nos acostemos	nos acostáramos	acostaos
	os acostáis	os acostabais	os acostasteis	os acostaréis	os acostaríais	os acostéis	os acostarais	no os acostéis
	se acuestan	se acostaban	se acostaron	se acostarán	se acostarían	se acuesten	se acostaran	acuéstense
sentir *to feel* e → ie, i sintiendo sentido	siento	sentía	sentí	sentiré	sentiría	sienta	sintiera	siente
	sientes	sentías	sentiste	sentirás	sentirías	sientas	sintieras	no sientas
	siente	sentía	sintió	sentirá	sentiría	sienta	sintiera	sienta
	sentimos	sentíamos	sentimos	sentiremos	sentiríamos	sintamos	sintiéramos	sentid
	sentís	sentíais	sentisteis	sentiréis	sentiríais	sintáis	sintierais	no sintáis
	sienten	sentían	sintieron	sentirán	sentirían	sientan	sintieran	sientan
pedir *to ask* e → i, i pidiendo pedido	pido	pedía	pedí	pediré	pediría	pida	pidiera	pide
	pides	pedías	pediste	pedirás	pedirías	pidas	pidieras	no pidas
	pide	pedía	pidió	pedirá	pediría	pida	pidiera	pida
	pedimos	pedíamos	pedimos	pediremos	pediríamos	pidamos	pidiéramos	pedid
	pedís	pedíais	pedisteis	pediréis	pediríais	pidáis	pidierais	no pidáis
	piden	pedían	pidieron	pedirán	pedirían	pidan	pidieran	pidan
dormir *to sleep* o → ue, u durmiendo dormido	duermo	dormía	dormí	dormiré	dormiría	duerma	durmiera	duerme
	duermes	dormías	dormiste	dormirás	dormirías	duermas	durmieras	no duermas
	duerme	dormía	durmió	dormirá	dormiría	duerma	durmiera	duerme
	dormimos	dormíamos	dormimos	dormiremos	dormiríamos	durmamos	durmiéramos	dormid
	dormís	dormíais	dormisteis	dormiréis	dormiríais	durmáis	durmierais	no durmáis
	duermen	dormían	durmieron	dormirán	dormirían	duerman	durmieran	duerman

SIMPLE TENSES

Present Participle / Past Participle	Present Indicative	Imperfect	Preterite	Future	Conditional	Present Subjunctive	Imperfect Subjunctive	Commands
comenzar (e › ie) to begin z → c before e comenzando comenzado	comienzo comienzas comienza comenzamos comenzáis comienzan	comenzaba comenzabas comenzaba comenzábamos comenzabais comenzaban	**comencé** comenzaste comenzó comenzamos comenzasteis comenzaron	comenzaré comenzarás comenzará comenzaremos comenzaréis comenzarán	comenzaría comenzarías comenzaría comenzaríamos comenzaríais comenzarían	**comience** **comiences** **comience** **comencemos** **comencéis** **comiencen**	comenzara comenzaras comenzara comenzáramos comenzarais comenzaran	comienza (**no comiences**) **comience** comenzad (**no comencéis**) **comiencen**
conocer to know c → zc before a, o conociendo conocido	**conozco** conoces conoce conocemos conocéis conocen	conocía conocías conocía conocíamos conocíais conocían	conocí conociste conoció conocimos conocisteis conocieron	conoceré conocerás conocerá conoceremos conoceréis conocerán	conocería conocerías conocería conoceríamos conoceríais conocerían	**conozca** **conozcas** **conozca** **conozcamos** **conozcáis** **conozcan**	conociera conocieras conociera conociéramos conocierais conocieran	se conoce (**no conozcas**) **conozca** conoced (**no conozcáis**) **conozcan**
pagar to pay g → gu before e pagando pagado	pago pagas paga pagamos pagáis pagan	pagaba pagabas pagaba pagábamos pagabais pagaban	**pagué** pagaste pagó pagamos pagasteis pagaron	pagaré pagarás pagará pagaremos pagaréis pagarán	pagaría pagarías pagaría pagaríamos pagaríais pagarían	**pague** **pagues** **pague** **paguemos** **paguéis** **paguen**	pagara pagaras pagara pagáramos pagarais pagaran	paga (**no pagues**) **pague** pagad (**no paguéis**) **paguen**
seguir (e → i, i) to follow g → gu before a, o siguiendo seguido	**sigo** sigues sigue seguimos seguís siguen	seguía seguías seguía seguíamos seguíais seguían	seguí seguiste siguió seguimos seguisteis siguieron	seguiré seguirás seguirá seguiremos seguiréis seguirán	seguiría seguirías seguiría seguiríamos seguiríais seguirían	**siga** **sigas** **siga** **sigamos** **sigáis** **sigan**	siguiera siguieras siguiera siguiéramos siguierais siguieran	sigue (**no sigas**) **siga** seguid (**no sigáis**) **sigan**
tocar to play c → qu before e tocando tocado	toco tocas toca tocamos tocáis tocan	tocaba tocabas tocaba tocábamos tocabais tocaban	**toqué** tocaste tocó tocamos tocasteis tocaron	tocaré tocarás tocará tocaremos tocaréis tocarán	tocaría tocarías tocaría tocaríamos tocaríais tocarían	**toque** **toques** **toque** **toquemos** **toquéis** **toquen**	tocara tocaras tocara tocáramos tocarais tocaran	toca (**no toques**) **toque** tocad (**no toquéis**) **toquen**

*Verbs with irregular **yo** forms in the present indicative

Present Participle / Past Participle	Present Indicative	Imperfect	Preterite	Future	Conditional	Present Subjunctive	Imperfect Subjunctive	Commands
andar *to walk* andando andado	ando andas anda andamos andáis andan	andaba andabas andaba andábamos andabais andaban	**anduve** **anduviste** **anduvo** **anduvimos** **anduvisteis** **anduvieron**	andaré andarás andará andaremos andaréis andarán	andaría andarías andaría andaríamos andaríais andarían	ande andes ande andemos andéis anden	**anduviera** **anduvieras** **anduviera** **anduviéramos** **anduvierais** **anduvieran**	anda (no andes) ande andad (no andéis) anden
*dar *to give* dando dado	**doy** das da damos dais dan	daba dabas daba dábamos dabais daban	**di** **diste** **dio** **dimos** **disteis** **dieron**	daré darás dará daremos daréis darán	daría darías daría daríamos daríais darían	**dé** **des** **dé** **demos** **deis** **den**	diera dieras diera diéramos dierais dieran	da (**no des**) **dé** dad (**no deis**) den
*decir *to say, tell* **diciendo** **dicho**	**digo** **dices** **dice** decimos decís **dicen**	decía decías decía decíamos decíais decían	**dije** **dijiste** **dijo** **dijimos** **dijisteis** **dijeron**	**diré** **dirás** **dirá** **diremos** **diréis** **dirán**	**diría** **dirías** **diría** **diríamos** **diríais** **dirían**	**diga** **digas** **diga** **digamos** **digáis** **digan**	dijera dijeras dijera dijéramos dijerais dijeran	**di (no digas)** **diga** decid (**no digáis**) **digan**
*estar *to be* estando estado	**estoy** **estás** **está** estamos estáis **están**	estaba estabas estaba estábamos estabais estaban	**estuve** **estuviste** **estuvo** **estuvimos** **estuvisteis** **estuvieron**	estaré estarás estará estaremos estaréis estarán	estaría estarías estaría estaríamos estaríais estarían	**esté** **estés** **esté** **estemos** **estéis** **estén**	estuviera estuvieras estuviera estuviéramos estuvierais estuvieran	**está (no estés)** **esté** estad (**no estéis**) **estén**
haber *to have* habiendo habido	**he** **has** **ha [hay]** **hemos** **habéis** **han**	había habías había habíamos habíais habían	**hube** **hubiste** **hubo** **hubimos** **hubisteis** **hubieron**	**habré** **habrás** **habrá** **habremos** **habréis** **habrán**	**habría** **habrías** **habría** **habríamos** **habríais** **habrían**	**haya** **hayas** **haya** **hayamos** **hayáis** **hayan**	hubiera hubieras hubiera hubiéramos hubierais hubieran	
*hacer *to make, do* haciendo **hecho**	**hago** haces hace hacemos hacéis hacen	hacía hacías hacía hacíamos hacíais hacían	**hice** **hiciste** **hizo** **hicimos** **hicisteis** **hicieron**	**haré** **harás** **hará** **haremos** **haréis** **harán**	**haría** **harías** **haría** **haríamos** **haríais** **harían**	**haga** **hagas** **haga** **hagamos** **hagáis** **hagan**	hiciera hicieras hiciera hiciéramos hicierais hicieran	**haz (no hagas)** **haga** haced (**no hagáis**) **hagan**

*Verbs with irregular **yo** forms in the present indicative

Present Participle Past Participle	Present Indicative	Imperfect	Preterite	Future	Conditional	Present Subjunctive	Imperfect Subjunctive	Commands
ir *to go* **yendo** ido	**voy** **vas** **va** **vamos** **vais** **van**	**iba** **ibas** **iba** **íbamos** **ibais** **iban**	**fui** **fuiste** **fue** **fuimos** **fuisteis** **fueron**	iré irás irá iremos iréis irán	iría irías iría iríamos iríais irían	**vaya** **vayas** **vaya** **vayamos** **vayáis** **vayan**	**fuera** **fueras** **fuera** **fuéramos** **fuerais** **fueran**	**ve (no vayas)** **vaya** id **(no vayáis)** **vayan**
*oír *to hear* **oyendo** **oído**	**oigo** **oyes** **oye** **oímos** **oís** **oyen**	oía oías oía oíamos oíais oían	oí **oíste** **oyó** **oímos** oísteis **oyeron**	oiré oirás oirá oiremos oiréis oirán	oiría oirías oiría oiríamos oiríais oirían	**oiga** **oigas** **oiga** **oigamos** **oigáis** **oigan**	**oyera** **oyeras** **oyera** **oyéramos** **oyerais** **oyeran**	**oye (no oigas)** **oiga** **oíd** **no oigáis** **oigan**
poder *can, to be able* **pudiendo** podido	**puedo** **puedes** **puede** podemos podéis **pueden**	podía podías podía podíamos podíais podían	**pude** **pudiste** **pudo** **pudimos** **pudisteis** **pudieron**	**podré** **podrás** **podrá** **podremos** **podréis** **podrán**	**podría** **podrías** **podría** **podríamos** **podríais** **podrían**	**pueda** **puedas** **pueda** podamos podáis **puedan**	**pudiera** **pudieras** **pudiera** **pudiéramos** **pudierais** **pudieran**	
*poner *to place, put* poniendo **puesto**	**pongo** pones pone ponemos ponéis ponen	ponía ponías ponía poníamos poníais ponían	**puse** **pusiste** **puso** **pusimos** **pusisteis** **pusieron**	**pondré** **pondrás** **pondrá** **pondremos** **pondréis** **pondrán**	**pondría** **pondrías** **pondría** **pondríamos** **pondríais** **pondrían**	**ponga** **pongas** **ponga** **pongamos** **pongáis** **pongan**	**pusiera** **pusieras** **pusiera** **pusiéramos** **pusierais** **pusieran**	**pon (no pongas)** **ponga** poned **(no pongáis)** **pongan**
querer *to like* queriendo querido	**quiero** **quieres** **quiere** queremos queréis **quieren**	quería querías quería queríamos queríais querían	**quise** **quisiste** **quiso** **quisimos** **quisisteis** **quisieron**	**querré** **querrás** **querrá** **querremos** **querréis** **querrán**	**querría** **querrías** **querría** **querríamos** **querríais** **querrían**	**quiera** **quieras** **quiera** queramos queráis **quieran**	**quisiera** **quisieras** **quisiera** **quisiéramos** **quisierais** **quisieran**	**quiere (no quieras)** **quiera** quered (no queráis) **quieran**
*saber *to know* sabiendo sabido	**sé** sabes sabe sabemos sabéis saben	sabía sabías sabía sabíamos sabíais sabían	**supe** **supiste** **supo** **supimos** **supisteis** **supieron**	**sabré** **sabrás** **sabrá** **sabremos** **sabréis** **sabrán**	**sabría** **sabrías** **sabría** **sabríamos** **sabríais** **sabrían**	**sepa** **sepas** **sepa** **sepamos** **sepáis** **sepan**	**supiera** **supieras** **supiera** **supiéramos** **supierais** **supieran**	sabe **(no sepas)** **sepa** sabed **(no sepáis)** **sepan**

Present Participle / Past Participle	Present Indicative	Imperfect	Preterite	Future	Conditional	Present Subjunctive	Imperfect Subjunctive	Commands
*salir *to go out* saliendo salido	salgo sales sale salimos salís salen	salía salías salía salíamos salíais salían	salí saliste salió salimos salisteis salieron	saldré saldrás saldrá saldremos saldréis saldrán	saldría saldrías saldría saldríamos saldríais saldrían	salga salgas salga salgamos salgáis salgan	saliera salieras saliera saliéramos salierais salieran	sal (no salgas) salga salid (no salgáis) salgan
ser *to be* siendo sido	soy eres es somos sois son	era eras era éramos erais eran	fui fuiste fue fuimos fuisteis fueron	seré serás será seremos seréis serán	sería serías sería seríamos seríais serían	sea seas sea seamos seáis sean	fuera fueras fuera fuéramos fuerais fueran	sé (no seas) sea sed (no seáis) sean
*tener *to have* teniendo tenido	tengo tienes tiene tenemos tenéis tienen	tenía tenías tenía teníamos teníais tenían	tuve tuviste tuvo tuvimos tuvisteis tuvieron	tendré tendrás tendrá tendremos tendréis tendrán	tendría tendrías tendría tendríamos tendríais tendrían	tenga tengas tenga tengamos tengáis tengan	tuviera tuvieras tuviera tuviéramos tuvierais tuvieran	ten (no tengas) tenga tened (no tengáis) tengan
traer *to bring* trayendo traído	traigo traes trae traemos traéis traen	traía traías traía traíamos traíais traían	traje trajiste trajo trajimos trajisteis trajeron	traeré traerás traerá traeremos traeréis traerán	traería traerías traería traeríamos traeríais traerían	traiga traigas traiga traigamos traigáis traigan	trajera trajeras trajera trajéramos trajerais trajeran	trae (no traigas) traiga traed (no traigáis) traigan
*venir *to come* viniendo venido	vengo vienes viene venimos venís vienen	venía venías venía veníamos veníais venían	vine viniste vino vinimos vinisteis vinieron	vendré vendrás vendrá vendremos vendréis vendrán	vendría vendrías vendría vendríamos vendríais vendrían	venga vengas venga vengamos vengáis vengan	viniera vinieras viniera viniéramos vinierais vinieran	ven (no vengas) venga venid (no vengáis) vengan
ver *to see* viendo visto	veo ves ve vemos veis ven	veía veías veía veíamos veíais veían	vi viste vio vimos visteis vieron	veré verás verá veremos veréis verán	vería verías vería veríamos veríais verían	vea veas vea veamos veáis vean	viera vieras viera viéramos vierais vieran	ve (no veas) vea ved (no veáis) vean

Glossary

Spanish-English

The numbers in parentheses refer to the chapters in which active words or phrases may be found.

A

a to, at
  a base de based on
  a pesar de in spite of
  a través de through, across
abierto(a) open (3)
abogado(a) *m.(f.)* lawyer
abrazo *m.* hug
abrigo *m.* coat
abril April
abrir to open
¡No, en absoluto! Absolutely not!
abstracto(a) abstract (8)
abuela *f.* grandmother
abuelo *m.* grandfather
aburrido(a) bored, boring
acabar de… to have just …
acampar to camp
accidente *m.* accident
acción *f.* action
aceite *m.* oil
aceituna *f.* olive
aceptar to accept (4)
acercarse to approach
acompañante *m.* or *f.* traveling companion (5)
aconsejable advisable (8)
acordarse to remember
acostarse (ue) to go to bed
acostumbrado(a) accustomed
actitud *f.* attitude
activo(a) active
acuerdo *m.* agreement
está adelantado(a) is early (5)
adelantar to move forward; to advance
además besides
adicional additional
adiós good-bye
adivinar to guess
admitir to admit
¿adónde? where?
adorar to adore
aeropuerto *m.* airport
afeitarse to shave
aficionado(a) *m.(f.)* (sports) fan

afortunadamente fortunately
afueras *f. pl.* outskirts
agilidad *f.* agility
agosto August
agradable pleasant
agujero *m.* hole
Les agradezco. I thank you.
el agua *f.* water
  agua mineral (sin gas) mineral water (without carbonation)
ahogarse to drown (11)
ahora now
  ahora mismo right now
ahorrar to save
aire acondicionado air-conditioned
ajedrez *m.* chess
ajo *m.* garlic (2)
ajuste *m.* adjustment
al to the
alcanzar to reach, achieve
alegrar to make happy (9)
alegre happy
alejar to move away
alemán(ana) German
Alemania Germany
alergia *f.* allergy
alfombra *f.* rug, carpet
algo something
algodón *m.* cotton
alguien someone, somebody (3)
algún / alguno(a) a, an (3)
  algún día someday
alimento *m.* food
alma *f.* soul
almacén *m.* department store
almendra *f.* almond
almidón *m.* starch
almohada *f.* pillow
¿Aló? Hello? (4)
alpinismo *m.* mountain climbing
alquilar to rent
alquiler *m.* rent
alrededor around
alto(a) tall
alumno(a) *m.(f.)* student
allá over there
allí there

almacén *m.* (department) store
ama *f.* housekeeper (11)
amable friendly
amar to love
amarillo(a) yellow
ambicioso(a) ambitious
ambiente *m.* atmosphere
ambos(as) both
americano(a) American
amigo(a) *m.(f.)* friend
amor *m.* love (11)
amplio(a) broad, wide (11)
(completamente) amueblado (fully) furnished
analizar to analyze (11)
anaranjado(a) orange (color)
ancho(a) wide
andar to go along, walk
andén *m.* platform (5)
ángel *m.* angel (12)
animal *m.* animal
  animal doméstico *m.* household pet (5)
animar to enliven
anoche last night
anotar un gol to make a goal, score
ansiedad *f.* anxiety
anterior previous
antes de before (5)
antibiótico *m.* antibiotic
antihistamínico *m.* antihistamine
antipático(a) disagreeable
anual annual
anunciar to announce
añadir to add (11)
año *m.* year
aparecer to appear (12)
aparentemente apparently
apartamento *m.* apartment
apellido *m.* last name
aperitivo *m.* appetizer (2)
apetecer to appeal (2)
aprender to learn
aprovechar to take advantage of
apurado(a) hurried, rushed
aquel(la) that
aquél(la) *m.(f.)* that one

aquí here
    Aquí tiene... Here you have . . .
araña *f.* spider
área de acampar *f.* campground
arena *f.* sand
arete *m.* earring
Argentina Argentina
argentino(a) Argentine
argumento *m.* plot (of a play or novel)
arpa *f.* harp (9)
arquero(a) *m.(f.)* goaltender
arquitecto(a) *m.(f.)* architect
arrancar to start up
arreglar to arrange, fix
arroz *m.* rice
arte *m.* or *f.* art
artículo *m.* article
artista *m.* or *f.* artist (7)
asado(a) roasted (2)
ascensor *m.* elevator
asegurar to assure
asentar to establish
¿Así es? Is that it?
asistir a to attend
asno *m.* ass, donkey (11)
aspirina *f.* aspirin
asunto *m.* subject, matter
un atado de a bunch of
ataque *m.* attack, offense
aterrizar to land (6)
atleta *m.(f.)* athlete
atlético(a) athletic
atraer to attract
atravesar to cross
atrevido(a) daring
atún *m.* tuna
aumentar to increase
aunque although
auricular *m.* (telephone) receiver (4)
auriculares *m.* headphones
ausencia *f.* absence
autobús *m.* bus
    estación de autobuses *f.* bus
      terminal
autor(a) *m.(f.)* author (10)
autorretrato *m.* self-portrait (7)
avanzar to advance
¡Ave María! Good heavens!
avenida *f.* avenue
aventurero(a) adventurous
avión *m.* airplane

ayer yesterday
ayuda *f.* help
azafata *f.* stewardess (5)
azúcar *m.* sugar
azul blue

B

bailar to dance
baile *m.* dance
    baile folklórico folk dance
    baile popular popular dance
bajar to go down, lower
    bajar de peso to lose weight
bajo *m.* bass (9); *prep.* under
bajo(a) short (height)
balanceado(a) balanced
balón *m.* ball
baloncesto *m.* basketball
balsa neumática *f.* inflatable raft
banana *f.* banana
banco *m.* bank
bandoneón *m.* large accordion (9)
bañarse to bathe oneself
baño *m.* bath
bar de tapas *m.* tapas restaurant
barato(a) cheap
barba *f.* beard
barco *m.* boat
barrio *m.* neighborhood
barro *m.* clay, mud
básquetbol *m.* basketball
¡Basta! Enough!
bastante rather, enough
bastón *m.* walking stick
batalla *f.* battle (11)
bebé *m.* or *f.* baby
bebida *f.* drink
becerro *m.* calf (11)
béisbol *m.* baseball
Belice Belize
beneficiarse to benefit
beso *m.* kiss
biblioteca *f.* library
bicicleta *f.* bicycle
bicicleta de montaña *f.* mountain bike
bidé *m.* bidet
bien well, fine, very
bigote *m.* mustache
billete *m.* ticket
    billete de diez viajes ten-trip

    ticket
    billete de ida y vuelta round-trip
    ticket
    billete sencillo one-way ticket
biología *f.* biology
bisabuela *f.* great-grandmother (11)
bisabuelo *m.* great-grandfather (11)
bistec *m.* steak (2)
blanco(a) white
blusa *f.* blouse
boca *f.* mouth
bocadillo *m.* sandwich (French bread)
boda *f.* wedding
boga *f.* vogue
boleto *m.* ticket
boliche *m.* bowling
bolígrafo *m.* ballpoint pen
Bolivia Bolivia
boliviano(a) Bolivian
bolsa *f.* purse
bondad *f.* kindness; favor
bonito(a) pretty
borrador *m.* eraser
bosque *m.* forest
bota *f.* boot
botón *m.* button
una botella de a bottle of
botiquín *m.* first aid kit
boutique *f.* boutique
Brasil Brazil
¡Bravo! Well done! (10)
brazo *m.* arm
brindis *m.* toast (salutation)
bronceado(a) tan
bucear to snorkel, dive
buceo *m.* snorkeling, diving
bueno(a) good
    ¡Bueno! Hello! (telephone)
    Buenos días. Good morning.
    Buenas noches. Good evening,
      Good night.
    Buenas tardes. Good afternoon.
bufanda *f.* (winter) scarf (1)
burlar de to make fun of
buscar to look for
búsqueda *f.* search

C

caballerías *f.* chivalry (11)
caballero *m.* gentleman (11)
caballo *m.* horse
caber to fit (12)
cabeza *f.* head
cabina *f.* booth
cabina de teléfono *f.* telephone booth
cacahuete *m.* peanut
cada every, each
cadena *f.* chain
caerse to fall
café *m.* café, coffee
    café *adj.* dark brown
    café (con leche) coffee (with milk)
caimán *m.* alligator (11)
cajón *m.* drawer
calamares *m.* squid
calcetín *m.* sock
calcio *m.* calcium
calculadora *f.* calculator
calidad *f.* quality
caliente warm, hot
calle *f.* street
¡Cálmate! Calm down!
calor *m.* heat
caloría *f.* calorie
cama *f.* bed
    cama (matrimonial / sencilla)
    (double / single) bed
cámara *f.* camera
camarero(a) *m.(f.)* waiter (waitress)
camarón *m.* shrimp (3)
cambiar to change
cambio *m.* change, alteration
caminar to walk
camino *m.* path
camioneta *f.* van (6)
camisa *f.* shirt
camiseta *f.* T-shirt
campana *f.* bell (12)
campeonato mundial *m.* world championship
campesino(a) *m.(f.)* peasant, farmer
campo de juego *m.* field (sports)
Canadá Canada
canadiense Canadian
canasta *f.* basket
cancha *f.* field (sports)
canción *f.* song (9)

canookayak canoe / kayak
cansado(a) tired
cantar to sing
cantidad *f.* quantity
cantimplora *f.* canteen
caña *f.* cane; sugar cane
cañón *m.* canyon
capacidad *f.* capacity
capital *f.* capital city
cara *f.* face
cariño *m.* affection
carne *f.* meat, beef
carnicería *f.* butcher shop
caro(a) expensive
carpa *f.* tent (12)
carrera *f.* race
carretera *f.* highway, road
carrito *m.* shopping cart
cartera *f.* wallet
casa *f.* house
    casa editorial *f.* publishing house
casado(a) married
casarse to marry, to get married
casi almost
castaño(a) hazel (eyes), medium-brown (hair)
catarro *m.* a cold
catedral *f.* cathedral
categoría *f.* category
causa *f.* cause
cebolla *f.* onion
celebrar to celebrate
cenar to have supper
ceniza *f.* ash
centro *m.* downtown, the center
    centro comercial shopping center
cepillarse (el pelo / los dientes) to brush (one's hair / teeth)
cerca de near
cerdo *m.* hog
cereal *m.* cereal
cerebro *m.* brain
cerrado(a) closed (3)
cerro *m.* hill
chaleco *m.* vest (1)
Chao. Good-bye.
chaqueta *f.* jacket
charlar to chat
cheque de viajero *m.* traveler's check
chilaquiles *m.* dish made with corn tortillas and chiles (3)

chile *m.* hot pepper
Chile Chile
chileno(a) Chilean
China China
chino(a) Chinese
chivo(a) *m.(f.)* goat (11)
chocolate *m.(f.)* chocolate
chorizo *m.* Spanish sausage
chuletas *f.* (meat) chops (2)
ciclismo *m.* cycling
ciclón *m.* cyclone
ciego(a) blind (11)
cielo *m.* sky
cien(to) one hundred
ciencia *f.* science
científico(a) *m.(f.)* scientist (10)
científico(a) scientific (10)
cierto(a) true
cifra *f.* digit (4)
cima *f.* top (of a mountain)
cincuenta fifty
cine *m.* movie theater
cinta *f.* tape (recording)
cinturón *m.* belt
cita *f.* date, appointment
ciudad *f.* city
¡Claro! Of course!
    ¡Claro que no! Of course not!
    ¡Claro que sí! Of course! (reaffirmed)
clásico(a) classic(al)
clasificar to classify
clavadista *m.* or *f.* diver
clavarse to dive (Mexico)
clave key (important)
clóset *m.* closet
club *m.* club
cobre *m.* copper
cocina *f.* kitchen
cocinar to cook
coche *m.* car
coche-caravana *m.* camper
cocodrilo *m.* crocodile (12)
código territorial *m.* country code (4)
codo *m.* elbow
cola *f.* tail (12)
colegio *m.* school
colgar to hang up (4)
Colombia Colombia
colombiano(a) Colombian
color *m.* color

¿De qué color es...? What color is . . . ?

comediante actor, comedian

comedor *m.* dining room

comentar to comment

comenzar (ie) to begin

comer to eat

cómico(a) comical, funny

comida *f.* meal, food

   comida mexicana Mexican food

comienzo *m.* beginning

como how, as, like

   como a around, about

   como de costumbre as usual

¿cómo? how?, what?

   ¿Cómo se dice...? How do you say . . . ?

   ¿Cómo es / son? How is it / are they?

   ¿Cómo está(s)? How are you?

   ¡Cómo no! Sure! (4)

   ¿Cómo te llamas? What's your name?

   ¿Cómo te sientes? How do you feel?

cómoda *f.* dresser

cómodo(a) comfortable

compañía *f.* company

comparación *f.* comparison

compartido(a) *m.(f.)* shared

compartir to share

competencia *f.* competition

complejo(a) complex

completo(a) complete

complicado(a) complicated (8)

comprar to buy

comprender to understand

computadora *f.* computer

con with

   con frecuencia frequently

   con regularidad regularly

   con todo el corazón with all my heart

concierto *m.* concert

concurso de poesía *m.* poetry contest

conducir to drive

confiar to trust

confort *m.* comfort

confortable comfortable

congelado(a) frozen

congelar to freeze

conjunto *m.* unit; outfit

conmigo with me

conocer to know (person, place), meet

conocido(a) known (9)

consecutivo(a) consecutive

conseguir to get

conserva *f.* preserve

constantemente constantly

construir to build

contador(a) *m.(f.)* accountant

contar(ue) to tell (a story), to count (12)

contener to contain (6)

contento(a) content

contestar to answer, respond

   Contéstame cuanto antes.
      Answer me as soon as possible.

contigo with you (5)

continuar to continue

continuo(a) continuous

contra la pared against the wall

conveniente convenient

conversación telefónica *f.* telephone conversation

convertirse en to become

corajudo(a) hot-tempered (9)

corazón *m.* heart

corbata *f.* tie (1)

cordero *m.* lamb (2)

cordillera *f.* mountain range

corredor *m.* corridor, hallway

corregir to correct (11)

correo *m.* post office

correr to run, to race

corriente *f.* current (11)

cortar(se) to cut (oneself)

cortina *f.* curtain

corto(a) short (length)

cosa *f.* thing

cosechar to harvest

coser to sew (8)

costa *f.* coast

Costa Rica Costa Rica

costar (ue) to cost

costarricense Costa Rican

costoso(a) costly

costumbre *f.* custom

   de costumbre customarily

coyuntura *f.* joint

creación *f.* creation (11)

creador(a) creative (8)

crecer to grow (12)

crecimiento *m.* growth; increase

creencia *f.* belief (12)

creer to believe

crema *f.* cream

crepúsculo *m.* twilight (12)

crítico(a) *m.(f.)* critic (11)

croissant *m.* croissant

cruz *f.* cross

cruzar to cross

cuaderno *m.* notebook

cuadrado(a) *adj.* square

cuadro *m.* painting

¿cuál? which?

   ¿Cuál es la fecha de hoy? What is the date today?

cualquier any, whichever

cuando when

¿cuánto(a)? how much / many?

   ¿Cuánto cuesta? How much does it cost?

   ¿Cuánto tiempo hace? How long ago?

   ¿Cuánto tiempo hace que te sientes así? How long have you felt this way?

   ¿Cuántos años tienes? How old are you?

   ¿A cuántos estamos? What is the date?

   ¿Cuántos hay? How many are there?

cuarenta forty

cuarto *m.* room, quarter

   ... cuarto(s) de hora ... quarter(s) of an hour

cuarto(a) fourth

cuatrocientos(as) four hundred

Cuba Cuba

cubano(a) Cuban

cubismo *m.* cubism (7)

cubrir to cover

cuchara *f.* spoon

cuchillo *m.* knife

cuello *m.* neck

cuenta *f.* bill

cuentista *m.* or *f.* storyteller (10)

cuento *m.* story (10)

Cuento contigo. I'm counting on you.

cuero *m.* leather

cuesta it costs

¡Cuidado! Careful! Watch out!

cuidadoso(a) careful (8)

cuidar to care for

Cuídese. (Cuídate.) Take care of yourself.
culpa *f.* fault
cultivar to cultivate
cultura *f.* culture (11)
cumpleaños *m.* birthday
cumplirse to be fulfilled
cura *m.* curate; priest
cuyo(a) whose

D

danza *f.* dance (9)
dar to give
  dar una caminata to take a hike
  dar un paseo to take a walk
  dar una película to show a movie
  dar una vuelta to turn over
  darles la despedida to say good-bye, give a going-away party
  darse cuenta de to realize
  darse prisa to hurry
  darse por satisfecho to have reason to feel satisfied with oneself
  Nos daría mucho gusto... It would give us great pleasure . . .
de of
  de acuerdo okay
  de la / del of the
  de nada you're welcome
  ¿De qué color es...? What color is . . . ?
  de repente suddenly
  ¿De veras? Really?
deber to owe, must, should
débil weak
décimo(a) tenth
decir to say, tell
  decir que sí (no) to say yes (no)
  es decir that is to say
  para decir la verdad to tell the truth
  querer decir to mean
  ¿Cómo se dice...? How do you say . . . ?
  lo que dice... what . . . says
dedicarse (a) to devote oneself to
dedo (de la mano) *m.* finger
dedo del pie toe
defensa *f.* defense
dejar to leave (behind) (4)

delante de in front of
delgado(a) thin
delicioso(a) delicious
demandar to demand
demasiado too (much)
¡Dense prisa! Hurry up!
dentista *m.* or *f.* dentist
dentro de within
departamento de literas *m.* berth compartment (5)
departamento de plazas sentadas *m.* seating compartment (5)
depender de to depend on
dependiente(a) *m.(f.)* clerk
deporte *m.* sport
derecha right
  a la derecha to the right
derrota *f.* defeat
desaparecer to disappear (12)
desarrollar to develop
desarrollo *m.* development
desayunarse to eat breakfast
desayuno *m.* breakfast
desbordarse to overflow
descansar to rest
descenso *m.* descent, the climb down
descolgar to pick up (4)
describir to describe
  le describe describes to him, her, you
  Descríbeme... Describe . . . for me.
desde (que) since
  ¿Desde cuándo? Since when?
desear to want, wish for
  desearles to wish them
desengaño *m.* deception (9)
desesperado(a) desperate
desfile *m.* parade
deshonesto(a) dishonest
desigualdad *f.* inequality (11)
desnudo(a) naked
despacio slowly, slow
despedirse (i, i) de to say good-bye to
despegar to take off (airplane) (6)
despejado clear
desperdiciar to waste
despertarse (ie) to wake up
desprender(se) to break loose
después after
destino *m.* destination (5); destiny (11)
destreza *f.* skill (6)

detalle *m.* detail
detrás de behind, in back of
día *m.* day
  cada día every day (3)
  el Día de la Independencia Independence Day
  el Día de la Madre Mother's Day
  el Día del Padre Father's Day
  hoy día these days (3)
  todos los días every day (3)
diamante *m.* diamond (12)
dibujar to draw (7)
dibujo *m.* drawing (7)
diciembre December
diente *m.* tooth
dificultad *f.* difficulty
¡Diga / Dígame! Hello! (answering the phone)
¡No me digas! You don't say!
digestión *f.* digestion
dignidad *f.* dignity (11)
Dime. Tell me.
dinero *m.* money
dinosaurio *m.* dinosaur (10)
dios *m.* god
diploma de maestría master's degree
¿en qué dirección? in which direction?
directamente directly
dirigir to direct
disco compacto compact disc
discoteca *f.* discotheque
discreto(a) discreet
disculparse to apologize
discutir to argue
diseñar to design
diseño *m.* design (8)
disfrutar de to enjoy
disponible available
diversidad *f.* diversity (8)
divertido(a) enjoyable
divertirse (ie, i) to have a good time
dividir to divide
divorciado(a) divorced
doblar to turn
una docena de a dozen
doctor(a) *m.(f.)* doctor
doler (ue) to hurt
dolor *m.* pain
  dolor de (cabeza / espalda / estómago) *m.* (head / back / stomach) ache

domingo *m.* Sunday
dominicano(a) Dominican
dominó *m.* dominoes
¿dónde? where?
  ¿De dónde es / eres? Where are you from?
  ¿Dónde está...? Where is . . . ?
  ¿Dónde hay...? Where is / are there . . . ?
dormilón(ona) *m.(f.)* sleepyhead
dormir (ue, u) (la siesta) to sleep (take a nap)
  dormirse to fall asleep
dormitorio *m.* bedroom
dos two
  los(las) dos the two, both
doscientos(as) two hundred
dosis *f.* dose
dramaturgo(a) *m.(f.)* playwright (10)
ducha *f.* shower
ducharse to take a shower
duda *f.* doubt
Me duele(n)... My . . . hurt(s).
duelo *m.* grief
dulce *m.* sweet, candy
durante during
durar to last

E

echar una siesta to take a nap
económico(a) economical
Ecuador Ecuador
ecuatoriano(a) Ecuadoran
edad *f.* age
edificio *m.* building
en efectivo in cash
eficiente efficient
ejemplo *m.* example
el *m.* the
él he
El Salvador El Salvador
elegante elegant
elevar(se) to rise (12)
ella she
ellos(as) *m.(f.)* they
empacar to pack
empezar to begin (8)
empleado(a) *m.(f.)* employee
empujar to push
en in, on

En (el mes de)... In (the month of) . . .
en... minutos in . . . minutes
enamorarse to fall in love
Encantado(a). Delighted.
encantar to like very much (2)
encargarse de to take charge of
encender to light (12)
encerrarse (ie) to lock oneself in
enchilada *f.* enchilada
enciclopedia *f.* encyclopedia (10)
encontrar (ue) to find
encuesta *f.* survey
energía *f.* energy
enero January
enfermero(a) *m.(f.)* nurse
enfermo(a) sick
engañar to deceive
enojado(a) angry, mad
ensalada *f.* salad
  ensalada de frutas fruit salad
  ensalada de guacamole guacamole
  ensalada mixta mixed salad (2)
  ensalada de vegetales (verduras) vegetable salad
ensayista *m. or f.* essayist (10)
ensayo *m.* essay (10)
entero(a) whole
entender to understand
entonces then
entrada *f.* entrance ticket; entrée (2)
entre... y... between . . . and . . .
entrenamiento *m.* training (6)
entretenimiento *m.* entertainment
enviar to send
epidemia *f.* epidemic
equipo *m.* equipment; team
equitación *f.* horseback riding
equivocado(a) wrong, mistaken (4)
es is
  Es de... Is from . . . , It belongs to . . .
  Es la una. It's one o'clock.
esbozo *m.* sketch, outline (12)
escalofríos *m.* chills
escaparate *m.* shop window
escasez *f.* scarcity
escena *f.* scene
esclavo(a) *m.(f.)* slave (11)
escoger to choose
escoltar to escort (10)

escribir to write
  escribir a máquina to type
escritor(a) *m.(f.)* writer (10)
escritorio *m.* desk
escuchar to listen (to)
escuela *f.* school
  escuela secundaria high school
escultura *f.* sculpture
ese(a) that
ése(a) *m.(f.)* that one
a eso de at about, around
espacio *m.* space
espada *f.* sword
espalda *f.* back
España Spain
español(a) Spanish
espárrago *m.* asparagus (2)
especia *f.* spice
especial special
espectáculo *m.* spectacle, show
espejo *m.* mirror
esperar to wait, hope
  los espera waits for them
  Espero que Uds. puedan visitar. I hope that you can visit.
  Espero que no sea... I hope it's not . . .
espíritu *m.* spirit (8)
esposa *f.* wife
esposo *m.* husband
esqueleto *m.* skeleton (11)
esquí *m.* ski
  esquí acuático *m.* waterskiing
esquiar to ski
  esquiar en agua to water-ski
en la esquina de... y... on the corner of . . . and . . .
escarpado(a) steep
establecer to establish
estación *f.* station
  estación de autobuses bus terminal
  estación de metro subway station
  estación de trenes railroad station
estacionamiento *m.* parking
estadio *m.* stadium
estado *m.* state
los Estados Unidos United States
estadounidense American, from the United States
estampado(a) printed, patterned

estandarte *m.* standard; banner
estante *m.* bookshelf
estar to be
  estar al tanto to be up to date
  estar de mal humor to be in a bad mood
  estar de visita to be visiting
  Está bien. Okay.
  Está (despejado / nublado / resbaloso). It's a (clear / cloudy / slippery) day.
  ¿Estás en forma? Are you in shape?
  ¿Cómo está(s)? How are you?
este *m.* east
este(a) (mes / tarde) this (month / afternoon)
éste(a) *m.(f.)* this one
estéreo *m.* stereo
estilo *m.* style
estómago *m.* stomach
estornudar to sneeze
estrella *f.* star
estudiante *m.* or *f.* student
estudiar to study
estufa *f.* stove
estupendo great (4)
eterno(a) eternal (11)
etiqueta *f.* tag, label (6)
étnico(a) ethnic (11)
evento social *m.* social event
exactamente exactly
Exacto. Exactly.
exagerar to exaggerate
¡No te excites! Don't get excited!
excursión *f.* tour
exigente demanding
éxito *m.* success
experto(a) expert
exponer to expose (7)
expresar to express
expresión *f.* expression
extranjero(a) foreign
extranjero(a) *m.(f.)* foreigner
extrañar to miss
  Te (Los) extraño. I miss you (plural).
extraño(a) strange
extraterreno(a) from another world (12)

F

fabricación *f.* manufacture, fabrication (8)
fácil easy
facilitar to facilitate
facturar to check (baggage) (6)
falda *f.* skirt
falta *f.* lack
faltar to lack, need (2)
familia *f.* family
famoso(a) famous
fantasía *f.* fantasy (12)
farmacia *f.* pharmacy, drugstore
fauna *f.* fauna (8)
favorito(a) favorite
fe *f.* faith (11)
febrero February
fecha *f.* date
  ¿Cuál es la fecha de hoy? What is the date today?
feliz happy
feo(a) ugly
feria *f.* fair
feroz ferocious
ferroviario(a) railway (4)
fibra *f.* fiber
fiebre *f.* fever
  fiebre del heno hay fever
fiel faithful (11)
fiesta *f.* party
  fiesta del pueblo religious festival honoring a town's patron saint
fijarse en to notice (6)
fijo(a) fixed; firm
fin de semana *m.* weekend
al final de at the end of
finalmente finally
flan *m.* caramel custard
flauta *f.* flute
flecha *f.* arrow
flor *f.* flower
flora *f.* flora (8)
florería *f.* flower shop
flotar to float
folklore *m.* folklore (11)
al fondo de at the end of
forma *f.* form, shape (8)
formal formal
formar to form
formidable wonderful

formulario *m.* form, application
fósforo *m.* match
fotonovela *f.* photo-novel (10)
francés(esa) French
Francia France
con frecuencia frequently
frecuentemente frequently
frente *f.* forehead
frente a across from, facing
  en frente de across from, facing
fresa *f.* strawberry
fresco(a) cool
frijoles *m.* beans
frío(a) cold
frito(a) fried (2)
frontera *f.* border
fruta *f.* fruit
fuego *m.* fire
fuegos artificiales *m.* fireworks
fuente *f.* fountain
fuerte strong
fuerza *f.* strength
funcionar to function, work
furioso(a) furious
fusilar to shoot
fusión *f.* fusion (12)
fútbol *m.* soccer
  fútbol americano football
futuro *m.* future

G

galleta *f.* biscuit, cookie
gallina *f.* hen
gamba *f.* shrimp (2)
  gambas al ajillo shrimp in garlic (2)
ganado *m.* cattle (11)
ganar to earn; to win
garaje (para dos coches) *m.* (two-car) garage
garganta *f.* throat
gas
  con gas carbonated
  sin gas not carbonated
gato *m.* cat
gazpacho *m.* cold soup with tomatoes, garlic, onion (2)
por lo general in general
generoso(a) generous
gente *f.* people
geografía *f.* geography

gerente *m.* manager

gigante *m.* giant (11)

gimnasio *m.* gym(nasium)

globo *m.* globe, sphere, balloon

gobierno *m.* government

gol *m.* goal (sports)

golf *m.* golf

golpe *m.* blow; hit

　　de golpe suddenly (10)

gordo(a) fat

gorra *f.* winter hat (1)

gotas para los ojos *f.* eyedrops

grabadora *f.* tape recorder

gracias thank you

　　mil gracias por... thanks a million
　　for . . .

　　muchas gracias por... thank you
　　very much (many thanks) for . . .

grado *m.* degree

gramo gram

Gran Bretaña Great Britain

granadina *f.* grenadine

grande big, large

grano *m.* grain

grasa *f.* fat

gratis free of charge (5)

grave grievous, grave

gripe *f.* flu

gris gray

grito *m.* shout

grosero(a) vulgar (11)

grupo *m.* group

guante *m.* glove (1)

guapo(a) handsome

guardar la línea to watch one's weight

guardería *f.* nursery (5)

Guatemala Guatemala

guatemalteco(a) Guatemalan

guerra *f.* war

guerrero(a) warrior

guisante *m.* pea

guiso *m.* stew

guitarra *f.* guitar

gustar to like

　　(No) (Me) gusta(n) (mucho)... (I)
　　(don't) like ... (very much).

gusto *m.* taste

　　con mucho gusto with pleasure

　　Mucho gusto. Nice to meet you.

H

haber to have (4)

habilidad *f.* ability

habitación *f.* room

hablar to talk

hacer to do, make

　　hace... . . . ago, it has been . . .

　　Hace (buen tiempo / calor / sol / viento).
　　It's (nice / hot / sunny /
　　windy) out.

　　hacer alpinismo to go mountain
　　climbing

　　hacer la cama to make the bed

　　hacerse cargo de to take charge of
　　(12)

　　hacer ciclismo to bicycle

　　hacer cola to stand in line

　　hacer ejercicio to exercise

　　hacer ejercicios aeróbicos to do
　　aerobics

　　hacer la equitación to go horse-
　　back riding (9)

　　hacer gimnasia to do exercises,
　　gymnastics

　　hacer juego con... to go with (1)

　　hacer las maletas to pack
　　suitcases

　　hacer un mandado to do an
　　errand

　　hacer un viaje to take a trip

　　hacer windsurfing to windsurf

　　hace... . . . ago; it has been . . .

　　¿Cuánto tiempo hace? How long
　　ago?

　　¿Cuánto tiempo hace que te
　　sientes así? How long have you
　　felt this way?

hacia toward (5)

hamburguesa (con queso) *f.* hamburger
(cheeseburger)

harina *f.* flour

hasta until

　　Hasta luego. See you later.

hay there is / are

　　Hay (hielo / niebla / tormenta).
　　It's (icy / foggy / stormy).

　　hay que pasar por... one must go
　　through . . .

　　Hay que ser razonables. Let's be
　　reasonable.

hecho *m.* fact (12)

helado *m.* ice cream

herido(a) wounded

herir to wound

hermana *f.* sister

hermano *m.* brother

hermoso(a) beautiful

héroe *m.* hero (11)

hervir(ie) to boil

hielo *m.* ice

hierba *f.* grass

hierro *m.* iron

hija *f.* daughter

hijo *m.* son

　　hijo(a) único(a) *m.(f.)* only child

hinchado(a) swollen (12)

hispano(a) Hispanic

historia *f.* history

histórico(a) historical

hockey sobre hierba *m.* field hockey

hogar *m.* home (12)

hoja (de papel) *f.* sheet (of paper)

Hola. Hello.

hombre *m.* man

hombro *m.* shoulder

hondo(a) deep

Honduras Honduras

hondureño(a) Honduran

honesto(a) honest

honra *f.* honor (11)

hora *f.* hour

hora pico *f.* peak hour, rush hour

horario *m.* schedule

horno (de microondas) *m.* (microwave)
oven

horóscopo *m.* horoscope

horrible horrible

hospital *m.* hospital

hospitalidad *f.* hospitality

hotel *m.* hotel

hoy today

　　Hoy es el (día) de (mes). Today is
　　the (day) of (month).

hueso *m.* bone

huésped guest

huevo *m.* egg

I

de ida y vuelta round-trip (5)
idealismo *m.* idealism (11)
idealista idealist(ic)
identificación *f.* identification (6)
iglesia *f.* church
igualdad *f.* equality
Igualmente. Same here.
iguana *f.* iguana (11)
imagen *f.* image (7)
imaginación *f.* imagination (10)
imaginería *f.* imagery (7)
impaciente impatient
impedir to prevent; to hinder
impermeable *m.* raincoat
importante important (8)
incertidumbre *f.* uncertainty (10)
incluido(a) included
incluir to include (12)
increíble incredible
incrustación *f.* incrustation (8)
independiente independent
indicación *f.* indication
indiscreto(a) indiscreet
inesperado(a) unexpected
infantil infantile, childish
infección *f.* infection
influir to influence
ingeniero(a) *m.(f.)* engineer
Inglaterra England
inglés(esa) English
ingreso *m.* income
inolvidable unforgettable
insistir to insist (8)
instrumento *m.* instrument (9)
  instrumento de cuerda *m.*
    stringed instrument (9)
intelectual intellectual
inteligente intelligent
interesante interesting
interpretar to interpret, sing (9)
intérprete *m.* singer (9)
invento *m.* invention (12)
invierno *m.* winter
invitación *f.* invitation
ir to go
  ir a... to be going to . . .
  ir de camping to go camping
  ir de compras to go shopping
  ir de pesca to go fishing

irse to leave, go away
irrealidad *f.* unreality (10)
Italia Italy
italiano(a) Italian
izquierda left
  a la izquierda to the left

J

jabón *m.* soap
jamás never
jamón *m.* ham
  jamón serrano *m.* Spanish ham,
    similar to prosciutto (2)
Japón Japan
japonés(esa) Japanese
jarabe *m.* cough syrup
jardín *m.* garden
jazz *m.* jazz
joven young
joya *f.* jewel
jubilarse to retire
jueves *m.* Thursday
jugador(a) *m.(f.)* player
jugar (ue) to play
  jugar a las damas to play checkers
  jugar a los naipes to play cards
  jugar al baloncesto to play bas-
    ketball
  jugar al golf to play golf
  jugar al hockey to play hockey
  jugar al hockey sobre hierba to
    play field hockey
  jugar al (tenis / vólibol) to play
    (tennis / volleyball)
jugo *m.* juice
julio July
junio June
juntar to unite
junto(a) together
justicia *f.* justice (11)

K

un kilo de a kilo(gram) of
  medio kilo de half a kilo(gram) of
kilómetro *m.* kilometer

L

la *f.* the
labio *m.* lip
labrador *m.* farmhand (11)
lácteo dairy
  producto lácteo *m.* dairy product
lado *m.* side
  al lado on the side (3)
  al lado de beside
  del lado de mi padre (madre) on
    my father's (mother's) side
ladrar to bark (12)
lámpara *f.* lamp
lana *f.* wool (1)
lanza *f.* lance
lápiz *m.* pencil
largo(a) long
las *f. pl.* the
lástima *f.* pitty
Es una lástima. It's a shame. (4)
lastimarse to hurt oneself
  ¿Te lastimaste? Did you hurt your-
    self?
una lata de a can of
latín *m.* Latin
lavabo *m.* sink
lavadora *f.* washing machine
lavar to wash
  lavar los platos to wash dishes
  lavar la ropa to wash clothes
  **lavarse (las manos, el pelo, los
    dientes)** to wash (one's hands,
    hair, brush one's teeth)
lealtad *f.* loyalty (11)
leche *f.* milk
lechuga *f.* lettuce
lector(a) *m.(f.)* reader
leer to read
legendario(a) legendary (11)
lejos de far from
lengua *f.* language, tongue
lento(a) slow
letra *f.* letter (9)
levantar to get (someone) up; lift
  levantar pesas to lift weights
  levantarse to get up
ley *f.* law (12)
leyenda *f.* legend (11)
libertad *f.* liberty (11)
una libra de a pound of

libre free (4)
librería *f.* bookstore
libro *m.* book
licuado (de mango) *m.* (mango) milk-shake
ligero(a) light
limón *m.* lemon
limonada *f.* lemonade
limpio(a) clean (3)
lindo(a) pretty
línea *f.* line
lípidos *m.* lipids
listo(a) ready
literario(a) literary (10)
literatura *f.* literature
un litro de a liter of
llamar(se) to be named
   llamar la atención to call attention (10)
   (Yo) me llamo... My name is . . .
llamativo flashy, showy (7)
llanta *f.* tire
llanto *m.* crying (12)
llanura *f.* plain (land)
llave *f.* key
llegar (a / de) to arrive (at / from)
llenar to fill
lleno(a) full
llevar to carry, take
   llevar a cabo to carry out
   lo lleva takes him
llorar to cry
llover (ue) a cántaros to rain cats and dogs
Llovizna. It's drizzling.
Llueve. It's raining.
locura *f.* insanity
los *m. pl.* the
luchar to fight
lucir to shine (1)
lucir bien / mal to look good / bad (1)
luego later, afterwards
lugar *m.* place, location
   en primer lugar in the first place
lujo *m.* luxury
luna *f.* moon
de lunares polka-dotted (1)
lunes *m.* Monday
luz *f.* light

M

m² (metros cuadrados) square meters
madera *f.* wood
madrastra *f.* stepmother
madre *f.* mother
mágico(a) magic (12)
¡Magnífico! Magnificent!
maíz *m.* corn
mal poorly
mal educado(a) impolite
   mala educación *f.* bad manners
maleta *f.* suitcase (6)
maletín *m.* briefcase (6)
malo(a) bad
mamut *m.* (pl. **mamuts**) mammoth
mandado *m.* errand
mandar to give an order
manejar to manage
manera *f.* way, manner
   de esa manera in that way
manifestar to manifest, to demonstrate
mano *f.* hand
mantenerse en condiciones óptimas to stay in top condition
mantequilla *f.* butter
manzana *f.* apple
mañana tomorrow
   mañana (por la mañana / noche) tomorrow (morning / night)
mañana *f.* morning
   de la mañana in the morning
   por la mañana in the morning
maquillarse to put on makeup
máquina *f.* machine
   máquina de escribir typewriter
mar *m.* sea
maravilla *f.* marvel (9)
marcar to dial (a telephone) (4)
   marcar un gol to make a goal, score
marinero *m.* sailor
mariposa *f.* butterfly
marisco *m.* shellfish
martes *m.* Tuesday
marzo March
más more
   más o menos so-so
   más... que more . . . than
matanza *f.* massacre
matemáticas *f.* mathematics
material *m.* material (6)

matrimonio *m.* marriage
máximo(a) maximum
mayo May
mayonesa *f.* mayonnaise
mayor older
mayoría *f.* majority
mecánico(a) *m.(f.)* mechanic
media *f.* stocking
medianoche *f.* midnight
médico *m.* or *f.* doctor
medio *m.* middle, means
   medio de transporte means of transportation
medio(a) half
   media hora half hour
   medio kilo de half a kilo of
mediodía *m.* noon
medir (i, i) to measure
mejor better
mejorar to improve
melancolía *f.* melancholy (9)
melocotón *m.* peach
melodía *f.* melody (9)
melón *m.* melon
menor younger
menos less
   al menos at least
   menos... que... less . . . than
   por lo menos at least
mensual monthly
a menudo often
mercado *m.* market
   mercado al aire libre open-air market
merienda *f.* snack
mermelada *f.* jam, jelly
mes *m.* month
meseta *f.* high plain
mesita de noche *f.* night table
metro *m.* subway
mexicano(a) Mexican
México Mexico
mezcla *f.* mixture (12)
mezclar to mix (11)
de mezclilla denim (1)
mi my
mí me
microbio *m.* microbe
Mido... I am . . . tall.
miedo *m.* fear
miércoles *m.* Wednesday

mil thousand
milagro *m.* miracle (11)
milla *f.* mile
millón million
mineral *m.* mineral
minuto *m.* minute
mirar to look at, watch
   mirar la televisión to watch television
   mirarse to look at oneself
   ¡Mira! Look!
misa de Acción de Gracias *f.* Thanksgiving mass
mismo(a) same
   lo mismo the same
misterioso(a) mysterious (12)
mitad *f.* half (5); middle
mítico(a) *m.* mythical (12)
mito *m.* myth (12)
mitológico(a) mythological (8)
mochila *f.* backpack
moda *f.* style
moderno(a) modern
de todos modos at any rate
mojado(a) wet (3)
molino *m.* mill (11)
   molino de viento *m.* windmill (11)
momento *m.* moment (4)
   en este momento at this moment
moneda *f.* coin (4)
montaña *f.* mountain
montañismo *m.* hiking
montar a caballo to ride a horse
   montar en bicicleta to ride a bicycle
morado(a) purple
mordida *f.* bite (12)
moreno(a) dark-haired, brunet(te)
morir (ue, u) to die
mosca *f.* fly (12)
mostrador *m.* counter
mostrar to show (1)
motivo *m.* motive (8)
motocicleta *f.* motorcycle, moped
moverse (ue) to move
movimiento *m.* movement
   movimiento muscular muscle movement
muchísimo very much
mucho(a) a lot
   muchas veces a lot of; many times

muerte *f.* death (10)
muerto(a) dead
muestra *f.* sign, indication
lo muestra shows it
mujer *f.* woman
mundo *m.* world
muñeca *f.* wrist
mural *m.* mural (7)
muralismo *m.* muralism (7)
murmurar to murmur (12)
músculo *m.* muscle
museo *m.* museum
música *f.* music
   música clásica classical music
   música de mariachi mariachi music
muslo *m.* thigh
muy very
   Muy bien, gracias. Very well, thank you.

N

nacer to be born (3)
   (Él / Ella) nació... (He / She) was born . . .
nacimiento *m.* birth (5)
nacionalidad *f.* nationality
nada nothing
nadar to swim
nadie no one, nobody (3)
naranja *f.* orange
nariz *f.* nose
natación *f.* swimming
naturaleza *f.* nature
navegación a vela *f.* sailing
navegar en velero (una tabla vela) to sail (to sailboard)
neblina *f.* fog
necesitar to need
negar to deny (11)
negocio *m.* business
   hombre (mujer) de negocios *m.(f.)* businessman(woman)
negro(a) black
nervio *m.* nerve
nervioso(a) nervous
ni... ni neither . . . nor (3)
ni siquiera not even
Nicaragua Nicaragua
nicaragüense Nicaraguan
niebla *f.* fog

nieto(a) *m.(f.)* grandson (daughter)
Nieva. It's snowing.
nieve *f.* snow
ningún / ninguno(a) none (3)
niñez *f.* childhood
nivel *m.* level (6)
no no
nobleza *f.* nobility (11)
noche *f.* night
   de la noche at night
   por la noche at night
nombre *m.* name
normalmente normally
norte *m.* north
norteamericano(a) North American
nosotros(as) *m.(f.)* we
noticia *f.* news
novecientos(as) nine hundred
novedad *f.* the latest
novela *f.* novel (10)
novelista *m.* or *f.* novelist (10)
noveno(a) ninth
noventa ninety
noviembre November
novio(a) *m.(f.)* boy(girl)friend, fiancé(e)
nube *f.* cloud
nublado cloudy
nuestro(a) our
nuevo(a) new
   de nuevo again
número *m.* number
nunca never

O

o or
o... o either . . . or (3)
obra *f.* work (7)
obrero(a) *m.(f.)* worker
occidental western
ochenta eighty
ochocientos(as) eight hundred
octavo(a) eighth
octubre October
ocupado(a) busy
ocuparse de to take care of
ocurrir to happen, to occur
odiar to hate
oeste *m.* west
oferta *f.* sale
   ¿No está en oferta? It's not on

sale?

oficina de correos *f.* post office
ofrecer to offer
oír to hear
ojalá que I hope that (7)
ojo *m.* eye
oler to smell
olor *m.* odor
onda *f.* wave (9)
opresión *f.* oppression (11)
optimista optimist(ic)
orden *m.* order
   a sus órdenes at your service
oreja *f.* ear
orgullo *m.* pride
orilla del mar *f.* seashore
oro *m.* gold
orquídeas *f.* orchids
oscilar to fluctuate (5)
oscuro(a) dark
otoño *m.* autumn, fall
otro(a) other
   otra cosa another thing
   en otra oportunidad at some other time
oveja *f.* sheep (12)
oxígeno *m.* oxygen

P

pabellón *m.* pavilion
paciente patient
padrastro *m.* stepfather
padre *m.* father
   padres *m. pl.* parents
paella *f.* Spanish dish with rice, shellfish, and chicken (2)
pagar to pay
país *m.* country
paisaje *m.* countryside, landscape
pájaro *m.* bird
pajilla *f.* drinking straw
palabra *f.* word
pálido(a) pale
palo *m.* stick
   palo de golf golf club
pan *m.* bread
   pan dulce any sweet roll
   pan tostado toast
panadería *f.* bakery
Panamá Panama

panameño(a) Panamanian
pantalones *m.* pants, slacks
   pantalones cortos *m.* shorts (1)
pantera *f.* panther (12)
pañuelo *m.* (decorative) scarf (1)
papa *f.* potato
papel *m.* paper
   papel de avión air mail stationery
   papel para escribir a máquina typing paper
papelería *f.* stationery store
un paquete de a package of
para for, in order to
Paraguay Paraguay
paraguayo(a) Paraguayan
parar stop
   sin parar without stopping
pardo(a) brown
parece it appears
   ¿Te parece bien? Is that okay with you?
pared *f.* wall
pareja *f.* pair, couple
pariente *m.* relative
parque *m.* park
parque zoológico *m.* zoo
parrillada *f.* variety of meats cooked on a grill (3)
parte *f.* part
   ¿De parte de quién? Who's calling? (4)
   en parte al menos at least in part
   parte del cuerpo body part
(el lunes / la semana) pasado(a) last (Monday / week)
partido *m.* game
pasar to pass
   pasar tiempo to spend time
   Lo pasamos bien. We have a good time.
paseo *m.* walk
   dar un paseo to take a walk
Te lo (la) paso. I'll get him (her). (4)
pasta *f.* pasta
pastel *m.* pastry, pie
pastilla *f.* pill
pata *f.* paw; leg (of furniture)
patata *f.* potato (Spain)
   patatas bravas potatoes in a spicy sauce
patinar to skate

patinar sobre ruedas to roller-skate
patria *f.* patriotism (11)
pecho *m.* chest
pechuga *f.* breast (3)
pectoral *m.* breastplate
pedazo *m.* piece
   hacer pedazos to break to pieces
   un pedazo de a piece of
pedir (i) to ask for, request
pegar to stick
peinarse to comb
pelea *f.* fight
película *f.* movie
   película de aventura adventure movie
   película de ciencia ficción science fiction movie
   película cómica comedy movie
   película de horror horror movie
peligro *m.* danger
pelirrojo(a) redheaded
pelo *m.* hair
pelota *f.* ball
   pelota de tenis tennis ball
peludo(a) hairy
peluquero(a) *m.(f.)* hairdresser
Me da pena. It's a pity. (4)
qué pena... what a shame . . . (9)
pensar (ie) to think
peor worse, worst
pepino *m.* cucumber
pepito *m.* sandwich made with tender filet of beef in a Mexican hard roll (3)
pequeño(a) small
pera *f.* pear
perder (ie) to lose
Perdón. Excuse me.
perezoso(a) lazy
perfeccionar to perfect
perfecto(a) perfect
periódico *m.* newspaper
periodista *m. or f.* journalist
período *m.* period (of time)
no permiten do not permit, do not allow
pero but
perrera *f.* kennel (5)
perro *m.* dog
persona *f.* person
personaje *m.* character (10)
Perú Peru
peruano(a) Peruvian

pesadilla *f.* nightmare

pesado(a) heavy

pesar to weigh

Peso… kilos. I weigh … kilos.

pescado *m.* fish

pesimista pessimist(ic)

pez *m.* fish (11)

piano *m.* piano

picante spicy

pico *m.* peak

pie *m.* foot

a pie on foot

piedra *f.* stone

pierna *f.* leg

piloto *m. or f.* pilot, race-car driver

pimienta *f.* pepper (spice)

pintar to paint (8)

pintor(a) *m.(f.)* painter

pintura *f.* painting

piscina *f.* swimming pool

piso *m.* floor

(en el primer) piso (on the first) floor

pista *f.* track

pizza *f.* pizza

placer *m.* pleasure (4)

plan *m.* floor plan

planchar to iron

planear to plan

plano del metro *m.* subway map

planta *f.* floor, plant

planta baja ground floor

plástico(a) plastic (6)

plata *f.* silver

plátano *m.* banana

platillo *m.* saucer (2)

plato *m.* dish, plate

plato hondo bowl (2)

playa *f.* beach

playa de estacionamiento *f.* parking lot

plaza *f.* square; seat in a train

pluma *f.* fountain pen; feather

poco(a) few, a little

poder *m.* power (12)

poder to be able (to), made an attempt; *n.m.* power

¿Puede Ud. arreglar la cuenta? Can you make up the bill?

No puedo dormir. I can't sleep.

poema *m.* poem (10)

poesía *f.* poetry (10)

poeta *m. or f.* poet (10)

policía *f.* police, *m.* police officer

estación de policía *f.* police station

polícroma polychromatic (7)

poliéster *m.* polyester (1)

política *f.* politics

pollo *m.* chicken

pollo al chilindrón Spanish dish with chicken in a spicy tomato sauce (2)

poner to put

poner la mesa to set the table

ponerse to put on

ponerse en forma to get in shape

por for, during

por eso that is why

por eso mismo for that very reason

por favor please

por fin finally

por… horas for … hours

por lo general in general

por lo menos at least

por supuesto of course

¿por qué? why?

¿por qué no? why not?

porque because

portafolio *m.* briefcase

portero(a) *m.(f.)* goaltender

posesión *f.* possession

posible possible (4)

póster *m.* poster

postre *m.* dessert (2)

potrillo *m.* young colt (12)

practicar to practice

practicar el surfing to surf

practicar la vela to sail

práctico(a) practical

precio *m.* price

preferencia *f.* preference

preferir (ie, i) to prefer

preguntar to ask (a question)

prehispánico(a) pre-Columbian

premio *m.* prize

prenda de vestir *f.* article of clothing (1)

preocupado(a) worried, preoccupied

No se preocupen. Don't worry.

preparar to prepare

les voy a preparar… I'm going to prepare / make … for you.

prepararse to get ready, prepare oneself

presentación *f.* presentation, introduction

presentar to present, introduce

Le (Te) presento a… This is … (introduction)

presión *f.* pressure

prestar atención to pay attention

primavera *f.* spring

primer(o/a) first

primo(a) *m.(f.)* cousin

príncipe *m.* prince (12)

al principio in / at the beginning

probarse to try on (1)

producto lácteo *m.* dairy product

profesión *f.* profession

profesor(a) *m.(f.)* professor, teacher

profundo(a) deep (11)

programa de intercambio *m.* exchange program

prohibir to prohibit (8)

en promedio on average

prometer to promise (11)

promover to promote

pronóstico *m.* forecast

pronto soon

propina *f.* tip

propio(a) own

protagonista *m. or f.* protagonist (11)

proteína *f.* protein

(el año / la semana) próximo(a) next (year / week)

publicar to publish (11)

pudo he / she / it could

pueblo *m.* town

puente *m.* bridge

puerco *m.* pork

puerta *f.* door

puerto *m.* port

Puerto Rico Puerto Rico

puertorriqueño(a) Puerto Rican

pues then, well then

pulmón *m.* lung

pulsera *f.* bracelet

punto *m.* point

Q

que that
¡Qué...! How...!
  ¡Qué bueno(a)! Great!
  ¡Qué comida más rica! What delicious food!
  ¡Qué cosa! Good grief!
  ¡Qué envidia! I'm envious!
  ¡Qué hay? What's new?
  ¡Qué horrible! How awful!
  ¡Qué pasó? What's going on?
  ¡Qué pena! What a pity!
  ¡Qué va! No way!
¿qué? what?
  ¿Qué día es hoy? What day is today?
  ¿Qué dijiste? What did you say?
  ¿Qué fecha es hoy? What is the date today?
  ¿Qué hora es? What time is it?
  ¿A qué hora...? What time...?
  ¿Qué tal? How are you?
  ¿Qué te pasa? What's the matter with you?
  ¿Qué te pasó? What happened to you?
  ¿Qué tiempo hace? What's the weather like?
quedar remain, stay
  quedarse chico / grande / mal / muy bien to look small / large / bad / good on (1)
  quedarse en cama to stay in bed
quejar to complain
querer (ie) to want, tried
  no querer refused
  querer decir to mean
querido(a) dear
quesadilla f. quesadilla, Mexican cheese turnover
queso m. cheese
  queso manchego cheese from La Mancha region in Spain (2)
¿quién? who?
  ¿De quién es? Whose is it?
Quiero presentarle(te) a... I want to introduce you to...
quietud f. quiet, stillness
química f. chemistry
quinceañera f. fifteenth birthday party
quinientos(as) five hundred

quinto(a) fifth
quiosco de periódicos m. newspaper kiosk
... quisiera... ... would like...
  Quisiera algo (alguna cosa) para... I would like something for...
  Quisiera presentarle(te) a... I would like to introduce you to...
  (Nosotros) quisiéramos... We would like...
quitar to take away
  quitar la mesa to clear the table

R

radio despertador m. clock radio
raíz f. (pl. raíces) root (11)
raqueta f. racquet
rara vez rarely
raza(a) strange (9)
rasgo m. trait (9)
un rato m. a while
de rayas striped (1)
rayo m. lightning
raza f. race (people) (12)
reacción f. reaction
real real (8)
realidad f. reality (10)
realismo m. realism (11)
realista realist(ic)
rebanada de pan f. slice of bread
recado m. message (4)
recepción f. reception desk
receta f. recipe (3); prescription
rechazado(a) rejected (9)
recibir to receive
recipiente m. container
recobrar to recover
lo recoge pick him / it up
récord m. record (sports)
recorrer to run through (12)
recorrido m. trip, run
rectángulo m. rectangle (8)
recuperar to recuperate
red f. network (4)
reflejar to reflect (11)
refrescarse to cool off
refresco m. soft drink
refrigerador m. refrigerator
regalar to give (5)

regalo m. gift
regatear to bargain
regocijo m. delight, rejoicing
regresar to return
regular okay, regular, average; to regulate
con regularidad regularly
reírse (i, i) to laugh
relato m. story
rellenar to fill out
remedio m. remedy
renacimiento m. rebirth
renovar (ue) to renew
repasar to review
de repente suddenly
repertorio m. repertoire (9)
repetir (i, i) to repeat
representar to represent (11)
la República Dominicana the Dominican Republic
res m. beef
  costilla de res beef ribs (3)
resbaloso(a) slippery
reseco(a) dried out (12)
reservación f. reservation
reservar to reserve (5)
resfriado m. cold
resonar (ue) to resound (9)
respirar to breathe (12)
respuesta f. answer, response
restaurante m. restaurant
resultado m. result
retrasar(se) to delay, be late (11)
  está retrasado(a) is late (5)
retrato m. portrait
reunirse to meet, get together
reventar to burst
revisar to review, check, look over
revista f. magazine (10)
rey m. king
rezar to pray (11)
rima f. rhyme (11)
rincón m. corner (12)
río m. river
riquísimo very delicious
risa f. laugh
ritmo m. rhythm (9)
  ritmo cardíaco m. heart rate
robar to rob, to steal
rock m. rock music
rodeado(a) surrounded (6)
rodilla f. knee

rojo(a) red
romántico(a) romantic
romper(se) to break (a body part)
roncar to snore
ropa *f.* clothing
rosado(a) pink
rubio(a) blond(e)
ruido *m.* noise (12)
Rusia Russia
ruso(a) Russian

S

sábado *m.* Saturday
saber to know (a fact), found out
sabio(a) *m.(f.)* wise person (12)
sabor *m.* flavor, taste
sabroso(a) tasty (3)
sacapuntas *m.* pencil sharpener
sacar to get out something, obtain
saco *m.* sports coat (1)
sal *f.* salt
sala *f.* room
   sala de baño bathroom
   sala de estar living room
salado(a) salty (3)
salida *f.* exit
salir (con / de / para) to leave (with / from / for)
   salir con to go out with
salsa *f.* type of music
   salsa picante hot, spicy sauce
saltar to jump
salto *m.* jump
salud *f.* health
saludar to greet
saludo *m.* greeting
salvadoreño(a) Salvadoran
sandalia *f.* sandal
sandía *f.* watermelon
sándwich (de jamón con queso) *m.* (ham and cheese) sandwich
sangre *f.* blood
sano(a) healthy
sapo *m.* toad
sátira *f.* satire (11)
o sea that is (3)
sección *f.* section (5)
seco(a) dry
secretario(a) *m.(f.)* secretary
seda *f.* silk (1)

en seguida right away, at once
seguir (i, i) to continue, follow
según according to
segundo(a) second
seguro(a) sure
seiscientos(as) six hundred
semana *f.* week
semanal weekly
semejante similar
sencillo(a) simple
sendero *m.* path
senderismo *m.* hiking
sensacional sensational
sensible sensitive
sentarse (ie) to sit down
sentimiento *m.* feeling
sentirse (ie,i) bien (mal) to feel good (bad)
señal *f.* signal, sign
   señal de marcar dial tone (4)
señalar to point (12)
señor *m.* Mr., sir
señora *f.* Mrs., ma'am
señorita *f.* Miss
septiembre September
séptimo(a) seventh
ser to be
   Será una sorpresa; no les digas nada. It will be a surprise; don't say anything to them.
serie *f.* series, sequence
serio(a) serious
servicios sanitarios *m.* rest rooms
servilleta *f.* napkin
servirse (i, i) to prepare for oneself, to serve oneself
   ¿En qué puedo servirle(s)? How can I help you?
sesenta sixty
setecientos(as) seven hundred
setenta seventy
sexto(a) sixth
si if
sí yes
siempre always
   ¡Siempre lo hacemos! We always do it!
¿Cómo te sientes? How do you feel?
¿Te sientes bien (mal)? Do you feel well (bad)?
Lo siento. I'm sorry.
siglo *m.* century

significar to mean
lo siguiente the following
silla *f.* chair
sillón *m.* armchair
simpático(a) nice
simple simple
sin without
   sin embargo nevertheless
   sin límite unlimited
   sin parar without stopping
sistema *m.* system
   sistema cardiovascular cardiovascular system
   sistema de clasificación classification system
situado(a) situated, located
sobre *m.* envelope
sobrenatural supernatural (12)
soda *f.* soda
sofá *m.* sofa, couch
sol *m.* sun
soledad *f.* solution (10)
sólo only
soltero(a) single
solución *f.* solution
sombra *m.* shadow
sombrero *m.* hat (1)
Son de... They are from . . . , They belong to . . .
Son las... It's . . . o'clock.
sonreírse (i, i) to smile
soñar to dream (12)
sopa *f.* soup (2)
sorprender to surprise
sorpresa *f.* surprise
sorteo *m.* raffle
(Yo) (no) soy de... I am (not) from . . .
(Yo) soy de origen... I am of . . . origin.
su his, her, its, your, their
suave soft, mild
subir to go up, climb, rise
   subir de peso to gain weight
sucio(a) dirty
sudaderas *f.* sweatpants (1)
sudar to sweat
sueño *m.* sleep, dream (12)
suerte *f.* luck
suéter *m.* sweater
suficiente sufficient, enough
sufrir to suffer
sugerir (ie, i) to suggest

¡Super! Super!
superficie *f.* area
superpuesto(a) superimposed (8)
sur *m.* south
surgir to surge; to appear
surrealismo *m.* surrealism (7)
surtidos(as) assorted (2)
susto *m.* scare

T

taco (de carne) *m.* (beef) taco
tal vez perhaps
talento *m.* talent
tallar to carve (8)
taller *m.* studio, workshop (7)
tamaño *m.* size (6)
también also, too
tambor *m.* drum (11)
tampoco neither
tan so
  tan(to)... como... as much... as...
  tan pronto como as soon as
tapa *f.* Spanish snack
taquería *f.* taco stand
taquilla *f.* booth
tardarse to take a long time
  tarda... minutos it takes... minutes
tarde late
tarde *f.* afternoon
  por la tarde in the afternoon
tarea *f.* homework
tarjeta *f.* card
  tarjeta de abono transportes commuter pass
  tarjeta de crédito credit card
  tarjeta de cumpleaños birthday card
  tarjeta del Día de la Madre Mother's Day card
taxi *m.* taxi
taza *f.* cup
té (helado) *m.* (iced) tea
teatral theatrical
  pieza teatral *f.* play (10)
teatro *m.* theater
técnica *f.* technique (12)

tecnológico(a) technological (10)
tela *f.* cloth, fabric (6)
teléfono *m.* telephone
televisor *m.* television set
  televisor a colores color television set
tema *m.* theme (7)
temer to be afraid, fear (9)
temperatura *f.* temperature
  La temperatura está en... grados (bajo cero). It's... degrees (below zero).
temprano early
tenedor *m.* fork
tener to have
  tener... años to be... years old
  tener dolor de... to have a... ache
  tener ganas de... to feel like...
  tener hambre to be hungry
  tener miedo to be afraid
  tener que to be obligated, be compelled to
  tener que ver con to have to do with (12)
  tener razón to be right
  tener sed to be thirsty
  tener suerte to be lucky
  Tenga la bondad de responder tan pronto como sea posible. Please be kind enough to respond as soon as possible.
tenis *m.* tennis
tercer(o/a) third
terminar to end; to finish
ternera *f.* veal (2)
ternura *f.* tenderness
terraza *f.* terrace, porch
terreno *m.* terrain, land, surface
territorio *m.* territory
tía *f.* aunt
tiempo *m.* time, weather
  a tiempo on time
  buen (mal) tiempo good (bad) weather
  ¿Cuánto tiempo hace? How long ago?
  ¿Cuánto tiempo hace que te sientes así? How long have you felt this way?
tienda *f.* store
  tienda de campaña tent

tienda de deportes sporting goods store
tienda de música music store
tienda de ropa clothing store
tiene he / she / it has
  ¿Tiene Ud...? Do you have...?
  ¿Tiene Ud. cambio de... pesetas? Do you have change for... pesetas?
  ¿Tiene Ud. la cuenta para...? Do you have the bill for...?
  ¿Cuántos años tienes? How old are you?
tierra *f.* land
tímido(a) timid
tío *m.* uncle
tirarse to dive, throw oneself
toalla *f.* towel
tobillo *m.* ankle
tocar to touch, play (instrument); to be one's turn
todavía still, yet
todo(a) all
  en todo caso in any event
  Es todo. That's all.
  todos los días every day (3)
  de todos modos at any rate
tomar to take
  tomar el sol to sunbathe
  tomar la temperatura to take a temperature
tomate *m.* tomato
tonalidad *f.* tonality (7)
tonificar to tone up
tono muscular *m.* muscle tone
tonto(a) silly, stupid, foolish
torcerse to twist (a body part)
torero(a) bullfighter
tormenta *f.* storm
torpe clumsy
tortilla *f.* cornmeal pancake (Mexico)
  tortilla de patatas Spanish omelette
tos *f.* cough
toser to cough
tostador *m.* toaster
trabajador(a) *m.(f.)* worker, hardworking
trabajar to work
tradicional traditional
traducir to translate (9)
traer to bring
trágico(a) tragic (11)
tráigame... bring me...

traje *m.* suit (1)
traje de baño *m.* bathing suit (1)
transmitir to transmit (11)
trasero(a) back, rear
tratar to treat
  tratar de to try to
  tratarse de to deal with; to be a
    question of
trazar to trace (11)
tren *m.* train
tres three
trescientos(as) three hundred
trigo *m.* wheat
triste sad
trompeta *f.* trumpet
trotar to jog
Truena. There's thunder.
trueno *m.* thunder
tu your
tú you (familiar)
tubérculo *m.* tuber
turista *m.* or *f.* tourist
¿Tuviste algún accidente? Did you have
  an accident?

U

último(a) last
un(a) *m.(f.)* a, an
  Un(a)..., por favor. One . . . ,
    please.
únicamente only
universal universal (11)
universidad *f.* university
uno one
unos(as) some
Uruguay Uruguay
uruguayo(a) Uruguayan
usted/Ud. you (formal)
usualmente usually
útil *m.* or *f.* useful
uva *f.* grape

V

vaca *f.* cow (11)
vacaciones *f.* vacation
vacío(a) vacant, empty
vagón *m.* (train) car (5)
valentía *f.* courage (11)

valiente brave
valija *f.* valise (6)
valor *m.* value (11)
¡Vamos! Let's go!
  Vamos a... Let's go . . .
  Vamos a ver. Let's see.
  nos vamos we're leaving
vaqueros *m.* jeans (1)
variado(a) varied
varios(as) various, several
vaso *m.* glass
a veces sometimes
vecino(a) *m.(f.)* neighbor
vegetal *m.* vegetable
veinte twenty
velocidad *f.* speed
nos vemos we'll see each other
vendedor(a) *m.(f.)* salesman (woman)
vender to sell
venezolano(a) Venezuelan
Venezuela Venezuela
venir to come
ventaja *f.* advantage
ventana *f.* window
ver to see
  A ver. Let's see.
verano *m.* summer
¿De veras? Really?
verdad *f.* truth
  ¿verdad? right?
verdaderamente truly
verde green
verdura *f.* vegetable (3)
qué vergüenza... what a shame . . . (9)
No te ves muy bien. You don't look very
  well.
vestido *m.* dress
vestirse (i, i) to get dressed
vez *f.* time, instance
  una vez once
  una vez al año once a year
  de vez en cuando from time to
    time
viajar to travel
viaje *m.* trip
  agencia de viajes *f.* travel agency
vida *f.* life
vídeo *m.* videocassette, VCR
vidrio *m.* glass; windowpane
viejo(a) old
viento *m.* wind

viernes *m.* Friday
vino *m.* wire
violeta violet
violín *m.* violin
virus *m.* virus
visitar to visit
vista nocturna *f.* night vision
vitamina *f.* vitamin
vivir to live
  (Yo) vivo en... I live in . . .
volar to fly
volcán *m.* volcano
vólibol *m.* volleyball
volver (ue) to return
vosotros(as) *m.(f.)* you (familiar plural)
voz *f.* voice
  en voz alta aloud, in a loud voice
vuelo *m.* flight (6)
vuelta *f.* lap (around a track or pool)

W

WC *m.* toilet
waterpolo *m.* waterpolo
windsurf *m.* windsurfing

Y

y and
ya already
  ya en casa once home
  ¡Ya es hora! It's about time.
yo I
yogur *m.* yogurt

Z

zanahoria *f.* carrot
zapatería *f.* shoe store
zapato *m.* shoe
  zapato de tacón high-heeled shoe
  zapato de tenis tennis shoe
zoológico(a) zoological (10)

Glossary

English-Spanish

The numbers in parentheses refer to the chapters in which active words or phrases may be found.

A

a, an **un(a); algún / alguno(a)** *m.(f.)* (3)
ability **habilidad** *f.*
(to) be able to **poder**
about **como a**
absence **ausencia** *f.*
Absolutely not! **¡No, en absoluto!**
abstract **abstracto(a)** (8)
(to) accept **aceptar** (4)
accident **accidente** *m.*
   Did you have an accident? **¿Tuviste algún accidente?**
according to **según**
accordion **bandoneón** *m.* (9)
accountant **contador(a)** *m.(f.)*
accustomed **acostumbrado(a)**
(head / back / stomach)ache **dolor de (cabeza / espalda / estómago)** *m.*
(to) achieve **alcanzar**
across **a través de**
across from **frente a, en frente de**
action **acción** *f.*
active **activo(a)**
(to) add **añadir** (11)
additional **adicional**
adjustment **ajuste** *m.*
(to) admit **admitir**
(to) adore **adorar**
(to) advance **avanzar**
advantage **ventaja** *f.*
(to) take advantage of **aprovechar**
adventure movie **película de aventura** *f.*
adventurous **aventurero(a)**
advisable **aconsejable** (8)
(to) do aerobics **hacer ejercicios aeróbicos**
affection **cariño** *m.*
(to) be afraid **tener miedo, temer**
after **después**
afternoon **tarde** *f.*
   in the afternoon **por la tarde** (C)
afterwards **luego**
again **de nuevo** (7)
against the wall **contra la pared**

age **edad** *f.* (5)
agility **agilidad** *f.*
. . . ago **hace...** (C)
agreement **acuerdo** *m.*
air-conditioned **aire acondicionado** (6)
airplane **avión** *m.*
airport **aeropuerto** *m.*
all **todo(a)**
allergy **alergia** *f.* (11)
alligator **caimán** *m.* (11)
do not allow **no permiten**
almond **almendra** *f.*
almost **casi**
already **ya**
also **también**
alteration **cambio** *m.*
although **aunque**
always **siempre**
ambitious **ambicioso(a)**
American **americano(a)**
   American, from the United States **estadounidense**
(to) analyze **analizar** (11)
and **y**
angel **ángel** *m.* (12)
angry **enojado(a)**
animal **animal** *m.*
ankle **tobillo** *m.*
(to) announce **anunciar**
annual **anual**
another thing **otra cosa**
(to) answer **contestar**
   Answer me as soon as possible. **Contéstame cuanto antes.**
answer **respuesta** *f.*
antibiotic **antibiótico** *m.*
antihistamine **antihistamínico** *m.* (11)
anxiety **ansiedad** *f.*
any **cualquier**
apartment **apartamento** *m.*
(to) apologize **disculparse**
apparently **aparentemente**
(to) appeal **apetecer** (2)
(to) appear **aparecer** (12)
it appears **parece**

appetizer **aperitivo** *m.* (2)
apple **manzana** *f.*
appointment **cita** *f.*
(to) approach **acercarse**
April **abril**
architect **arquitecto(a)** *m.(f.)*
area **superficie** *f.*
Argentina **Argentina**
Argentine **argentino(a)**
(to) argue **discutir**
arm **brazo** *m.*
armchair **sillón** *m.*
around **a eso de**
(to) arrange **arreglar**
(to) arrive (at / from) **llegar (a / de)**
arrow **flecha** *f.* (10)
art **arte** *m.* or *f.*
article **artículo** *m.*
artist **artista** *m.* or *f.* (7)
as **como**
ash **ceniza** *f.*
(to) ask (a question) **preguntar**
(to) ask for **pedir (i)**
(to) fall asleep **dormirse (ue)**
asparagus **espárrago** *m.* (2)
aspirin **aspirina** *f.* (11)
assorted **surtidos(as)** (2)
(to) assure **asegurar**
at **a**
at about **a eso de**
athlete **atleta** *m.(f.)*
athletic **atlético(a)**
atmosphere **ambiente** *m.*
attack **ataque** *m.*
(to) attend **asistir a**
attitude **actitud** *f.*
(to) attract **atraer**
August **agosto**
aunt **tía** *f.*
author **autor(a)** *m.(f.)* (10)
autumn **otoño** *m.*
available **disponible**
avenue **avenida**
average **regular**

B

baby **bebé** *m.* or *f.*
back **espalda** *f.*
   in back of **detrás de**
backpack **mochila** *f.*
bad **malo(a)**
bakery **panadería** *f.*
balanced **balanceado(a)**
ball **pelota** *f.;* **balón** *m.*
balloon **globo** *m.*
ballpoint pen **bolígrafo** *m.*
banana **banana** *f.*
bank **banco** *m.*
(to) bargain **regatear**
(to) bark **ladrar** (12)
baseball **béisbol** *m.*
basket **canasta** *f.*
basketball **básquetbol** *m.;* **baloncesto**
   m.
bass **bajo** *m.* (9)
bath **baño** *m.*
(to) bathe oneself **bañarse**
bathing suit **traje de baño** *m.* (1)
bathroom **sala de baño** *f.*
battle **batalla** *f.* (11)
(to) be **estar, ser**
   (to) be in a bad mood **estar de mal**
    humor
   (to) be . . . years old **tener... años**
beach **playa** *f.*
bean **grano** *m.*
   beans **frijoles** *m.*
beard **barba** *f.*
beautiful **hermoso(a)**
because **porque**
(to) become **convertirse en**
bed **cama** *f.*
   (double / single) bed **cama**
    (matrimonial / sencilla)
bedroom **dormitorio** *m.*
beef **carne de res, carne** *f.*
   beef ribs **costilla de res** (3)
before **antes de** (5)
(to) begin **comenzar (ie) empezar(ie)** (8)
beginning **comienzo** *m.*
in / at the beginning **al principio**
behind **detrás de**
belief **creencia** *f.* (12)
(to) believe **creer**
Belize **Belice**

bell **campana** *f.* (12)
It belongs to . . . **Es de...**
   They belong to . . . **Son de...**
belt **cinturón** *m.*
(to) benefit **beneficiarse**
berth compartment **departamento de lit-**
   eras *m.* (5)
beside **al lado de**
besides **además**
better **mejor**
between . . . and . . . **entre... y...**
bicycle **bicicleta** *f.*
(to) bicycle **hacer ciclismo**
bidet **bidé** *m.*
big **grande**
bill **cuenta** *f.*
   Can you make up the bill? **¿Puede**
    Ud. arreglar la cuenta?
   Do you have the bill for . . . ? **¿Tiene**
    Ud. la cuenta para...?
biology **biología** *f.*
bird **pájaro** *m.*
birth **nacimiento** *m.* (5)
birthday **cumpleaños** *m.*
   birthday card **tarjeta de**
    cumpleaños *f.*
biscuit **galleta** *f.*
bite **mordida** *f.* (12)
black **negro(a)**
blind **ciego(a)** (11)
blond(e) **rubio(a)**
blood **sangre** *f.*
blouse **blusa** *f.*
blue **azul**
boat **barco** *m.*
body part **parte del cuerpo** *f.*
(to) boil **hervir**
Bolivia **Bolivia**
Bolivian **boliviano(a)**
bone **hueso** *m.*
book **libro** *m.*
bookshelf **estante** *m.*
bookstore **librería** *f.*
boot **bota** *f.*
booth **taquilla** *f.*
border **frontera** *f.*
bored, boring **aburrido(a)**
(to) be born **nacer** (3)
   (He / She) was born . . . **(Él / Ella)**
    nació...
both **los(las) dos; ambos(as)**

a bottle of **una botella de**
boutique **boutique** *f.*
bowl **plato hondo** *m.* (2)
bowling **boliche** *m.*
boyfriend **novio** *m.*
bracelet **pulsera** *f.*
brave **valiente**
Brazil **Brasil**
bread **pan** *m.*
(to) break (a body part) **romper(se)**
breakfast **desayuno** *m.*
breast **pechuga** *f.* (3)
breastplate **pectoral** *m.*
(to) breathe **respirar** (12)
bridge **puente** *m.*
briefcase **portafolio** *m.*
   briefcase **maletín** *m.* (6)
(to) bring **traer**
bring me . . . **tráigame...**
brother **hermano** *m.*
brown **pardo(a)**
   brown, dark **café**
   medium-brown hair **castaño(a)**
brunet(te) **moreno(a)**
(to) brush (one's hair / teeth) **cepillarse (el**
   pelo / los dientes)
building **edificio** *m.*
bullfighter **torero(a)**
a bunch of **un atado de**
bus **autobús** *m.*
   bus terminal **estación de auto-**
    buses *f.*
business **negocio** *m.*
businessman(woman) **hombre (mujer) de**
   negocios *m.(f.)*
busy **ocupado(a)** (3)
but **pero**
butcher shop **carnicería** *f.*
butter **mantequilla** *f.*
butterfly **mariposa** *f.*
(to) buy **comprar**

C

café **café** *m.*
calcium **calcio** *m.*
calculator **calculadora** *f.*
calf (animal) **becerro** *m.* (11)
(to) call attention **llamar la atención** (10)
Calm down! **¡Cálmate!**
calorie **caloría** *f.*

camera **cámara** *f.*
(to) camp **acampar**
camper **coche-caravana** *m.*
campground **área de acampar** *f.*
a can of **una lata de**
Canada **Canadá**
Canadian **canadiense**
candy **dulce** *m.*
canoe/kayak **canookayak**
canteen **cantimplora** *f.*
canyon **cañón** *m.*
capacity **capacidad** *f.*
capital city **capital** *f.*
car **coche** *m.*
car (train) **vagón** *m.* (5)
carbonated **con gas**
   not carbonated **sin gas**
card **tarjeta** *f.*
cardiovascular system **sistema cardiovascular**
(to) care for **cuidar**
   (to) take care of **ocuparse de**
   Take care of yourself. **Cuídese.**
   (Cuídate.)
careful **cuidadoso(a)** (8)
   Careful! **¡Cuidado!**
carpet **alfombra** *f.*
carrot **zanahoria** *f.*
(to) carry **llevar**
   (to) carry out **llevar a cabo**
(to) carve **tallar** (8)
in cash **en efectivo**
cat **gato** *m.*
category **categoría** *f.*
cathedral **catedral** *f.*
cattle **ganado** *m.* (11)
cause **causa** *f.*
(to) celebrate **celebrar**
center **centro** *m.*
century **siglo** *m.*
cereal **cereal** *m.*
chair **silla** *f.*
   armchair **sillón** *m.*
(to) change **cambiar**
change **cambio** *m.*
   Do you have change for . . . pesetas?
   ¿Tiene Ud. cambio de... pesetas?
character **personaje** *m.* (10)
(to) take charge of **encargarse de; hacerse cargo de** (12)
(to) chat **charlar**

cheap **barato(a)**
(to) check **revisar**
(to) check (baggage) **facturar** (6)
cheese **queso** *m.*
   cheese from La Mancha region in Spain
   queso manchego *m.* (2)
cheeseburger **hamburguesa con queso** *f.*
chemistry **química** *f.*
chess **ajedrez** *m.*
chest **pecho** *m.*
chicken **pollo** *m.*
childish **infantil**
childhood **niñez** *f.*
Chile **Chile**
Chilean **chileno(a)**
chills **escalofríos** *m.*
China **China**
Chinese **chino(a)**
chivalry **caballería(s)** *f.* (11)
chocolate **chocolate** *m.*
chops (meat) **chuletas** *f.* (2)
church **iglesia** *f.*
city **ciudad** *f.*
classic(al) **clásico(a)**
classification system **sistema de clasificación**
clean **limpio(a)** (3)
(to) classify **clasificar**
(to) clear the table **quitar la mesa**
It's a clear day. **Está despejado.**
clerk **dependiente(a)** *m.(f.)*
(to) climb **subir**
clock radio **radio despertador** *m.*
closed **cerrado(a)** (3)
closet **clóset** *m.*
cloth (fabric) **tela** *f.* (6)
clothing **ropa** *f.*
   article of clothing **prenda de vestir** *f.* (1)
   clothing store **tienda de ropa** *f.*
cloud **nube** *f.*
cloudy **nublado**
   It's a cloudy day. **Está nublado.**
club **club** *m.*
clumsy **torpe**
coast **costa** *f.*
coat **abrigo** *m.*
coffee (with milk) **café (con leche)** *m.*
coin **moneda** *f.* (4)
a cold **catarro** *m.; resfriado* *m.*

cold **frío(a)**
Colombia **Colombia**
Colombian **colombiano(a)**
color **color** *m.*
   What color is . . . ? **¿De qué color es...?**
colt **potrillo** *m.* (12)
(to) comb **peinarse**
(to) come **venir**
comedy movie **película cómica** *f.*
comfort **confort**
comfortable **cómodo(a), confortable**
comical **cómico(a)**
(to) comment **comentar**
commuter pass **tarjeta de abono transportes** *f.*
compact disc **disco compacto** *m.*
company **compañía** *f.*
comparison **comparación** *f.*
competition **competencia** *f.* (9)
(to) complain **quejar**
complete **completo(a)**
complex **complejo(a)**
complicated **complicado(a)** (8)
computer **computadora** *f.*
concert **concierto** *m.*
consecutive **consecutivo(a)**
constantly **constantemente**
(to) contain **contener** (6)
content **contento(a)**
contest **concurso** *m.*
(to) continue **continuar, seguir (i, i)**
continuous **continuo(a)**
convenient **conveniente**
(to) cook **cocinar**
cookie **galleta** *f.*
cool **fresco(a)**
(to) cool off **refrescarse**
copper **cobre** *m.*
corn **maíz** *m.*
corner **rincón** *m.* (12)
on the corner of . . . and . . . **en la esquina de... y...**
cornmeal pancake (Mexico) **tortilla** *f.*
(to) correct **corregir** (11)
corridor **corredor** *m.*
(to) cost **costar (ue)**
Costa Rica **Costa Rica**
Costa Rican **costarricense**
costly **costoso(a)**
(it) costs **cuesta**

cotton **algodón** m.

couch **sofá** m.

cough **tos** f.
  cough syrup **jarabe** m.

(to) cough **toser**

(he / she / it) could **pudo**

I'm counting on you. **Cuento contigo.**

country **país** m.

country code **código territorial** m. (4)

countryside **paisaje** m.

courage **valentía** f. (11)

cousin **primo(a)** m.(f.)

(to) cover **cubrir**

cow **vaca** f. (11)

cream **crema** f.

creation **creación** f. (11)

creative **creador(a)** (8)

credit card **tarjeta de crédito** f.

critic **crítico(a)** m.(f.) (11)

crocodile **cocodrilo** m. (12)

croissant **croissant** m.

cross **cruz** f.)

(to) cross **cruzar, atravesar**

(to) cry **llorar**

crying **llanto** m. (12)

Cuba **Cuba**

Cuban **cubano(a)**

cubism **cubismo** m. (7)

cucumber **pepino** m.

(to) cultivate **cultivar**

culture **cultura** f. (11)

cup **taza** f.

current **corriente** f. (11)

curtain **cortina** f.

(caramel) custard **flan** m.

custom **costumbre** f.
  customarily **de costumbre**

(to) cut (oneself) **cortar(se)**

cycling **ciclismo** m.

cyclone **ciclón** m.

D

dairy **lácteo**
  dairy product **producto lácteo** m.

dance **baile** m.; **danza** f. (9)
  popular dance **baile popular**

(to) dance **bailar**

danger **peligro** m.

dark **oscuro(a)**

dark-haired **moreno(a)**

date **fecha** f.; (appointment) **cita** f.
  What is the date? **¿A cuántos estamos?**
  What is the date today? **¿Qué fecha es hoy?, ¿Cuál es la fecha de hoy?**

daughter **hija** f.

day **día** m.
  these days **hoy día** (3)
  What day is today? **¿Qué día es hoy?**

dead **muerto(a)**

dear **querido(a)**

death **muerte** f. (10)

(to) deceive **engañar**

December **diciembre**

deception **desengaño** m. (9)

deep **profundo(a); hondo(a)**

defeat **derrota** f.

defense **defensa** f.

degree **grado** m.
  It's ... degrees (below zero). **La temperatura está en... grados (bajo cero).**

delicious **delicioso(a)**
  very delicious **riquísimo**
  What delicious food! **¡Qué comida más rica!**

Delighted. **Encantado(a).**

(to) demand **demandar**

denim **de mezclilla** (1)

dentist **dentista** m. or f.

(to) deny **negar** (11)

(to) depend on **depender de** (1)

descent **descenso** m.

(to) describe **describir**
  Describe ... for me. **Descríbeme...**
  describes to him, her, you **le describe**

design **diseño** m. (8)

desk **escritorio** m. (A)

desperate **desesperado(a)**

dessert **postre** m. (2)

destination **destino** m. (5)

destiny **destino** m. (11)

detail **detalle** m.

(to) develop **desarrollar**

development **desarrollo** m.

(to) devote oneself **dedicarse**

(to) dial (a telephone) **marcar** (4)

dial tone **señal de marcar** f. (4)

diamond **diamante** m. (12)

(to) die **morir (ue, u)**

difficulty **dificultad** f.

digestion **digestión** f.

digit **cifra** f. (4)

dignity **dignidad** f. (11)

dining room **comedor** m.

dinousaur **dinosaurio** m. (10)

(to) direct **dirigir**
  in which direction? **¿en qué dirección?**

directly **directamente**

dirty **sucio(a)**

disagreeable **antipático(a)**

(to) disappear **desaparecer** (12)

discotheque **discoteca** f. (B)

discreet **discreto(a)** (3)

dish **plato** m. (6)

dish made with corn tortillas and chiles **chilaquiles** m. (3)
  Spanish dish with chicken in a spicy tomato sauce **pollo al chilindrón** (2)
  Spanish dish with rice, shellfish, and chicken **paella** f. (2)

dishonest **deshonesto(a)**

(to) dive **tirarse, clavarse** (Mexico)

diver **clavadista** m. or f.

diversity **diversidad** f. (8)

(to) divide **dividir**

divorced **divorciado(a)**

(to) do **hacer**
  I'm going to do it. **Yo voy a hacerlo.**
  We always do it! **¡Siempre lo hacemos!**

doctor **doctor(a)** m.(f.), **médico(a)** m.(f.)

dog **perro** m.

Dominican **dominicano(a)**

Dominican Republic **República Dominicana**

dominoes **dominó** m.

donkey **asno** m. (11)

door **puerta** f.

dose **dosis** f.

doubt **duda** f.

(to) go down **bajar**

downtown **centro** m.

dozen **docena**

(to) draw **dibujar** (7)

drawer **cajón** m.

drawing **dibujo** m. (7)

dream **sueño** m. (12)

(to) dream **soñar** (12)

dress **vestido** m.

(to) get dressed **vestirse (i,i)**

dresser **cómoda** *f.*
dried out **reseco(a)** (12)
drink **bebida** *f.*
(to) drive **conducir**
It's drizzling. **Llovizna.**
(to) drown **ahogarse** (11)
drugstore **farmacia** *f.*
drum **tambor** *m.* (11)
dry **seco(a)**
during **durante, por**

E

each **cada**
ear **oreja** *f.*
early **temprano**
    is early **está adelantado(a)** (5)
(to) earn **ganar**
earring **arete** *m.*
east **este** *m.*
easy **fácil**
    (to) eat **comer**
    (to) eat breakfast **desayunarse**
    (to) eat supper **cenar**
economical **económico(a)**
Ecuador **Ecuador**
Ecuadoran **ecuatoriano(a)**
efficient **eficiente**
egg **huevo** *m.*
eight hundred **ochocientos(as)**
eighth **octavo(a)**
eighty **ochenta**
either . . . or **o...o** (3)
El Salvador **El Salvador**
elbow **codo** *m.*
elegant **elegante**
elevator **ascensor** *m.*
employee **empleado(a)** *m.(f.)*
empty **vacío(a)**
enchilada **enchilada** *f.*
encyclopedia **enciclopedia** *f.* (10)
(to) end **terminar** *m.* (9)
at the end of **al final de, al fondo de**
energy **energía** *f.*
engineer **ingeniero(a)** *m.(f.)*
England **Inglaterra**
English **inglés(esa)**
(to) enjoy **disfrutar de**
enjoyable **divertido(a)**
(to) enliven **animar**
enough **bastante, suficiente**

Enough! **¡Basta!**
entertainment **entretenimiento** *m.*
entrance ticket **entrada** *f.*
entrée **entrada** *f.* (2)
envelope **sobre** *m.*
I'm envious! **¡Qué envidia!**
epidemic **epidemia** *f.*
equality **igualdad** *f.*
equipment **equipo** *m.*
eraser **borrador** *m.*
errand **mandado** *m.*
    (to) do an errand **hacer un mandado**
(to) escort **escoltar**
essay **ensayo** *m.* (10)
essayist **ensayista** *m.* or *f.* (10)
(to) establish **establecer; asentar**
eternal **eterno(a)** (11)
ethnic **étnico(a)** (11)
in any event **en todo caso**
every **cada** (10)
    every day **todos los días; cada día** (3)
exactly **exactamente, exacto**
(to) exaggerate **exagerar**
example **ejemplo** *m.*
exchange program **programa de intercambio** *m.*
Don't get excited! **¡No te excites!**
Excuse me. **Perdón.**
(to) do exercises **hacer gimnasia**
(to) exercise **hacer ejercicio**
exit **salida** *f.*
expensive **caro(a)**
expert **experto(a)**
(to) expose **exponer** (7)
(to) express **expresar**
expression **expresión** *f.*
eye **ojo** *m.*
eyedrops **gotas para los ojos** *f.*

F

fabrication **fabricación** *f.* (8)
face **cara** *f.*
(to) facilitate **facilitar**
facing **frente a, en frente de**
fact **hecho** *m.* (12)
fair **feria** *f.*
faith **fe** *f.* (11)
faithful **fiel** (11)

fall **otoño** *m.*
(to) fall **caerse**
    (to) fall in love **enamorarse**
family **familia** *f.*
famous **famoso(a)**
fan (of sports) **aficionado(a)** *m.(f.)*
fantasy **fantasía** *f.* (12)
far from **lejos de**
farmhand **labrador** *m.* (11)
fat **gordo(a)** *adj.*
fat **grasa** *f.*
father **padre** *m.*
Father's Day **el Día del Padre**
fault **culpa** *f.*
fauna **fauna** *f.* (8)
favorite **favorito(a)**
fear **miedo** *m.*
February **febrero**
(to) feel good (bad) **sentirse (ie,i) bien (mal)**
    Do you feel well (bad)? **¿Te sientes bien (mal)?**
(to) feel like . . . **tener ganas de...**
feeling **sentimiento** *m.*
ferocious **feroz**
festival (religious) honoring a town's patron saint **fiesta del pueblo**
fever **fiebre** *f.*
few **poco(a)**
fiance(é) **novio(a)** *m.(f.)*
fiber **fibra** *f.*
field (sports) **campo de juego** *m.*, **cancha** *f.*
field hockey **hockey sobre hierba** *m.*
fifteenth birthday party **quinceañera** *f.*
fifth **quinto(a)**
fifty **cincuenta**
fight **pelea** *f.*
(to) fight **luchar**
finally **finalmente, por fin**
(to) find **encontrar (ue)**
fine **bien**
finger **dedo (de la mano)** *m.*
fire **fuego** *m.*
fireworks **fuegos artificiales** *m.*
first **primer(o/a)**
    in the first place **en primer lugar**
first aid kit **botiquín** *m.*
fish **pescado** *m.;* **pez** *m.* (11)
(to) fit **caber** (12)
five hundred **quinientos(as)**

(to) fix **arreglar**
flashy **llamativo(a)** (7)
flavor **sabor** *m.*
flight **vuelo** *m.* (6)
(to) float **flotar**
floor **planta** *f.;* **piso** *m.*
   (on the first) floor **(en el primer) piso**
    floor plan **plan** *m.*
    ground floor **planta baja**
flora **flora** *f.* (8)
flour **harina** *f.*
flower **flor** *f.*
flower shop **florería** *f.*
flu **gripe** *f.*
(to) fluctuate **oscilar** (5)
flute **flauta** *f.*
fly **mosca** *f.* (12)
(to) fly **volar**
fog **neblina** *f.;* **niebla** *f.*
It's foggy. **Hay niebla.**
folk dance **baile folklórico** *m.*
folklore **folklore** *m.* (11)
(to) follow **seguir (i, i)**
the following **lo siguiente**
food **alimento** *m.;* **comida** *f.*
foolish **tonto(a)**
foot **pie** *m.*
   on foot **a pie**
football **fútbol americano** *m.*
for **por, para**
   for . . . hours **por . . . horas**
forecast **pronóstico** *m.*
forehead **frente** *f.*
foreign **extranjero(a)**
forest **bosque** *m.*
fork **tenedor** *m.*
form **forma** *f.* (8)
(to) form **formar**
formal **formal**
fortunately **afortunadamente**
forty **cuarenta**
found out **saber** (in preterite)
fountain **fuente** *f.*
fountain pen **pluma** *f.*
four hundred **cuatrocientos(as)**
fourth **cuarto(a)**
France **Francia**
free **libre** (4)
free of charge **gratis** (5)
French **francés(esa)**

frequently **con frecuencia, frecuentemente**
Friday **viernes** *m.*
fried **frito(a)** (2)
friend **amigo(a)** *m.(f.)*
friendly **amable**
Is from . . . **Es de…**
in front of **delante de**
frozen **congelado(a)**
fruit **fruta** *f.*
   fruit salad **ensalada de frutas** *f.*
full **lleno(a)**
(to) function **funcionar**
funny **cómico(a)**
furious **furioso(a)**
(fully) furnished **(completamente) amueblado**
fusion **fusión** *f.* (12)
future **futuro** *m.*

G

(to) gain weight **subir de peso**
game **partido** *m.*
(two-car) garage **garaje (para dos coches)** *m.*
garden **jardín** *m.*
garlic **ajo** *m.* (2)
in general **por lo general**
generous **generoso(a)**
gentleman **caballero** *m.* (11)
geography **geografía** *f.*
German **alemán(ana)**
Germany **Alemania**
(to) get **conseguir**
I'll get him (her). **Te lo (la) paso.** (4)
(to) get out something **sacar**
(to) get together **reunirse**
(to) get up **levantarse**
giant **gigante** *m.* (11)
gift **regalo** *m.*
girlfriend **novia** *f.*
(to) give **dar**
(to) give (a gift) **regalar** (5)
glass **vidrio** *m.*
(drinking) glass **vaso** *m.*
globe **globo** *m.*
glove **guante** *m.* (1)
(to) go **ir**
   I go **voy**
   (to) go along **andar**

(to) go away **irse**
(to) go to bed **acostarse (ue)**
(to) go camping **ir de camping**
(to) go down **bajar**
(to) go fishing **ir de pesca**
(to) go up **subir**
(to) go with **hacer juego con…** (1)
(to) give a going-away party **darles la despedida**
(to) be going to . . . **ir a…**
goal (sports) **gol** *m.*
goaltender **arquero(a)** *m.(f.),* **portero(a)** *m.(f.)*
goat **chivo(a)** *m.(f.)* (11)
god **dios** *m.*
gold **oro** *m.*
golf **golf** *m.*
good **bueno(a)**
   Good afternoon. **Buenas tardes.**
   Good evening. **Buenas noches.**
   Good grief! **¡Qué cosa!**
   Good heavens! **¡Ave María!**
   Good morning. **Buenos días.**
   Good night. **Buenas noches.**
good-bye **adiós, chao**
   (to) say good-bye **darles la despedida**
   (to) say good-bye to **despedirse (i, i) de**
government **gobierno** *m.*
(50) grams of **(50) gramos de**
granddaughter **nieta** *f.*
grandfather **abuelo** *m.*
grandmother **abuela** *f.*
grandson **nieto** *m.*
grape **uva** *f.*
grass **hierba** *f.*
grave **grave** *adj.*
gray **gris**
Great! **¡Qué bueno(a)!** great **¡Estupendo(a)!** (4)
Great Britain **Gran Bretaña**
great-grandfather **bisabuelo** *m.* (11)
great-grandmother **bisabuela** *f.* (11)
green **verde**
(to) greet **saludar**
greeting **saludo** *m.*
grenadine **granadina** *f.*
grief **duelo** *m.*
grievous **grave**
ground floor **planta baja**

group **grupo** *m.*
(to) grow **crecer** (12)
growth **crecimiento** *m.*
guacamole **ensalada de guacamole** *f.*
Guatemala **Guatemala**
Guatemalan **guatemalteco(a)**
(to) guess **adivinar**
guest **huésped**
guitar **guitarra** *f.*
gym(nasium) **gimnasio** *m.*

H

hair **pelo** *m.*
hairdresser **peluquero(a)** *m.(f.)*
hairy **peludo(a)**
half **medio(a)**
half **mitad** *f.* (5)
hallway **corredor** *m.*
ham **jamón** *m.*
    Spanish ham, similar to prosciutto
    jamón serrano *m.* (2)
hamburger **hamburguesa** *f.*
hand **mano** *f.*
handsome **guapo(a)**
(to) hang up **colgar** (4)
(to) happen **ocurrir**
    What happened to you? **¿Qué te pasó?**
happy **alegre; feliz**
(to) make happy **alegrar** (9)
hard-working **trabajador(a)**
harp **arpa** *f.* (9)
(to) harvest **cosechar**
(he / she / it) has **tiene**
    it has been . . . **hace...**
hat **sombrero** *m.* (1)
    winter hat **gorra** *f.* (1)
(to) hate **odiar**
(to) have **haber** (4)
(to) have **tener**
    (to) have a . . . ache **tener dolor de...**
    (to) have a good time **divertirse**
    (ie, i)
    (to) have just . . . **acabar de...**
    (to) have to do with **tener que ver**
    con (12)
    Do you have . . . ? **¿Tiene Ud...?**
    We have a good time. **Lo pasamos**
    bien.
hay fever **fiebre del heno**
hazel (eyes) **castaño(a)**

he **él**
head **cabeza** *f.*
headphones **auriculares** *m.*
health **salud** *f.*
healthy **sano(a)**
(to) hear **oír**
heart **corazón** *m.*
    heart rate **ritmo cardíaco** *m.*
    with all my heart **con todo el**
    corazón
heat **calor** *m.*
heavy **pesado(a)**
Hello. **Hola.**
    Hello! (answering the phone) **¡Bueno!,**
    ¡Diga / Dígame!; ¿Aló?
    (4)
help **ayuda** *f.*
hen **gallina** *f.*
her **su**
here **aquí**
    Here you have . . . **Aquí tiene...**
hero **héroe** *m.* (11)
high school **escuela secundaria**
high-heeled shoe **zapato de tacón**
highway **carretera** *f.*
(to) take a hike **dar una caminata**
hiking **montañismo** *m.*, **senderis-**
    mo *m.*
hill **cerro** *m.*
his **su**
Hispanic **hispano(a)**
historical **histórico(a)**
history **historia** *f.*
hit **golpe** *m.*
hog **cerdo** *m.*
home **hogar** *m.* (12)
homework **tarea** *f.*
Honduran **hondureño(a)**
Honduras **Honduras**
honest **honesto(a)**
honor **honra** *f.* (11)
(to) hope **esperar**
    I hope it's not . . . **Espero que no**
    sea...
    I hope that you can visit. **Espero**
    que Uds. puedan visitar.
I hope that **ojalá que** (7)
horoscope **horóscopo** *m.*
horrible **horrible**
horror movie **película de horror** *f.*
horse **caballo** *m.*

horseback riding **equitación** *f.*
    (to) go horseback riding **hacer la**
    equitación
hospital **hospital** *m.*
hospitality **hospitalidad** *f.*
hot **caliente**
    It's hot out. **Hace calor.**
    hot, spicy sauce **salsa picante** *f.*
hotel **hotel** *m.*
hot-tempered **corajudo(a)** (9)
hour **hora** *f.* (B)
    half hour **media hora** (5)
house **casa** *f.* (A)
housekeeper **ama** *f.* (11)
how **como**
    how? **¿cómo?**
    How . . . ! **¡Qué...!**
    How are you? **¿Cómo está(s)?,**
    ¿Qué tal?
    How awful! **¡Qué horrible!**
    How can I help you? **¿En qué**
    puedo servirle(s)?
    How do you feel? **¿Cómo te sientes?**
    How do you say . . . ? **¿Cómo se**
    dice...?
    How is it / are they? **¿Cómo es / son?**
    How long ago? **¿Cuánto tiempo**
    hace?
    How long have you felt this way?
    ¿Cuánto tiempo hace que te
    sientes así?
    how much / many? **¿cuánto(a)?**
    How many are there? **¿Cuántos hay?**
    How much does it cost? **¿Cuánto**
    cuesta?
    How old are you? **¿Cuántos años**
    tienes?
hug **abrazo** *m.*
(to) be hungry **tener hambre**
hurried **apurado(a)**
(to) hurry **darse prisa**
    Hurry up! **¡Dense prisa!**
(to) hurt **doler (ue)**
    (to) hurt oneself **lastimarse**
    Did you hurt yourself? **¿Te lasti-**
    maste?
    My . . . hurt(s). **Me duele(n)...**
husband **esposo** *m.*

I

I **yo**
I am (not) from . . . **(Yo) (no) soy de...**
   I am of . . . origin. **(Yo) soy de origen...**
   I am . . . tall. **Mido...**
ice **hielo** *m.*
ice cream **helado** *m.*
It's icy. **Hay hielo.**
idealism **idealismo** *m.* (11)
idealist(ic) **idealista**
identification **identificación** *f.* (6)
if **si**
iguana **iguana** *f.* (11)
image **imagen** *f.* (7)
imagery **imaginería** *f.* (7)
imagination **imaginación** *f.* (10)
impatient **impaciente**
important **importante** (8)
impossible **imposible**
(to) improve **mejorar**
in **en**
   In (the month of) . . . **En (el mes de)...**
(to) include **incluir** (12)
included **incluido(a)**
(to) increase **aumentar**
incredible **increíble**
incrustation **incrustación** *f.* (8)
Independence Day **el Día de la Independencia**
independent **independiente**
indication **indicación** *f.,* **muestra** *f.*
indiscreet **indiscreto(a)**
individualistic **individualista** (11)
inequality **desigualdad** *f.* (11)
infantile **infantil**
infection **infección** *f.*
inflatable raft **banco neumático** *m.*
(to) influence **influir**
insanity **locura** *f.*
(to) insist **insistir** (8)
instance **vez** *f.*
instrument **instrumento** *m.* (9)
   stringed instrument **instrumento de cuerda** *m.* (9)
intellectual **intelectual**
intelligent **inteligente**
interesting **interesante**
(to) interpret **interpretar** (9)

(to) introduce **presentar**
   I want to introduce you to . . . **Quiero presentarle(te) a...**
   I would like to introduce you to . . . **Quisiera presentarle(te) a...**
introduction **presentación** *f.*
invention **invento** *m.* (12)
invitation **invitación** *f.*
iron **hierro** *m.*
is **es**
Italian **italiano(a)**
Italy **Italia**

J

jacket **chaqueta** *f.*
jam **mermelada** *f.*
January **enero**
Japan **Japón**
Japanese **japonés(esa)**
jazz **jazz** *m.*
jeans **vaqueros** *m.* (1)
jelly **mermelada** *f.*
(to) jog **trotar**
joint **coyuntura** *f.*
journalist **periodista** *m.* or *f.*
juice **jugo** *m.*
July **julio**
jump **salto** *m.*
(to) jump **saltar**
June **junio**
(to) have just . . . **acabar de...**
justice **justicia** *f.* (11)

K

kennel **perrera** *f.* (5)
key **llave** *f.*
a kilo(gram) of **un kilo de**
   half a kilo(gram) of **medio kilo de**
kilometer **kilómetro** *m.*
kindness **bondad** *f.*
king **rey** *m.*
kiss **beso** *m.*
kitchen **cocina** *f.*
knee **rodilla** *f.*
knife **cuchillo** *m.*
(to) know (a fact) **saber,** (a person, place) **conocer**
known **conocido(a)** (9)

L

lack **falta** *f.*
(to) lack **faltar** (2)
lamb **cordero** *m.* (2)
lamp **lámpara** *f.*
lance **lanza** *f.*
land **tierra** *f.*
(to) land **aterrizar** (6)
landscape **paisaje** *m.*
language **lengua** *f.*
large **grande**
last **último(a)**
(to) last **durar**
last (Monday / week) **(el lunes / la semana) pasado(a)**
last night **anoche**
late **tarde**
   to be late **retrasar(se)** (11)
   is late **está retrasado(a)** (5)
later **luego**
Latin **latín** *m.*
laugh **risa** *f.*
(to) laugh **reírse (i, i)**
law **ley** *f.* (12)
lawyer **abogado(a)** *m.(f.)*
lazy **perezoso(a)**
(to) learn **aprender**
at least **al menos, por lo menos**
   at least in part **en parte al menos**
leather **cuero** *m.*
(to) leave **irse**
   (to) leave (with / from / for) **salir (con / de / para)**
   we're leaving **nos vamos**
(to) leave (behind) **dejar** (4)
left **izquierda**
   to the left **a la izquierda** (B)
leg **pierna** *f.*
legend **leyenda** *f.* (11)
legendary **legendario(a)** (11)
lemon **limón** *m.*
lemonade **limonada** *f.*
less **menos**
   less . . . than **menos... que...**
Let's be reasonable. **Hay que ser razonables.**
Let's go! **¡Vamos!**
   Let's go . . . **Vamos a...**
Let's see. **Vamos a ver.; A ver.**
letter **letra** *f.* (9)

lettuce **lechuga** *f.*
level **nivel** *m.* (6)
liberty **libertad** *f.* (11)
library **biblioteca** *f.*
life **vida** *f.*
(to) lift weights **levantar pesas**
light **ligero(a); luz** *f.*
(to) light **encender** (12)
lightning **rayo** *m.*
like **como**
(to) like **gustar**
    (I) (don't) like . . . (very much). **(No)
    (Me) gusta(n) (mucho)…**
(to) like very much **encantar** (2)
line **línea** *f.*
lip **labio** *m.*
lipids **lípidos** *m.*
(to) listen (to) **escuchar**
a liter of **un litro de**
literary **literario(a)** (10)
literature **literatura** *f.*
a little **poco(a)**
(to) live **vivir**
    I live in . . . **(Yo) vivo en…**
living room **sala de estar** *f.*
located **situado(a)**
location **lugar** *m.*
(to) lock oneself in **encerrarse (ie)**
long **largo(a)**
(to) look at **mirar**
    (to) look at oneself **mirarse**
    Look! **¡Mira!**
    You don't look very well. **No te ves
    muy bien.**
(to) look good / bad **lucir bien / mal** (1)
(to) look for **buscar**
(to) look over **revisar**
(to) look small / large / bad / good on
    **quedarse chico / grande / mal /
    muy bien** (1)
(to) lose **perder (ie)**
(to) lose weight **bajar de peso**
a lot **mucho(a)**
    a lot of times **muchas veces**
love **amor** *m.* (11)
(to) love **amar**
(to) lower **bajar**
loyalty **lealtad** *f.* (11)
luck **suerte** *f.*
    (to) be lucky **tener suerte**
lung **pulmón** *m.*

luxury **lujo** *m.*

M

ma'am **señora** *f.*
machine **máquina** *f.*
mad **enojado(a)**
magazine **revista** *f.* (10)
magic **mágico(a)** (12)
Magnificent! **¡Magnífico!**
majority **mayoría** *f.*
(to) make **hacer**
    (to) make fun of **burlarse de**
    (to) make a goal **anotar un gol,
    marcar un gol**
    I'm going to make . . . for you. **Les
    voy a preparar…**
    (to) make the bed **hacer la cama**
man **hombre** *m.*
(to) manage **manejar**
manager **gerente** *m.*
manner **manera** *f.*
subway map **plano del metro** *m.*
March **marzo**
market **mercado** *m.*
marriage **matrimonio** *m.*
married **casado(a)**
(to) marry **casarse**
marvel **maravilla** *f.* (9)
massacre **matanza** *f.*
master's degree **diploma de maestría**
match **fósforo** *m.*
material **material** *m.* (6)
mathematics **matemáticas** *f.*
What's the matter with you? **¿Qué te
    pasa?**
maximum **máximo(a)**
May **mayo**
mayonnaise **mayonesa** *f.*
me **mí**
meal **comida** *f.*
(to) mean **querer decir; significar**
means **medio** *m.*
    means of transportation **medio de
    transporte**
(to) measure **medir (i, i)**
meat **carne** *f.*
(variety of) meats cooked on a grill
    parrillada *f.* (3)
mechanic **mecánico(a)** *m.(f.)*
(to) meet **reunirse**

melancholy **melancolía** *f.* (9)
melody **melodía** *f.* (9)
melon **melón** *m.* (C)
message **recado** *m.* (4)
square meters **m² (metros cuadrados)**
Mexican **mexicano(a)**
    Mexican food **comida mexicana** *f.*
Mexico **México**
microbe **microbio** *m.*
microwave oven **horno de microondas**
    m.
middle **medio** *m.*
midnight **medianoche** *f.*
mile **milla** *f.*
milk **leche** *f.*
(mango) milkshake **licuado (de mango)**
    m.
mill **molino** *m.* (11)
million **millón**
mineral **mineral** *m.*
    mineral water (without carbonation)
    agua mineral (sin gas) *f.*
minute **minuto** *m.*
    in . . . minutes **en… minutos**
miracle **milagro** *m.* (11)
mirror **espejo** *m.*
Miss **señorita** *f.*
(to) miss **extrañar**
    I miss you (plural). **Te (los) extraño.**
mistaken **equivocado(a)** (4)
(to) mix **mezclar** (11)
mixture **mezcla** *f.* (12)
modern **moderno(a)**
moment **momento** *m.* (4)
    at this moment **en este momento**
Monday **lunes** *m.*
money **dinero** *m.*
month **mes** *m.*
monthly **mensual**
moon **luna** *f.*
moped **motocicleta** *f.*
more **más**
    more . . . than **más… que**
morning **mañana** *f.*
    in the morning **de la mañana**
    in the morning **por la mañana**
mother **madre** *f.*
    Mother's Day **el Día de la Madre**
    m.
    Mother's Day card **tarjeta del Día
    de la Madre** *f.*

motive **motivo** *m.* (8)
motorcycle **motocicleta** *f.*
mountain **montaña** *f.*
  mountain bike **bicicleta de montaña** *f.*
  mountain climbing **alpinismo** *m.*
  mountain range **cordillera** *f.*
  (to) go mountain climbing **hacer alpinismo**
mouth **boca** *f.*
(to) move **moverse (ue)**
  (to) move away **alejar**
  (to) move forward **adelantar**
movement **movimiento** *m.*
movie **película** *f.*
  movie theater **cine** *m.*
Mr. **señor** *m.*
Mrs. **señora** *f.*
much **mucho(a)**
  as much . . . as . . . **tan(to). . . como. . .**
  very much **muchísimo**
mud **barro** *m.* (12)
mural **mural** *m.* (7)
muralism **muralismo** *m.* (7)
(to) murmur **murmurar** (12)
muscle **músculo** *m.*
  muscle movement **movimiento muscular** *m.*
  muscle tone **tono muscular** *m.*
museum **museo** *m.*
music **música** *f.*
  classical music **música clásica**
  mariachi music **música de mariachi**
  music store **tienda de música** *f.*
must **deber**
mustache **bigote** *m.* (3)
my **mi**
mysterious **misterioso(a)** (12)
myth **mito** *m.* (12)
mythical **mítico(a)** (12)
mythological **mitológico(a)** (8)

N

naked **desnudo(a)**
name **nombre** *m.*
  last name **apellido** *m.*
  My name is . . . **(Yo) me llamo. . .**
  What's your name? **¿Cómo te llamas?**

(to) be named **llamarse**
(to) take a nap **dormir la siesta**
napkin **servilleta** *f.*
nationality **nacionalidad** *f.*
nature **naturaleza** *f.*
near **cerca de**
neck **cuello** *m.*
(to) need **necesitar**
neighbor **vecino(a)** *m.(f.)*
neighborhood **barrio** *m.*
neither **tampoco**
  neither . . . nor **ni. . . ni** (3)
nerve **nervio** *m.*
nervous **nervioso(a)**
network **red** *f.* (4)
never **nunca, jamás**
nevertheless **sin embargo**
new **nuevo(a)**
news **noticia** *f.*
newspaper **periódico** *m.*
  newspaper kiosk **quiosco de periódicos** *m.*
next (year / week) **(el año / la semana) próximo(a)**
Nicaragua **Nicaragua**
Nicaraguan **nicaragüense**
nice **simpático(a)**
  Nice to meet you. **Mucho gusto.**
  It's nice out. **Hace buen tiempo.**
night **noche** *f.*
  at night **de la noche, por la noche**
  last night **anoche**
  night table **mesita de noche** *f.*
  night vision **vista nocturna** *f.*
nightmare **pesadilla** *f.*
nine hundred **novecientos(as)**
ninety **noventa**
ninth **noveno(a)**
no **no**
  No way! **¡Qué va!**
nobility **nobleza** *f.* (11)
noise **ruido** *m.* (12)
noon **mediodía** *m.*
no one **nadie** (3)
none **ningún / ninguno(a)** (3)
normally **normalmente**
north **norte** *m.*
North American **norteamericano(a)**
nose **nariz** *f.*
not even **ni siquiera**
notebook **cuaderno** *m.*

nothing **nada**
(to) notice **fijarse en** (6)
novel **novela** *f.* (10)
novelist **novelista** *m.* or *f.* (10)
November **noviembre**
now **ahora**
  right now **ahora mismo**
number **número** *m.*
nurse **enfermero(a)** *m.(f.)*
nursery **guardería** *f.* (5)

O

(to) be obligated **tener que**
(to) obtain **sacar**
It's . . . o'clock. **Son las. . .**
  It's one o'clock. **Es la una.**
October **octubre**
odor **olor** *m.*
of **de**
  of course **por supuesto**
  Of course! **¡Claro!**
  Of course! (reaffirmed) **¡Claro que sí!**
  Of course not! **¡Claro que no!**
  of the **de la / del / de los**
(to) offer **ofrecer**
often **a menudo**
oil **aceite** *m.*
okay **de acuerdo, regular**
  Okay. **Está bien.**
  Is that okay with you? **¿Te parece bien?**
old **viejo(a)**
older **mayor**
olive **aceituna** *f.*
Spanish omelette **tortilla de patatas**
on **en**
  on foot **a pie**
  on time **a tiempo**
once **una vez**
  at once **en seguida**
  once home **ya en casa**
  once a year **una vez al año**
one **uno**
  One . . . , please. **Un(a). . . , por favor.**
one hundred **cien(to)**
one-way ticket **billete sencillo** *m.*
onion **cebolla** *f.*
only **sólo; únicamente**

only child **hijo(a) único(a)** *m.(f.)*
open **abierto(a)** (3)
(to) open **abrir**
open-air market **mercado al aire libre** *m.*
oppression **opresión** *f.* (11)
optimist(ic) **optimista**
or **o**
orange (color) **anaranjado(a)**
orange (fruit) **naranja** *f.*
orchids **orquídeas**
order **orden** *m.*
   (to) give an order **mandar**
   in order to **para**
other **otro(a)**
our **nuestro(a)**
outfit **conjunto** *m.*
outline **esbozo** *m.* (12)
outskirts **afueras** *f. pl.*
(microwave) oven **horno (de microondas)** *m.*
(to) overflow **desbordarse**
(to) owe **deber**
own **propio(a)**
oxygen **oxígeno** *m.*

P

(to) pack **empacar**
   (to) pack suitcases **hacer las maletas**
a package of **un paquete de** *m.*
pain **dolor** *m.*
(to) paint **pintar** (8)
painter **pintor(a)** *m.(f.)*
painting **cuadro** *m.*; **pintura** *f.*
pair **pareja** *f.*
pale **pálido(a)**
Panama **Panamá**
Panamanian **panameño(a)**
panther **pantera** *f.* (12)
pants **pantalones** *m.*
paper **papel** *m.*
   typing paper **papel para escribir a máquina** *m.*
parade **desfile** *m.*
Paraguay **Paraguay**
Paraguayan **paraguayo(a)**
parents **padres** *m. (pl.)*
park **parque** *m.*
parking **estacionamiento** *m.*
   parking lot **playa de estaciona-**

miento *f.*
part **parte** *f.*
party **fiesta** *f.*
(to) pass **pasar**
pasta **pasta** *f.*
pastry **pastel** *m.*
path **sendero** *m.*, **camino** *m.*
patient **paciente** *m.* or *f.* or *adj.*
patriotism **patria** *f.* (11)
pavilion **pabellón** *m.*
paw **pata** *f.*
(to) pay **pagar**
   (to) pay attention **prestar atención**
pea **guisante** *m.*
peach **melocotón** *m.*
peanut **cacahuete** *m.*
pear **pera** *f.*
peasant **campesino(a)** *m.(f.)*
pen, ballpoint **bolígrafo** *m.*; fountain **pluma** *f.*
pencil **lápiz** *m.*
   pencil sharpener **sacapuntas** *m.*
people **gente** *f.*
pepper (spice) **pimienta** *f.*
   hot pepper **chile** *m.*
perfect **perfecto(a)**
(to) perfect **perfeccionar**
perhaps **tal vez**
period (of time) **período** *m.*
do not permit **no permiten**
person **persona** *f.*
Peru **Perú**
Peruvian **peruano(a)**
pessimist(ic) **pesimista**
(household) pet **animal doméstico** *m.* (5)
pharmacy **farmacia** *f.* (B)
photonovel **fotonovela** *f.* (10)
piano **piano** *m.*
pick him / it up **lo recoge**
(to) pick up **descolgar** (4)
pie **pastel** *m.*
piece **pedazo** *m.*
   a piece of **un pedazo de** *m.*
   (to) break to pieces **hacer pedazos**
pill **pastilla** *f.*
pillow **almohada** *f.*
pink **rosado(a)**
It's a pity. **Me da pena.** (4)
pizza **pizza** *f.*
place **lugar** *m.*

plain (land) **llanura** *f.*
   high plain **meseta** *f.*
(to) plan **planear**
plant **planta** *f.*
plastic **plástico(a)** (6)
plate **plato** *m.*
platform **andén** *m.* (5)
play **pieza teatral** *f.* (10)
(to) play **jugar (ue)**
   (to) play (golf / tennis / volleyball) **jugar al (golf / tenis / vólibol)**
   (to) play cards **jugar a los naipes**
   (to) play checkers **jugar a las damas**
   (to) play (instrument) **tocar**
player **jugador(a)** *m.(f.)*
playwright **dramaturgo(a)** *m. (f.)* (10)
pleasant **agradable**
please **por favor**
   Please be kind enough to respond as soon as possible. **Tenga la bondad de responder tan pronto como sea posible.**
pleasure **placer** *m.* (4)
with pleasure **con mucho gusto**
   It would give us great pleasure . . . **Nos daría mucho gusto…**
plot (of a play or novel) **argumento** *m.*
poem **poema** *m.* (10)
poet **poeta** *m.* or *f.* (10)
poetry **poesía** *f.* (10)
poetry contest **concurso de poesía** *m.*
point **punto** *m.*
(to) point **señalar** (12)
police **policía** *f.*
   police officer **policía** *m.*
   police station **estación de policía** *f.*
politics **política** *f.*
polka-dotted **de lunares** (1)
polychromatic **polícroma** (7)
polyester **poliéster** *m.* (1)
poorly **mal**
porch **terraza** *f.*
pork **(carne de) puerco**
port **puerto** *m.*
portrait **retrato** *m.*
possession **posesión** *f.*
possible **posible** (4)
post office **oficina de correos** *m.*
poster **póster** *m.*
potato **papa** *f.*, **patata** (Spain) *f.*
   potatoes in a spicy sauce **patatas**

bravas

a pound of **una libra de**

power **poder** *m.* (12)

practical **práctico(a)**

(to) practice **practicar**

(to) pray **rezar** (11)

(to) prefer **preferir (ie, i)**

preference **preferencia** *f.*

preoccupied **preocupado(a)**

(to) prepare **preparar**

   (to) prepare oneself **prepararse**

   (to) prepare for oneself **servirse (i, i)**

   I'm going to prepare . . . **Les voy a preparar…**

prescription **receta** *f.*

(to) present **presentar**

presentation **presentación** *f.*

preserve **conserva** *f.*

pressure **presión** *f.*

pretty **bonito(a); lindo(a)**

previous **anterior**

price **precio** *m.*

pride **orgullo** *m.*

priest **sacerdote** *m.;* **cura** *m.*

prince **príncipe** *m.* (12)

prize **premio** *m.*

profession **profesión** *f.*

professor **profesor(a)** *m.(f.)*

(to) prohibit **prohibir** (8)

(to) promise **prometer** (11)

(to) promote **promover**

protagonist **protagonista** *m.* or *f.* (11)

protein **proteína** *f.* (12)

(to) publish **publicar** (11)

publishing house **casa editorial** *f.*

Puerto Rican **puertorriqueño(a)**

Puerto Rico **Puerto Rico**

purple **morado(a)**

purse **bolsa** *f.*

(to) push **empujar**

(to) put **poner**

(to) put on **ponerse**

(to) put on makeup **maquillarse**

Q

quality **calidad** *f.*

quantity **cantidad** *f.*

quarter **cuarto** *m.*

   . . . quarter(s) of an hour **. . . cuarto(s) de hora**

quesadilla **quesadilla** *f.*

R

race (people) **raza** *f.* (12)

racquet **raqueta** *f.*

raffle **sorteo** *m.*

railroad station **estación de trenes**

railway **ferroviario(a)** (4)

(to) rain cats and dogs **llover (ue) a cántaros**

raincoat **impermeable** *m.*

It's raining. **Llueve.**

rarely **rara vez**

at any rate **de todos modos**

rather **bastante**

(to) reach **alcanzar**

reaction **reacción** *f.*

(to) read **leer**

reader **lector(a)** *m.(f.)*

ready **listo(a)**

   (to) get ready **prepararse**

real **real** (8)

realism **realismo** *m.* (11)

realist(ic) **realista** (3)

reality **realidad** *f.* (10)

(to) realize **darse cuenta de**

Really? **¿De veras?**

for that very reason **por eso mismo**

Let's be reasonable. **Hay que ser razonables.**

rebirth **renacimiento** *m.*

(to) receive **recibir**

reception desk **recepción** *f.*

(telephone) receiver **auricular** *m.* (4)

recipe **receta** *f.* (1)

record (sports) **récord** *m.*

rectangle **rectángulo** *m.* (8)

(to) recuperate **recuperar**

red **rojo(a)**

redheaded **pelirrojo(a)**

(to) reflect **reflejar** (11)

refrigerator **refrigerador** *m.*

(to) refuse **no querer** (in preterite)

regular **regular**

regularly **con regularidad**

(to) regulate **regular**

rejected **rechazado(a)** (9)

relative **pariente** *m.*

remedy **remedio** *m.*

remember **acordarse**

(to) renew **renovar (ue)**

rent **alquiler** *m.*

(to) rent **alquilar**

(to) repeat **repetir (i, i)**

repertoire **repertorio** *m.* (9)

(to) represent **representar** (11)

(to) request **pedir (i)**

reservation **reservación** *f.*

(to) reserve **reservar** (5)

(to) resound **resonar (ue)** (9)

(to) respond **contestar**

response **respuesta** *f.*

(to) rest **descansar**

rest rooms **servicios sanitarios** *m.*

restaurant **restaurante** *m.*

result **resultado** *m.*

(to) retire **jubilarse**

(to) return **regresar, volver (ue)**

(to) review **revisar; repasar**

rhyme **rima** *f.* (11)

rhythm **ritmo** *m.* (9)

rice **arroz** *m.*

(to) ride a bicycle **montar en bicicleta**

(to) ride a horse **montar a caballo**

right **derecha**

   right? **¿verdad?**

   (to) be right **tener razón**

   to the right **a la derecha**

   right away **en seguida**

   right now **ahora mismo**

(to) rise **subir, elevar(se)** (12)

river **río** *m.*

roasted **asado(a)** (2)

(to) rob **robar**

rock music **rock** *m.*

(to) rollerskate **patinar sobre ruedas**

romantic **romántico(a)**

room **cuarto** *m.,* **habitación** *f.,* **sala** *f.*

root **raíz** *f.* *(pl.* **raíces***)* (11)

roundtrip ticket **billete de ida y vuelta**

rug **alfombra** *f.*

(to) run **correr**

(to) run through **recorrer** (12)

Russia **Rusia**

Russian **ruso(a)**

S

sad **triste**
(to) sail (to sailboard) **navegar en velero (una tabla vela), practicar la vela**
sailing **navegación a vela** *f.*
sailor **marinero** *m.*
salad **ensalada** *f.*
   mixed salad **ensalada mixta** (2)
   vegetable salad **ensalada de vegetales (verduras)** *f.*
sale **oferta** *f.*
   It's not on sale? **¿No está en oferta?**
salesman(woman) **vendedor(a)** *m.(f.)*
salsa (type of music) **salsa** *f.*
salt **sal** *f.*
salty **salado(a)** (3)
Salvadoran **salvadoreño(a)**
same **mismo(a)**
   Same here. **Igualmente.**
   the same **lo mismo**
sand **arena** *f.*
sandal **sandalia** *f.*
sandwich (French bread) **bocadillo** *m.*
   (ham and cheese) sandwich **sándwich (de jamón con queso)** *m.*
   sandwich made with tender filet of beef in a Mexican hard roll **pepito** *m.* (3)
satire **sátira** *f.* (11)
(to) have reason to feel satisfied with oneself **darse por satisfecho**
Saturday **sábado** *m.*
sauce **salsa** *f.*
saucer **platillo** *m.* (2)
Spanish sausage **chorizo** *m.*
(to) save **ahorrar**
(to) say **decir**
   (to) say yes (no) **decir que sí (no)**
   what . . . says **lo que dice…**
   What did you say? **¿Qué dijiste?**
   You don't say! **¡No me digas!**
(decorative) scarf **pañuelo** *m.* (1)
(winter) scarf **bufanda** *f.* (1)
scene **escena** *f.*
schedule **horario** *m.*
school **colegio** *m.,* **escuela** *f.*
science **ciencia** *f.*
   science fiction movie **película de ciencia-ficción** *f.*

scientific **científico(a)** (10)
(to) score (soccer) **anotar un gol, marcar un gol.**
sculpture **escultura** *f.*
sea **mar** *m.*
search **búsqueda** *f.*
seashore **orilla del mar** *f.*
seating compartment **departamento de plazas sentadas** *m.* (5)
second **segundo(a)**
secretary **secretario(a)** *m.(f.)*
section **sección** *f.* (5)
(to) see **ver**
   See you later. **Hasta luego.**
   we'll see each other **nos vemos**
self-portrait **autorretrato** *m.* (7)
(to) sell **vender**
(to) send **enviar**
sensational **sensacional**
sensitive **sensible**
September **septiembre**
sequence, series **serie** *f.*
serious **serio(a)**
(to) serve oneself **servirse (i,i)**
at your service **a sus órdenes**
(to) set the table **poner la mesa**
seven hundred **setecientos(as)**
seventh **séptimo(a)**
seventy **setenta**
several **varios(as)**
(to) sew **coser** (8)
shadow **sombra** *f.*
It's a shame. **Es una lástima.** (4)
(to) get in shape **ponerse en forma**
   Are you in shape? **¿Estás en forma?**
(to) share **compartir**
(to) shave **afeitarse**
she **ella**
sheep **oveja** *f.* (12)
sheet (of paper) **hoja (de papel)** *f.*
shellfish **marisco** *m.*
(to) shine **lucer** (1)
shirt **camisa** *f.*
shoe **zapato** *m.*
   shoe store **zapatería** *f.*
(to) shoot **fusilar**
(to) go shopping **ir de compras**
   shopping cart **carrito** *m.*
   shopping center **centro comercial** *m.*
short (height) **bajo(a)**; (length) **corto(a)**

shorts **pantalones cortos** *m.* (1)
should **deber**
shoulder **hombro** *m.*
shout **grito** *m.*
show **espectáculo** *m.*
(to) show **mostrar** (1)
   (to) show a movie **dar una película**
shower **ducha** *f.*
   (to) take a shower **ducharse**
shows it **lo muestra**
shrimp **gamba** *f.* (2); **camarón** *m.* (3)
   shrimp in garlic **gambas al ajillo** (2)
sick **enfermo(a)**
side **lado** *m.*
   on my father's (mother's) side **del lado de mi padre (madre)**
   on the side **al lado** (3)
sign, signal **señal** *f.*
(to) silence **callar**
silk **seda** *f.* (1)
silly **tonto(a)**
silver **plata** *f.*
similar **semejante**
simple **sencillo(a), simple**
since **desde (que)**
   Since when? **¿Desde cuándo?**
(to) sing **cantar**
singer **intérprete** *m.* (9)
single **soltero(a)**
sink **lavabo** *m.*
sir **señor** *m.*
sister **hermana** *f.*
(to) sit down **sentarse (ie)**
situated **situado(a)**
six hundred **seiscientos(as)**
sixth **sexto(a)**
sixty **sesenta**
size **tamaño** *m.* (6)
(to) skate **patinar**
ski **esquí** *m.*
skill **destreza** *f.* (6)
(to) ski **esquiar** (A)
skirt **falda** *f.*
sky **cielo** *m.*
slacks **pantalones** *m.*
slave **esclavo(a)** *m.(f.)* (11)
(to) sleep **dormir (ue, u)**
   I can't sleep. **No puedo dormir.**
sleepyhead **dormilón(ona)** *m.(f.)*
slice of bread **rebanada de pan** *f.*

slippery **resbaloso(a)**
   It's slippery out. **Está resbaloso.**
slow, slowly **despacio; lento(a)**
small **pequeño(a)**
(to) smell **oler**
(to) smile **sonreírse (i, i)**
snack **merienda** *f.*
   Spanish snack **tapa** *f.*
(to) sneeze **estornudar**
(to) snore **roncar**
(to) snorkel **bucear**
snorkeling **buceo** *m.*
snow **nieve** *f.*
It's snowing. **Nieva.**
so **tan**
   so-so **más o menos**
soap **jabón** *m.*
soccer **fútbol** *m.*
social event **evento social** *m.*
sock **calcetín** *m.*
soda **soda** *f.*
sofa **sofá** *m.*
soft **suave**
soft drink **refresco** *m.*
solitude **soledad** *f.* (10)
solution **solución** *f.*
some **unos(as)**
someday **algún día**
someone **alguien** (3)
something **algo**
sometimes **a veces**
son **hijo** *m.*
song **canción** *f.* (9)
soon **pronto**
I'm sorry. **Lo siento.**
soul **alma** *m.*
soup **sopa** *f.* (2)
cold soup with tomatoes, garlic, onion
   gazpacho *m.* (2)
south **sur** *m.*
space **espacio** *m.*
Spain **España**
Spanish **español(a)**
special **especial**
speed **velocidad** *f.*
spectacle **espectáculo** *m.*
(to) spend time **pasar tiempo**
sphere **globo** *m.*
spice **especia** *f.*
spicy **picante**
   spicy sauce **salsa picante** *f.*

spider **araña** *f.* (12)
spirit **espíritu** *m.* (8)
spoon **cuchara** *f.*
sport **deporte** *m.*
sporting goods store **tienda de deportes**
   f.
sports coat **saco** *m.* (1)
spring **primavera** *f.*
square **plaza** *f.;* **cuadrado(a)** *adj.*
   square meters **m² (metros**
     cuadrados) (6)
squid **calamares** *m.*
stadium **estadio** *m.*
star **estrella** *f.*
starch **almidón** *m.*
state **estado** *m.*
station **estación** *f.*
airmail stationery **papel de**
   avión
stationery store **papelería** *f.*
(to) stay in bed **quedarse en cama**
(to) stay in top condition **mantenerse en**
   condiciones óptimas
steak **bistec** *m.* (2)
steep **escarpado(a)**
stepfather **padrastro** *m.*
stepmother **madrastra** *f.*
stereo **estéreo** *m.*
stewardess **azafata** *f.* (5)
stick **palo** *m.*
(to) stick **pegar**
still **todavía**
stillness **quietud** *f.*
stocking **media** *f.*
stomach **estómago** *m.*
stone **piedra** *f.*
(to) stop **parar**
   without stopping **sin parar**
store **tienda** *f.*
storm **tormenta** *f.*
It's stormy. **Hay tormenta.**
story **cuento** *m.* (10)
storyteller **cuentista** *m.* or *f.* (10)
stove **estufa** *f.*
strange **extraño(a); raro(a)** (9)
strawberry **fresa** *f.*
street **calle** *f.*
strength **fuerza** *f.*
striped **de rayas** (1)
strong **fuerte**
student **alumno(a)** *m.(f.),* **estudiante**

m. or *f.*
studio **taller** *m.* (7)
(to) study **estudiar**
stupid **tonto(a)**
style **estilo** *m.;* **moda** *f.*
subway **metro** *m.*
   subway station **estación de metro**
   f.
success **éxito** *m.*
suddenly **de repente; de golpe** (10)
(to) suffer **sufrir**
sufficient **suficiente**
sugar **azúcar** *m.*
(to) suggest **sugerir (ie, i)**
suit **traje** *m.* (1)
suitcase **maleta** *f.* (6)
summer **verano** *m.*
sun **sol** *m.*
(to) sunbathe **tomar el sol**
Sunday **domingo** *m.*
It's sunny out. **Hace sol.**
Super! **¡Super!**
superimposed **superpuesto(a)** (8)
supernatural **sobrenatural** (12)
sure **seguro(a)**
Sure! **¡Cómo no!** (4)
(to) surf **practicar el surfing**
(to) surprise **sorprender**
   It will be a surprise; don't say anything
     to them. **Será una sorpresa; no**
     les digas nada.
surrealism **surrealismo** *m.* (7)
surrounded **rodeado(a)** (6)
survey **encuesta** *f.*
(to) sweat **sudar**
sweater **suéter** *m.*
sweatpants **sudaderas** *f.* (1)
sweet **dulce** *m.*
sweet roll, any **pan dulce**
(to) swim **nadar**
swimming **natación** *f.*
swimming pool **piscina** *f.*
swollen **hinchado(a)** (12)
sword **espada** *f.*
system **sistema** *m.*

T

T-shirt **camiseta** *f.*
(beef) taco **taco (de carne)** *m.*
   taco stand **taquería** *f.*
tag, label **etiqueta** *f.* (6)
tail **cola** *f.* (12)
(to) take **tomar**
   (to) take a long time **tardarse**
   (to) take away **quitar**
   (to) take off (airplane) **despegar** (6)
   takes him **lo lleva**
   (it) takes . . . minutes **tarda…
   minutos**
talent **talento** *m.*
(to) talk **hablar**
tall **alto(a)**
tan **bronceado(a)**
tapas restaurant **bar de tapas** *m.*
tape (recording) **cinta** *f.*
   tape recorder **grabadora** *f.*
taste **gusto** *m.;* **sabor** *m.*
tasty **sabroso(a)** (3)
taxi **taxi** *m.*
(iced) tea **té (helado)** *m.*
teacher **profesor(a)** *m.(f.)*
technique **técnica** *f.* (12)
technological **técnológico(a)** (10)
telephone **teléfono** *m.*
   telephone booth **cabina de
   teléfono** *f.*
   telephone conversation **conversación
   telefónica** *f.*
television set **televisor** *m.*
   color television set **televisor a colores** *m.*
(to) tell **decir**
   (to) tell (a story) **contar** (12)
   to tell the truth **para decir la
   verdad**
   Tell me. **Dime.**
temperature **temperatura** *f.*
   (to) take one's temperature **tomar la
   temperatura**
ten-trip ticket **billete de diez viajes**
tenderness **ternura** *f.*
tennis **tenis** *m.*
   tennis ball **pelota de tenis** *f.*
   tennis shoe **zapato de tenis** *m.*
tent **tienda de campaña** *f.;* **carpa** *f.*
   (12)

tenth **décimo(a)**
terrace **terraza** *f.*
terrain **terreno** *m.*
territory **territorio** *m.*
thank you **gracias**
   thank you very much (many thanks)
   for . . . **muchas gracias por…**
   I thank you. **Les agradezco.**
   thanks a million for . . . **mil gracias
   por…**
Thanksgiving mass **misa de Acción de
   Gracias** *f.*
that **aquel(la), ese(a), que**
   Is that it? **¿Así es?**
   that is **o sea** (3)
   that is to say **es decir**
   that is why **por eso**
   that one **aquél(la)** *m.(f.),* **ése(a)**
   m.(f.)
   That's all. **Es todo.**
the **el** *m.,* **la** *f.,* **las** *f. pl.,* **los** *m. pl.*
theater **teatro** *m.*
theatrical **teatral**
their **su**
theme **tema** *m.* (7)
then **entonces, pues**
there **allí**
   there is / are **hay**
   there is going to be **va a haber**
   over there **allá**
they **ellos(as)** *m.(f.)*
   They are from . . . **Son de…**
thigh **muslo** *m.*
thin **delgado(a)**
thing **cosa** *f.*
(to) think **pensar (ie)**
third **tercer(o/a)**
(to) be thirsty **tener sed**
this (month / afternoon) **este(a) (mes /
   tarde)**
   This is . . . (introduction) **Le (Te) presento a…**
   this one **éste(a)** *m.(f.)*
thousand **mil**
three **tres**
three hundred **trescientos(as)**
throat **garganta** *f.*
one must go through . . . **hay que pasar
   por…**
(to) throw oneself **tirarse**
thunder **trueno** *m.*

There's thunder. **Truena.**
Thursday **jueves** *m.*
ticket **billete** *m.,* **boleto** *m.*
tie **corbata** *f.* (1)
time **tiempo** *m.,* **vez** *f.*
   at some other time **en otra
   oportunidad**
   on time **a tiempo**
   from time to time **de vez en cuando**
   It's about time! **¡Ya es hora!**
   What time . . . ? **¿A qué hora…?**
   What time is it? **¿Qué hora es?**
   many times **muchas veces**
timid **tímido(a)**
tip **propina** *f.*
tire **llanta** *f.*
tired **cansado(a)**
to **a**
   to the **al**
toad **sapo** *m.*
toast (salutation) **brindis** *m.*
toast (food) **pan tostado** *m.*
toaster **tostador** *m.*
today **hoy**
   Today is the (day) of (month). **Hoy es
   el (día) de (mes).**
toe **dedo del pie** *m.*
together **junto(a)**
toilet **WC** *m.*
tomato **tomate** *m.*
tomorrow **mañana**
tomorrow (morning / night) **mañana (por la
   mañana / noche)**
tonality **tonalidad** *f.* (7)
(to) tone up **tonificar**
tongue **lengua** *f.*
too **también**
   too (much) **demasiado**
tooth **diente** *m.*
top (of a mountain) **cima** *f.* (12)
(to) touch **tocar**
tour **excursión** *f.*
tourist **turista** *m. or f.*
toward **hacia** (5)
towel **toalla** *f.*
town **pueblo** *m.*
(to) trace **trazar** (11)
traditional **tradicional**
tragic **trágico(a)** (11)
train **tren** *m.*
training **entrenamiento** *m.* (6)

trait **rasgo** *m.* (9)
(to) translate **traducir** (9)
(to) transmit **transmitir** (11)
(to) travel **viajar**
    travel agency **agencia de viajes** *f.*
    traveling companion **acompañante**
    m. or *f.* (5)
traveler's check **cheque de viajero** *m.*
(to) treat **tratar**
trip **viaje** *m.*
    (to) take a trip **hacer un viaje**
true **cierto(a)**
truly **verdaderamente**
trumpet **trompeta** *f.*
truth **verdad** *f.*
(to) try on **probarse** (1)
(to) try to **tratar de**
Tuesday **martes** *m.*
tuna **atún** *m.*
(to) turn **doblar**
(to) turn over **dar una vuelta**
twenty **veinte**
twilight **crepúsculo** *m.* (5)
(to) twist (a body part) **torcerse** (10)
two **dos**
    the two **los(las) dos**
two hundred **doscientos(as)**
(to) type **escribir a máquina**
typewriter **máquina de escribir** *f.*

U

ugly **feo(a)**
uncertainty **incertidumbre** *f.* (10)
uncle **tío** *m.*
under **bajo** *prep.*
(to) understand **comprender,**
    entender
unexpected **inesperado(a)**
unforgettable **inolvidable**
(to) unite **juntar**
United States **los Estados Unidos**
universal **universal** (11)
university **universidad** *f.*
unlimited **sin límite**
unreality **irrealidad** *f.* (10)
until **hasta**
(to) go up **subir**
Uruguay **Uruguay**
Uruguayan **uruguayo(a)**
useful **útil**

as usual **como de costumbre**
usually **usualmente**

V

vacant **vacío(a)**
vacation **vacaciones** *f.*
valise **valija** *f.* (6)
value **valor** *m.* (11)
van **camioneta** *f.* (6)
varied **variado(a)**
various **varios(as)**
VCR **vídeo** *m.*
veal **ternera** *f.* (2)
vegetable **vegetal** *m.;* **verdura** *f.* (3)
Venezuela **Venezuela**
Venezuelan **venezolano(a)**
very **muy, bien**
    Very well, thank you. **Muy bien,**
    gracias.
vest **chaleco** *m.* (1)
videocassette **vídeo** *m.*
violet **violeta** *f.*
violin **violín** *m.*
virus **virus** *m.*
(to) visit **visitar**
(to) be visiting **estar de visita**
vitamin **vitamina** *f.*
vogue **boga** *f.*
voice **voz** *f.*
    in a loud voice **en voz alta**
volcano **volcán** *m.*
volleyball **vólibol** *m.*
vulgar **grosero(a)** (11)

W

(to) wait **esperar**
    waits for them **los espera**
waiter (waitress) **camarero(a)** *m.(f.)*
(to) wake up **despertarse (ie)**
walk **paseo** *m.*
    (to) take a walk **dar un paseo**
(to) walk **caminar**
walking stick **bastón** *m.*
wall **pared** *f.*
wallet **cartera** *f.*
(to) want **desear, querer(ie)**
war **guerra** *f.*
warm **caliente**

warrior **guerrero(a)** *m.(f.)*
(to) wash **lavar**
    (to) wash (one's hands, hair, brush
    one's teeth) **lavarse (las manos,**
    el pelo, los dientes)
    (to) wash clothes **lavar la ropa**
    (to) wash dishes **lavar los platos**
washing machine **lavadora** *f.*
(to) watch **mirar**
    (to) watch one's weight **guardar la**
    línea
    Watch out! **¡Cuidado!**
    (to) watch television **mirar la**
    televisión
water **el agua** *f.*
watermelon **sandía** *f.*
(to) water-ski **esquiar en agua**
waterskiing **esquí acuático** *m.*
wave **onda** *f.* (9)
way **manera** *f.*
in that way **de esa manera**
we **nosotros(as)** *m.(f.)*
weak **débil**
weather **tiempo**
    What's the weather like? **¿Qué**
    tiempo hace?
wedding **boda** *f.*
Wednesday **miércoles** *m.*
week **semana** *f.*
weekend **fin de semana** *m.*
weekly **semanal**
(to) weigh **pesar**
    I weigh … kilos. **Peso… kilos.**
you're welcome **de nada**
well **bien**
    Well done! **¡Bravo!** (10)
    well then **pues**
west **oeste** *m.*
western **occidental**
wet **mojado(a)** (3)
what? **¿qué?, ¿cómo?**
    What a pity! **¡Qué pena!**
    what a shame … **qué vergüen-**
    za… (9)
    What's going on? **¿Qué pasó?**
    What's new? **¿Qué hay?**
wheat **trigo** *m.*
when **cuando**
where? **¿adónde?, ¿dónde?**
    Where are you from? **¿De dónde**
    es / eres?

Where is . . . ? **¿Dónde está...?**
Where is / are there . . . ? **¿Dónde hay...?**
which? **¿cuál?**
whichever **cualquier**
a good while **un buen rato**
white **blanco(a)**
who? **¿quién?**
Who's calling? **¿De parte de quién?** (4)
whole **entero(a)**
whose **cuyo(a)**
Whose is it? **¿De quién es?**
why? **¿por qué?**
why not? **¿por qué no?**
wide **amplio(a)** (11); **ancho(a)**
wife **esposa** *f.*
(to) win **ganar**
wind **viento** *m.*
windmill **molino de viento** *m.* (11)
window **ventana** *f.*
shop window **escaparate** *m.*
(to) windsurf **hacer windsurfing**
It's windy out. **Hace viento.**
wine **vino** *m.*
winter **invierno** *m.*
wise person **sabio(a)** *m.(f.)* (12)
(to) wish for **desear**
(to) wish them **desearles**
with **con**
with all my heart **con todo el corazón**
with me **conmigo**
with pleasure **con mucho gusto**
with you **contigo** (5)
within **dentro de**
without **sin**
without stopping **sin parar**
woman **mujer** *f.*
wonderful **formidable**
wood **madera** *f.*
wool **lana** *f.* (1)
word **palabra** *f.*
work **obra** *f.* (7)
(to) work **trabajar, funcionar**
worker **trabajador(a)** *m. (f.)*
world **mundo** *m.*
world championship **campeonato mundial** *m.*
from another world **extraterreno(a)** (12)

worried **preocupado(a)**
Don't worry. **No se preocupen.**
worse, worst **peor**
. . . would like . . . **quisiera...**
I would like something for . . .
  Quisiera algo (alguna cosa) para...
we would like . . . **(nosotros) quisiéramos...**
(to) wound **herir**
wounded **herido(a)**
wrist **muñeca** *f.*
(to) write **escribir**
writer **escritor(a)** *m.(f.)* (10)

Y

year **año** *m.*
yellow **amarillo(a)**
yes **sí**
yesterday **ayer**
yogurt **yogur** *m.*
you (familiar) **tú**, (familiar plural) **vosotros(as)** *m.(f.)*, (formal) **usted/Ud.**, (formal plural) **ustedes/Uds.**
young **joven**
younger **menor**
your **tu, su**

Z

zoo **parque zoológico** *m.*
zoological **zoológico(a)** (10)

Index

Fine Art

p. 178 David Alfaro Siqueiros, *Ethnography*, 1939. Enamel on composition board, 48 1/8 x 32 3/8". Collection, The Museum of Modern Art, New York, Abby Aldrich Rockefeller Fund, **p. 179** (bottom) Diego Rivera, *The Flower Carrier*(previously known as *The Flower Vendor*), 1935. Oil and tempera on masonite, 48 x 47 3/4'. San Francisco Museum of Modern Art, Albert M. Bender Collection, gift of Albert M. Bender in memory of Caroline Walter, **p. 186** (bottom) Frida Kahlo, *Self Portrait with Monkey and Parrot*, 1942. Oil on board 21 x 17. Collection, IBM Corporation, Armonk, New York, **p. 189** Frida Kahlo, *Frida and Diego Rivera*, 1931. Oil on canvas 39 3/8 x 31. San Francisco Museum of Modern Art, Albert M. Bender Collection, gift of Albert M. Bender, **p.191** Pablo Picasso, *Family of Saltimbanques*, 1905. Oil on canvas 83 3/4" x 90 3/8". National Gallery of Art, Chester Dale Collection. © 1992 ARS,New York/SPADEM, **p. 192** Joan Miro, *Woman and Bird in the Night,* 1945. Oil on canvas 51 x 64". Albright-Knox Gallery, Buffalo, New York, gift of Seymour H. Knox. © 1992 ARS, NY/ADAGP, **p. 193** (bottom) Salvador Dali, *The Persistence of Memory*, 1931. Oil on canvas 9 1/2 x 13". Collection, The Museum of Modern Art, New York, given anonymously. © 1992 ARS, NY/Demart Pro Arte, **p. 201** Pablo Picasso, *Three Musicians*, Fontainebleau, summer 1921. Oil on canvas 6'7" by 7'3 3/4". Collection, The Museum of Modern Art, New York, Mrs. Simon Guggenheim Fund. © 1992 ARS, NY/SPADEM

Maps

Maps have been provided by Deborah Perugi and Mapping Specialists Limited.

Text Permissions

p. 7 and 9 Pneu Michelin, Service de Tourisme, *Guide to Spain and Portugal*; p. 26 and 27 *"Guarding the Monarch's Kingdom"*, printed with permission from The Natural Wildlife Federation by Sharon Sullivan, *International Wildlife Magazine*, Nov/Dec, 1987.; p. 58 and 61 *La Guía del Ocio*, June 1994, Nº 971, Madrid, Spain; p. 104-106 AT&T en español advertisement, Indelec, Ediciones Tactic, Madrid, Spain; 118, 128, 129, 134, 136: RENFE brochure, Madrid, Spain; 163-165: *"Nacido para triunfar"*, *Más* Magazine, Univisión Publications, 1989, 1990, New York, NY; p. 185-186 "Frida Kahlo", Vol. 32, No. 3, 1980; p. 212-213 "Las pintorescas carretas de Sarchí" Vol. 38, No. 3, 1986; p. 204-205 "Paraíso prohibido" Vol. 37, No. 1, 1985 and p. 215 "México y sus máscaras" Vol. 32, No. 2, 1980 all reprinted from *Américas*, a bi-monthly magazine published by the General Secretariat of the Organization of American States in English and Spanish; p. 271-272 *"Enciclopedia popular"* Año 2 Nº 14, and Año 3, Nº 32, covers and text, reprinted with permission from Editores Asociados, Buenos Aires, Argentina; p. 282-283 "El pájaro", reprinted with permission from Fondo Cultural Económica, Mexico D.F.; p. 293-294 *"La muerte, comadre de Batab"*, reprinted with permission from Editorial Patria, Mexico, D.F.; p. 318-319 adapted from *El reino de este mundo—Los extraordinarios poderes de Mackandal*, Alejo Carpentier, Havana, Cuba; p. 320-321 "Danza negra", reprinted with permission from Ana Mercedes Palés Matos; p. 334-335 *El bloque de hielo* adapted from *Cien años de soledad*, reprinted with permission from Agencia Literaria Carmen Balcells, Barcelona, Spain; p. 351-352 *La niña Clara y su perro Barrabás*, adapted from *La casa de los espíritus*, reprinted with permission from Agencia Literaria Carmen Balcells, Barcelona, Spain; p. 347 from *Historias de cronopios y famas*, Julio Cortázar, Agencia Literaria Carmen Balcells, Barcelona, Spain; p. 358-359 adapted from *Como agua para chocolate* by Laura Esquivel. Copyright © 1989 by Laura Esquivel. Used by permission of Doubleday, a division of Bantam Doubleday Dell Publishing Group, Inc.

Photo Credits

Unless specified below, all photos in this text were selected from the *Heinle & Heinle Image Resource Bank*. The *Image Resource Bank* is Heinle & Heinle's proprietary collection of tens of thousands of photographs related to the study of foreign language and culture.

Photographers who have contributed to the resource bank include:

> Angela Coppola
> Carolyn Ross
> Jonathan Stark
> Kathy Tarantola

p. 27 Odyssey/Frerck/Chicago, p. 29 (right) Robert Fried/DDB Stock Photo, p. 78 Photo courtesy of John Gutierrez, p. 81 Owen Franken/Stock Boston, p. 90 Oliver Benn/Tony Stone Images, p. 93 (right) Photo courtesy of Robert Rubalcava, p. 163 (left) Richard Dole/DUOMO, (right) William R. Sallaz/DUOMO, p. 164 William R. Sallaz/DUOMO, p. 170 Gary Payne/Gamma-Liaison, p. 171 Chris R. Sharp/DDB Stock Photo, p. 172 Timothy Ross/The Image Works, p. 174 Odyssey/Frerck/Chicago, p. 176 Scala/Art Resource, p.177 Stuart Cohen/Comstock, p. 179 (top) Comstock, p. 186 (top) Schalkwijk/Art Resource, p. 190 Francis G. Mayer/Corbis, p. 193 (top) UPI/Corbis-Bettmann, p. 199 Giraudon/Art Resource © 1992 ARS, NY/SPADEM, p. 204 (both), 205, 207 Barry W. Barker/Odyssey/Chicago, pp. 211, 212 (top) Inga Spence/DDB Stock Photo, p. 212 (bottom) Robert Fried/DDB Stock Photo, p. 215 Kevin R. Morris/Corbis, pp. 221, 222, 223 Photos courtesy of John Gutierrez, p. 228 UPI/Bettmann, p. 238 Bill Bachmann/Stock Boston, p. 239 Bob Daemmrich/Stock Boston, pp. 244, 245 Odyssey/Frerck/Chicago, p. 256 (left) Bob Thomason/Tony Stone Images, (right) Tom Bean/Tony Stone Images, p. 258 DDB Stock Photo, p. 289 Everton/The Image Works, p. 298 Bettmann Archive, p. 310 (top) Photo courtesy of the OAS, p. 318 Photo courtesy of the Farrar-Straus-Giroux Publishers, NY, p. 320 Photo courtesy of Ana Pales Matos, p. 326 Gregory Dimijian/Photo Researchers, Inc., p. 327 Susan Meiselas/Magnum Photo, p. 338 Odyssey/Frerck/Chicago, p. 346 Photo courtesy of the OAS, p. 350 Steve Allen/Gamma-Liaison, p. 357 Zigy Kaluzny/Gamma-Liaison, p. 359 Robert Fried/DDB Stock Photo, p. 369 Peter Chartrand/DDB Stock Photo, p. 370 Will & Deni McIntyre/Tony Stone Images, p. 372 Greg MacDonald